Maurice **Grevisse**

Exercices de grammaire française

GREVISSE
LANGUE FRANÇAISE

Maurice **Grevisse**

Exercices de grammaire française

4e édition revue par Danièle Deschuytener et Catherine Lechat
sous la direction de Marc Lits

de boeck duculot

Pour toute information sur notre fonds, consultez notre site web : **www.deboeck.com**

4e édition 2010
4e tirage 2013

Imprimé en Belgique

Dépôt légal 2010/0035/007

ISBN 978-2-8011-1615-9

Avant-propos

La langue française évolue tous les jours, ses usages s'adaptent aux nouvelles réalités, mais elle s'appuie aussi sur un socle de règles précises. Depuis 1939, quand il publia le *Précis de grammaire française*, Maurice Grevisse a tenu à rendre compte du fonctionnement de la langue, à travers une présentation claire et détaillée de ses multiples et parfois complexes règles d'organisation, en se fondant toujours sur les usages observés autour de lui ou auprès des grands auteurs de la littérature. En complément de ses livres de grammaire, il a aussi voulu offrir des manuels d'exercices où chacun pourrait s'exercer à améliorer sa maîtrise de la langue.

Jusqu'à sa mort, il a proposé des nouvelles versions de ses différents manuels, en voulant toujours rendre compte des transformations de la langue. Depuis lors, le *Précis* est devenu le *Petit Grevisse*, mis à jour à plusieurs reprises. La dernière version remaniée de sa grammaire date de 2009, mais ses *Exercices de grammaire française* n'avaient jamais connu, pour leur part, de refonte approfondie. C'est aujourd'hui chose faite, et les *Exercices* se présentent dans une forme totalement renouvelée, qui ne se limite pas uniquement à une présentation plus agréable, mais à une véritable réorganisation des exercices proposés. Le public a changé, ce n'est plus seulement le professeur qui donne des listes d'exercices à réaliser en classe, ce sont aussi les parents qui veulent accompagner leurs enfants, ou toute personne désireuse de vérifier l'un ou l'autre aspect de sa maîtrise de la langue. Il fallait donc s'adapter à ce nouveau contexte, en prenant également en compte les évolutions de la langue : proposition de nouvelles règles d'orthographe recommandées depuis 1990 par le Conseil supérieur de la langue française, féminisation des noms de métier, variations linguistiques, usages de certaines particularités linguistiques ou d'expressions dont le sens premier est oublié...

Ce volume propose donc une nouvelle approche, plus dynamique, plus vivante, pour la révision des règles d'usage de la langue, en multipliant les citations d'auteurs classiques ou contemporains, les exemples fondés sur des situations quotidiennes, les conseils d'usage du vocabulaire ou de l'orthographe. Pour chaque cas abordé, la référence précise au *Petit Grevisse* est mentionnée, afin que le lecteur curieux puisse retrouver facilement la règle de base qui justifie tel ou tel usage.

La structure générale du volume est restée la même, parce qu'elle permet de passer en revue chaque catégorie de mots, ainsi que les différents types de fonctions et de propositions ; mais au sein de chaque chapitre, les exercices ont été allégés, complétés par des remarques portant sur l'usage de la langue d'aujourd'hui. Ainsi, chacun pourra retrouver facilement dans ce manuel la réponse précise à la question de grammaire qu'il se pose, ou l'utiliser de manière plus systématique pour une révision des principales règles liées à la maîtrise du français d'aujourd'hui. Dans une approche où le plaisir de la langue est le principal objectif.

Danièle Deschuytener et Catherine Lechat

Les éléments de la langue

[PG § 23-38]

Les mots — leurs diverses espèces

Pour un art poétique

> Prenez un mot prenez-en deux
> faites cuire comme des œufs
> prenez un petit bout de sens
> puis un grand morceau d'innocence
> faites chauffer à petit feu
> au petit feu de la technique
> versez la sauce énigmatique
> saupoudrez de quelques étoiles
> poivrez et puis mettez les voiles
>
> Où voulez-vous donc en venir ?
> À écrire
>   vraiment ? à écrire ? ?

Raymond QUENEAU, *Le chien à la mandoline*. Paris, Éd. Gallimard, 1965.

1 Discernez, dans le texte ci-dessus, les noms et les verbes.

[PG § 27] **VOCABULAIRE** 1. *Énigmatique* : ce mot est formé du nom *énigme* et du suffixe adjectival *–ique* dont le sens est « caractère, origine ». Il signifie donc « qui a le caractère de l'énigme », c'est-à-dire « peu clair ».

[PG § 24 1°, 28 et 34] 2. *Saupoudrer* est un verbe formé de *sau-*, forme atone de *sel* (du latin sal), et de *poudrer*. *Sel, saler, salaison, saumure, saumâtre*… sont des mots de la même famille. On notera que le radical varie ici de forme.

LANGAGE *Mettre les voiles*, au sens premier, signifie « faire avancer le bateau ». Au sens figuré et familier, il veut dire « s'en aller ».

2 Dans les phrases suivantes, marquez de manière distincte les noms et les verbes :

a) 1. Le printemps revient : l'air est plus doux, les prés reverdissent, les oiseaux chantent, tout renaît. — 2. Les petits ruisseaux font les grandes rivières. — 3. La gazelle redoute le lion. — 4. La fleuriste du marché propose des bouquets de tulipes et d'anémones. — 5. Il tonne ; de larges éclairs déchirent le ciel ; les arbres se tordent dans le vent.

b) 1. La place, avec ses arbres, était celle d'une ville de province. Quelques personnes au bord du trottoir jouaient aux boules. (P. Modiano) — 2. D'un seul bond, le soleil dépasse le sol de l'horizon. Il entre dans le ciel comme un lutteur, sur le dandinement de ses bras de feu. (J. Giono) — 3. C'était un ramage à ne pas s'entendre; chaque feuille cachait un nid, chaque arbre était un orchestre. (Th. Gautier) — 4. Je me souviens comme nous fermions les yeux, comme nous ouvrions les narines pour recevoir ce vent espagnol sur nos petites figures. (Fr. Mauriac)

[PG § 499] **ORTHOGRAPHE** *Renaître* peut désormais s'écrire sans accent circonflexe.

3 Dites quelle est la nature de chacun des mots en italique (noms ou verbes) :

Écrire : un jeu d'enfant ?

Les *mots* de la *dictée semblent être* des mots choisis pour leur *beauté*, leur *pureté* parfaite. Chacun se *détache* avec *netteté*, sa *forme* se *dessine* comme jamais celle d'aucun mot de mes *livres*… et puis avec *aisance*, avec une naturelle *élégance* il se rattache au mot qui le *précède* et à celui qui le *suit*… il faut *faire* attention de ne pas les *abîmer*… une légère *angoisse* m'*agite* tandis que je *cherche*… ce mot que j'*écris* est-il bien identique à celui que j'*ai* déjà *vu*, que je connais ? Oui, je *crois*… mais *faut*-il le *terminer* par « ent » ? Attention, c'est un *verbe*… souviens-toi de la *règle*… *est*-il certain que ce mot là-bas *est* son *sujet*? *Regarde* bien, ne *passe* rien… il n'y *a* plus en moi rien d'autre que ce qui maintenant se *tend, parcourt, hésite, revient, trouve, dégage, inspecte*… oui, c'est lui, c'est bien lui le *sujet*, il est au *pluriel*, un « *s* » comme il se *doit* le *termine*, et cela m'*oblige* à *mettre* à la *fin* de ce *verbe* « ent »…

Nathalie Sarraute, *Enfance*. Paris, Éd. Gallimard, 1983.

ORTHOGRAPHE 1. *Dictée* : Certains noms féminins se terminant par le son [e] s'écrivent avec *–ée*, c'est le cas de *poupée*, *ramée*, *fée*, *idée*... Mais plusieurs noms abstraits sont formés d'un adjectif et du suffixe *–té*, qui indique une qualité, ainsi *beauté*, *pureté*, *netteté*, qui dérivent de *beau*, *pur*, *net*. [PG § 27]

2. *Abîmer* : Suivant les rectifications orthographiques, l'accent circonflexe n'est plus obligatoire sur le *i* sauf s'il marque une terminaison verbale (passé simple, imparfait et plus-que-parfait du subjonctif). Exemple : *nous suivîmes*. On peut donc écrire *abimer*. [PG § 499]

3. *Est-il*, *faut-il*, *là-bas*, *souviens-toi* : observez l'emploi des traits d'union. [PG § 16]

LANGAGE *Comme il se doit* est une tournure passive impersonnelle qui signifie « comme il le faut ».

4 À chacun des noms suivants joignez un article et un adjectif:

livre — récit — chien — récompense — saison.

5 À chacun des verbes suivants joignez un adverbe:

répondre — courir — dormir — écrire — voyager.

6 Repérez, dans les expressions suivantes, les prépositions:

1. La maison de mes parents. — 2. Voyager par avion. — 3. Dans la peine et dans la joie. — 4. Se réconcilier avec son frère. — 5. Cacher un trésor sous une pierre. — 6. Arriver avant l'heure. — 7. Venir à l'école. — 8. Une audace sans égale.

7 Reliez par une préposition les éléments de chaque couple:

1. Les clés ~ la voiture. — 2. Extraire une dent ~ douleur. — 3. Une histoire ~ rire. — 4. Un serpent ~ sonnettes. — 5. Se rendre ~ le médecin. — 6. Prendre un médicament ~ les repas. — 7. Être bon ~ santé.

8 Dans les phrases suivantes, remplacez par un pronom les mots en italique:

1. Une passagère se sentit mal, *la passagère* appela l'hôtesse et pria *l'hôtesse* de lui apporter un verre d'eau. – 2. Je compte rénover ma chambre, je vais repeindre *ma chambre* en bleu. – 3. Quand une lecture ouvre l'esprit et que *cette lecture* stimule l'imagination, il est plaisant de poursuivre *cette lecture*. – 4. Le médecin examina le patient; *ce patient* lui parut très agité. – 5. Appelons nos amis, annonçons *à nos amis* la grande nouvelle.

9 Dites si, dans les phrases suivantes, les mots en italique sont des prépositions, ou des conjonctions, ou des interjections:

1. Le vendeur *et* le client discutent *de* la qualité *de* l'article. — 2. Nous pourrons skier *si* le temps le permet. — 3. Toujours enveloppé *d'*une pelisse *de* renard, le bon seigneur se promenait *dans* sa maison. (G. Flaubert) — 4. *Quand* les chats sont partis, les souris dansent. — 5. Revenez *donc*, *hélas!* revenez *dans* mon ombre, *Si* vous ne voulez pas *que* je

sois triste *et* sombre. (V. Hugo) — 6. *Oh!* ces journées *de* neige, quelle transformation elles opéraient *en* nous! (F. Carco) — 7. Le lendemain, *quand* j'ouvris ma fenêtre, les sauterelles étaient parties, *mais* quelles ruines elles avaient laissées *derrière* elles! (A. Daudet) — 8. Les résultats seront connus *à* onze heures *ou dans* la soirée.

10 Présentez sous leurs diverses formes possibles (singulier, pluriel; masculin, féminin) **les noms ou adjectifs suivants:**

champ — utile — tableau — râleur — beau — cheval — château — doux.

11 Parmi les mots en italique, distinguez les mots variables des invariables:

Le cageot

> À mi-chemin de la cage au cachot la langue *française a* cageot, *simple* caissette à claire-voie vouée au transport de ces fruits qui de la moindre *suffocation* font à coup sûr une maladie.
>
> *Agencé* de façon qu'au terme de *son* usage *il* puisse être brisé sans effort, il ne sert pas *deux* fois. Ainsi dure-t-il moins *encore* que les denrées fondantes *ou* nuageuses qu'il enferme.
>
> À tous les coins de rues qui aboutissent aux halles, il luit *alors* de l'éclat *sans* vanité du bois blanc. Tout neuf encore, et *légèrement* ahuri d'être dans une pose *maladroite à* la voirie jeté sans retour, cet *objet* est en somme des plus sympathiques, - *sur* le sort duquel il convient toutefois *de* ne *s'appesantir* longuement.
>
> Francis Ponge, *Le parti pris des choses.* Paris, Éd. Gallimard, 1942

[PG § 27] VOCABULAIRE 1. *Cageot* est un mot formé du nom *cage* et du suffixe ***–ot***. D'autres exemples : *angelot*, *frérot*, *loupiot*, *Pierrot* qui dérivent respectivement des noms *ange*, *frère*, *loup*, *Pierre*.

[PG § 29, 37] 2. *Sympathique* et *antipathique* sont deux adjectifs commençant l'un, par le préfixe ***syn-*** (signifiant «avec») et l'autre, par le préfixe ***anti-*** (qui marque l'opposition). Ils ont donc des sens contraires, ce sont des antonymes.

LANGAGE 1. *À coup sûr* a le sens de «sûrement». Le vocable *coup* entre dans un grand nombre d'expressions : *tout à coup* signifiant «soudainement»; *tout d'un coup*, «tout en une fois»; *sur le coup*, «immédiatement»; *après coup*, «plus tard»; *coup sur coup*, «l'un à la suite de l'autre»; *au coup par coup*, «par une suite d'actions différentes à chaque fois».

2. *En somme* signifie «en conclusion».

12 Faites une phrase contenant au moins: un nom, un article, un adjectif, un adverbe; — une phrase contenant au moins: un pronom, un verbe, un adjectif, une préposition, une conjonction, une interjection.

13 Dites quelle est la nature de chacun des mots en italique:

Un havre

> *Il* entra *dans* une petite rue *où* il y a beaucoup de jardins. *Quelques-uns* ne sont enclos que de haies, ce qui *égaie* la rue. *Parmi* ces jardins et ces haies, il *vit* une *petite* maison

d'un seul étage dont *la* fenêtre était éclairée. Il regarda *par* cette vitre *comme* il avait fait pour le cabaret. *C'*était une grande chambre blanchie à la *chaux*, avec un lit drapé d'indienne imprimée, *et* un berceau dans un coin, quelques chaises de bois et un fusil à deux coups accroché au mur. *Une* table était servie au milieu de la *chambre*. Une lampe de cuivre *éclairait* la nappe de grosse toile blanche, le broc d'*étain* luisant comme l'*argent* et plein de vin et la soupière *brune qui* fumait. À cette table était assis un homme d'une *quarantaine* d'années, à la figure joyeuse et ouverte, *qui* faisait sauter un petit enfant *sur* ses genoux. Près de *lui* une femme, toute jeune, allaitait un autre enfant. *Le* père riait, l'enfant riait, la mère souriait.

Victor HUGO, *Les misérables*.

PRONONCIATION 1. On n'entend pas la consonne finale ***–c*** [k] dans *broc, accroc, escroc, des entrelacs, clerc, porc, marc* (de café), la *place Saint-Marc* (à Venise), *Saint-Brieuc*, **mais** on l'entend dans *manioc, foc, troc, arc, Marc, parc, bric-à-brac, caduc.*

2. On n'entend pas la consonne finale ***–l*** [l] dans *fusil, gentil, outil, sourcil* **mais** on l'entend dans *avril, cil, fil, subtil.*

VOCABULAIRE 1. *Indienne*, dans ce texte, désigne une toile de coton, d'abord fabriquée en Inde, légère et colorée par impression.

2. *Cabaret* est employé, ici, au sens de « débit de boissons ». *Café, bistrot, estaminet* en sont des synonymes. [PG § 37]

14 Rangez ces séries de mots dans l'ordre alphabétique : [PG § 9]

1. Havre, cabaret, jardin, haie, chambre, berceau, nappe, chaise, chaux, toile, bois.

2. Italie, Canada, Suisse, France, Belgique, Congo, Vietnam, Pologne, Inde, Suède, Portugal, Venezuela, Guatemala.

Phrase simple 13
Phrase composée 15
Le sujet 16
Compléments du verbe 19
Attribut 25
Déterminants du nom et du pronom 29
Complément de l'adjectif 34
Compléments de mots invariables 36
Mots en apostrophe — mots explétifs 37
Ellipse — pléonasme 38
Espèces de propositions 38
Coordination — juxtaposition 42

Chapitre 2

La proposition

Phrase simple

[PG § 34-40]

Baignade

> Il fait beau. Un maillot plonge. On nage sur le flanc, sur le nez, sur le dos, sur le menton, sur le cœur, on barbote, on fait des ronds, on fait des huit, on tourbillonne, on s'ébroue, on piaffe, on s'endort, on brasse l'onde, on cabriole, on coule à pic, on remonte d'un coup de talon net, on tape à tour de bras sur l'eau, on escalade une échelle de fer, on s'étend sur le sable et le varech. On sèche.
>
> Henri Bosco, *Le quartier de sagesse*. Paris, Éd. Gallimard.

15 **Relevez, dans le texte ci-dessus: *a)* les propositions à deux termes** (sujet, verbe)**; — *b)* les propositions à trois termes** (sujet, verbe, objet direct)**.**

VOCABULAIRE 1. *S'ébrouer* : se dit du cheval qui souffle bruyamment en secouant la tête; souffler en s'agitant pour se nettoyer, sortir d'un état d'engourdissement.

2. *Piaffer* : se dit du cheval qui, sans avancer, frappe la terre des pieds de devant; s'agiter vivement.

3. Le *varech* est le nom donné aux algues rejetées par la mer et qu'on recueille notamment pour les utiliser comme engrais.

4. *À tour de bras* : signifie « avec acharnement ». D'autres expressions avec le mot *bras* : *baisser les bras* : « renoncer à poursuivre une action » ; *recevoir quelqu'un à bras ouverts* : « l'accueillir avec effusion » ; *avoir quelque chose sur les bras* : « en être chargé » ; *être dans les bras de Morphée* : « dormir ».

[PG § 24 3°] **VOCABULAIRE** Du latin *navigare* sont issues la forme populaire *nager* et la forme savante *naviguer*. Ce sont des doublets.

16 Dans les phrases suivantes, séparez par un trait vertical les termes de chaque proposition et repérez chaque fois le verbe, base de la proposition :

a) *Propositions à deux termes* : sujet, verbe (chaque terme peut être accompagné d'un complément circonstanciel) : 1. L'enfant joue. — 2. La nouveauté plaît. — 3. Le tonnerre gronde. — 4. Vint la Saint-Nicolas. — 5. On nage sur le flanc. — 6. Le rossignol chante merveilleusement. — 7. Tout renaît au printemps. — 8. Bientôt reviendront les beaux jours. — 9. Le père de mon ami travaille dans une société pharmaceutique. — 10. Le long d'un clair ruisseau buvait une colombe. (J. de La Fontaine) — 11. La sonnerie des cours retentit dans les mornes couloirs du lycée. (A. Jardin)

b) *Propositions à trois termes* : sujet, verbe, attribut ou complément d'objet direct (chaque terme peut être accompagné de mots qui le complètent) : 1. La mer est immense. — 2. Les beaux jours sont courts. — 3. Un mot d'encouragement semble nécessaire. — 4. Rares sont les situations irréversibles — 5. La lune versait sur les toits sa lumière pâle. — 6. Chaque âge a ses plaisirs. — 7. La tiédeur de l'eau atténuait la désagréable impression de submersion et de suffocation. (J. P. Dubois) — 8. Maître corbeau, sur un arbre perché, Tenait en son bec un fromage. (La Fontaine)

[PG § 499] **ORTHOGRAPHE** 1. *Il plaît* et *il renaît* peuvent désormais s'écrire sans accent : *il plait, il renait.* Les rectifications de l'orthographe permettent de supprimer l'accent circonflexe sur les ***-i***, sauf dans les terminaisons verbales du passé simple, de l'imparfait du subjonctif, du plus-que-parfait du subjonctif et sur le verbe *croître.*

2. Notez l'orthographe de la *Saint-Nicolas* (la fête) : majuscule au mot *Saint* et trait d'union, et de *saint Nicolas* (la personne) : sans majuscule ni trait d'union. *Saint* prend une majuscule quand il s'agit d'une localité, d'une fête, d'une époque, etc. (autrement dit : quand il ne sert pas à désigner le saint lui-même).

17 Inventez trois propositions à deux termes (sujet, verbe intransitif) **— et trois propositions à trois termes** (sujet, verbe, complément d'objet direct ou attribut)**.**

18 Inventez une proposition à deux termes et une proposition à trois termes (chacun des termes sera accompagné de mots le complétant)**.**

Phrase composée

[PG § 41,74]

19 Dans ce texte, repérez les verbes à un mode personnel puis séparez les diverses propositions.

Le chat et l'écrivain

Le chat me fait savoir ce soir qu'il aime bien la laine de mon nouveau pull. Il s'allonge de tout son long, la tête enfouie dans le pli de mon coude, et se déploie, se cale, se blottit à intervalles rapprochés; le mieux n'est pas l'ennemi de son bien! À se refaire à chaque fois une place alanguie dans cette mer ourlée de laine, il doit trouver un plaisir augmenté, car il ronronne de plus en plus fort, et sa musique accompagne mon écriture. Sa silhouette se découpe sur le bas de mon cahier — il adore aussi le papier, et ce mélange pull-cahier n'est pas pour lui déplaire. Comment peut-on trouver sa volupté à parts égales dans la laine et le papier? J'essaie d'imaginer, mais j'ai du mal à suivre.

Philippe Delerm, *Le bonheur. Tableaux et bavardages.*
Paris, Éd. du Rocher, 1986.

VOCABULAIRE 1. *Le mieux n'est pas l'ennemi de son bien* : l'écrivain détourne ici le proverbe : *le mieux est l'ennemi du bien* signifiant qu'à force de vouloir faire mieux, on risque de gâter ce qui est bon et que le perfectionnisme n'est pas toujours payant.

2. *Avoir du mal à faire quelque chose*, c'est éprouver de la difficulté pour la faire, le mot *mal* a le même sens de «difficulté, peine» que dans l'expression *se donner du mal, un mal fou, un mal de chien*; par contre, *avoir mal* signifie «éprouver de la souffrance».

3. *Enfouir* signifie «mettre sous terre après avoir creusé le sol» et par extension «mettre dans un lieu recouvert et caché». On ne le confondra pas avec *s'enfuir* signifiant «s'échapper».

20 Séparez les diverses propositions des phrases suivantes; repérez chaque fois le verbe, base de la proposition.

1. Une brise fraîche soufflait, les seigles et les colzas verdoyaient, des gouttelettes de rosée tremblaient au bord du chemin, sur les haies d'épines. (G. Flaubert) — 2. Quand l'esprit prend ses quartiers d'hiver, l'écriture sert de réflecteur; elle se refroidit à vue d'œil. (J.-P. Aron) — 3. Ô buffet du vieux temps, tu sais bien des histoires, Et tu voudrais conter tes contes, et tu bruis Quand s'ouvrent lentement tes grandes portes noires (A. Rimbaud) — 4. Moi, si j'avais vingt fils, ils auraient vingt chevaux. Et fuiraient au galop le Pédant et l'École. (P. Verlaine) — 5. L'avion avait gagné d'un seul coup, à la seconde même où il émergeait, un calme qui semblait extraordinaire. (A. de Saint-Exupéry)

ORTHOGRAPHE *Fraîche* peut désormais s'écrire *fraiche*, sans accent circonflexe. [PG § 499]

21 Prenant pour thème «la nuit», inventez deux phrases composées (vous séparerez par un trait vertical les diverses propositions).

[PG § 42-45]

Le sujet

22 Relevez les verbes et recherchez-en les sujets ou les groupes sujets.

L'aviateur monte vers les étoiles

> Et voici qu'il montait vers des champs de lumière. Il s'élevait peu à peu, en spirale, dans le puits qui s'était ouvert, et se refermait au-dessous de lui. Et les nuages perdaient, à mesure qu'il montait, leur boue d'ombre, ils passaient contre lui, comme des vagues de plus en plus pures et blanches. Fabien émergea.
>
> Sa surprise fut extrême : la clarté était telle qu'elle l'éblouissait. Il dut, quelques secondes, fermer les yeux. Il n'aurait jamais cru que les nuages, la nuit, pussent éblouir. Mais la pleine lune et toutes les constellations les changeaient en vagues rayonnantes.
>
> Antoine de Saint-Exupéry, *Vol de nuit*. Paris, Éd. Gallimard.

[PG § 499] **ORTHOGRAPHE** *Paraître* peut désormais s'écrire *paraitre*, sans accent circonflexe.

23 Même exercice pour les phrases suivantes :

a) 1. Le rire est le propre de l'homme. — 2. Le verglas rend les routes glissantes. — 3. Les conditions atmosphériques imposent la prudence aux conducteurs. — 4. Déjà le ciel blanchit ; bientôt le soleil paraîtra et les oiseaux commenceront leurs concerts. — 5. Par la persévérance, on parvient à ses fins. — 6. Chacun fera ce qu'il peut. — 7. Respirer profondément apaise.

b) 1. Nul n'est prophète en son pays, dit un proverbe. — 2. Qui pourrait compter les étoiles du ciel ? — 3. Se pencher au dehors présente un danger. — 4. Les pourquoi des enfants sont parfois embarrassants. — 5. Qui ne dit mot consent. — 6. Celui qui arrivera le premier recevra un prix. — 7. Qui veut la fin veut les moyens.

24 Repérez les sujets ou groupes sujets.

a) 1. Quand vint l'hiver, la cigale se trouva fort dépourvue. — 2. Quiconque joue avec le feu risque de se brûler. — 3. Pouvez-vous me dire où mène ce chemin ? — 4. Le bonheur est éphémère. — 5. Que sert de dissimuler ? — 6. Vivent les vacances ! crient les écoliers. — 7. Nobles forêts qu'émeuvent les vents, puissent les tempêtes ne pas ravager vos ramures !

b) 1. Tout autour de la plage montaient de hautes roches escarpées. (A. Daudet) — 2. Dans l'or des feuilles commence la dormance de la nature. (M. Rouanet) — 3. Ainsi dit le renard, et flatteurs d'applaudir. (J. de La Fontaine) — 4. Ce que l'on conçoit bien s'énonce clairement. (Boileau) — 5. L'eau courait le long du trottoir, boueuse, avec cette ondulation particulière que lui imprimait la forme des pierres. — 6. Les poutrelles du plafond étaient vermoulues, les murailles noires de fumée, les carreaux gris de poussière. (G. Flaubert) — 7. Mais bien plus que le monde m'intéressent les passants du monde. (J. Guéhenno) — 8. Mais jouer avec Odile ne m'amusait plus comme autrefois. (J. Green) — 9. Le long d'un clair ruisseau buvait une colombe. (J. de La Fontaine) — 10. Personne n'osait plus sortir dès que tombait le soir. (G. de Maupassant)

VOCABULAIRE La *dormance* est l'état de repos de certaines plantes.

ORTHOGRAPHE *Brûler* peut désormais s'écrire sans accent : *bruler*. Les rectifications orthographiques permettent de supprimer l'accent circonflexe sur le **u**, sauf dans les terminaisons verbales du passé simple, de l'imparfait du subjonctif, du plus-que-parfait du subjonctif et dans les mots où il apporte une distinction de sens utile : **dû**, **jeûne**, **mûr** et **sûr**. Notez que les accents circonflexes placés sur les lettres **a**, **o** et **e** ne subissent aucun changement. [PG § 499]

25 Repérez les sujets ou groupes sujets. [PG § 42-45]

Les gens du voyage

Ils étaient des Gitans français qui n'avaient pas quitté le sol de ce pays depuis quatre cents ans. Mais ils ne possédaient pas les papiers qui d'ordinaire disent que l'on existe : un carnet de voyage signalait leur vie nomade. Elle n'était cependant qu'un souvenir de la vieille. Les lois et les règles modernes avaient compliqué le passage d'une ville à une autre et ils s'étaient sédentarisés, comme la plupart des Gitans. L'ouverture économique amenait sur les marchés des produits moins chers qu'il ne leur en coûtait de les réaliser eux-mêmes. C'est ainsi que les femmes avaient perdu la vannerie. Ils étaient en dehors. On nous croit disparus, disait souvent Angéline, sans vouloir parler du grand holocauste. Mais on est bien là, Dieu ! Et elle riait en essuyant ses mains sur ses hanches.

Alice Ferney, *Grâce et dénuement*.
Arles, Babel Actes Sud, 1997.

VOCABULAIRE Un holocauste était, à l'origine du mot, un « sacrifice religieux où la victime (généralement un animal) était immolée par le feu ». Aujourd'hui, le terme s'utilise pour désigner « le génocide, la tentative d'extermination des Juifs et des Gitans par les nazis. »

ORTHOGRAPHE 1. *Coûter* peut désormais s'écrire *couter*, sans accent circonflexe. [PG § 499]

2. *Des Gitans français* : observez la majuscule à *Gitans* car il s'agit d'un nom propre concernant un peuple, alors que *français* est utilisé comme adjectif.

26 Même exercice.

Calme et silence

Le ciel était blanc, sans nuages, mais sans soleil. Sa courbe pâle s'étendait au large, couvrait la campagne d'une monotonie froide et dolente. On n'entendait aucun bruit, les oiseaux ne chantaient pas; l'horizon même n'avait point de murmure, et des sillons vides ne nous envoyaient ni les glapissements des corneilles qui s'envolent ni le bruit doux du fer des charrues.

Gustave Flaubert.

VOCABULAIRE Sachez qu'outre les corneilles, le renard, le chacal, le petit chien, le lapin et l'épervier peuvent également pousser des *glapissements*.

27 Formez de courtes phrases en prenant comme sujets les mots ou groupes de mots suivants :

a) Mer — joie — examens — ville — Les progrès de la médecine.

b) Chanter — lire — nous — chacun — pourquoi — ceux qui réussiront — qu'on nous félicite.

28 Remplacez les trois points par un sujet.

1. ... plaît. — 2. ... est aisée, mais ... est difficile. — 3. ... récoltera ce qu'... aura semé. — 4. ... peut parfois n'être pas vraisemblable. — 5. ... pour la justice est une noble cause. — 6. Que vaut ... sans la santé ? — 7. Rien ne sert ... — 8. ... ménage sa monture.

[PG § 499] ORTHOGRAPHE *Il plaît* peut désormais s'écrire *il plait*, sans accent circonflexe.

[PG § 45] **29 Inventez trois phrases où le sujet sera repris par un pronom personnel.**

[PG § 44] **30 Distinguez les sujets apparents et les sujets réels des verbes impersonnels.**

1. Le ciel est gris ; il pleut. — 2. Dans nos cœurs, il flotte une vague tristesse. — 3. L'hiver sévit : il neige, il vente ; il faudrait un abri pour les sans-logis. — 4. Il importe que chacun soit à son poste. — 5. Il lui arriva une aventure incroyable. — 6. Il ne suffit pas d'avoir du talent, il faut encore du caractère.

31 Tournez les phrases suivantes par la forme impersonnelle, avec sujet apparent et sujet réel :

1. Apprendre à cuisiner est amusant. — 2. Chercher un abri sous un arbre pendant un orage est imprudent. — 3. Rattraper le temps perdu n'est pas facile. — 4. Se tirer d'un tel embarras eût été impossible. — 5. On aurait dit que de la neige était tombée. — 6. Quelque chose de mystérieux se passe dans ce château.

32 Tournez par la forme personnelle les phrases suivantes :

1. Il me vint une idée. — 2. Il surviendra des difficultés. — 3. Il ne suffit pas toujours de bons ingrédients pour bien cuisiner. — 4. Il sera mis fin à ces extravagances. — 5. Il se trouvera bien quelqu'un pour nous indiquer le chemin.

PRONONCIATION La séquence **-ien** se prononce parfois [-jɑ̃] comme dans *ingrédient, science, conscient, patient* et parfois [-jɛ̃] comme c'est le cas pour *chien, indien, rien.*

[PG § 43 R 3°, 45 4°] **33 Repérez les sujets ou groupes sujets des infinitifs ou des participes en italique.**

a) 1. J'entends *passer* les avions. — 2. Le soir *tombant*, il chercha un abri pour la nuit. — 3. Souvent, je voyais ma mère *sortir* du salon. (R. Gary) — 4. Nous allons, toutes précautions *prises*, nous engager dans cette affaire.

b) 1. Laissez *dire* les sots : le savoir a son prix. (J. de La Fontaine) — 2. Le violon, la danse tour à tour *écartés*, la peinture *mise* hors de cause, on me donna des leçons de chant. (R. Gary) — 3. (...) ils s'assirent près du feu, rongèrent des croûtons de pain et du lard en regardant *cavaler* les nuages. (A. Ferney) — 4. Je regardais au loin toutes les petites clartés des maisons *s'éteindre* une à une dans le bourg. (G. Sand) — 5. Moi je suis resté seul, toute joie *ayant fui*, Seul avec ce pédant qu'on appelle l'ennui. (V. Hugo)

ORTHOGRAPHE *Croûton* peut désormais s'écrire *crouton*, sans accent circonflexe. [PG § 499]

Compléments du verbe

1. Complément d'objet direct [PG § 48-50]

L'heureux homme !

M. Simonnot, collaborateur de mon grand-père, déjeunait avec nous, le jeudi. J'*enviais* ce quinquagénaire aux joues de fille qui *cirait* sa moustache et *teignait* son toupet : quand Anne-Marie lui demandait, pour *faire* durer la conversation, s'il *aimait* Bach, s'il se plaisait à la mer, à la montagne, s'il *gardait* bon souvenir de sa ville natale, il *prenait* le temps de la réflexion et *dirigeait* son regard intérieur sur le massif granitique de ses goûts. Quand il *avait obtenu* le renseignement demandé, il le *communiquait* à ma mère, d'une voix objective, en saluant de la tête. L'heureux homme ! il *devait*, pensais-je, s'éveiller chaque matin dans la jubilation, *recenser*, de quelque Point Sublime, ses pics, ses crêtes et ses vallons, puis s'étirer voluptueusement en disant : « C'est bien moi : je suis M. Simonnot, tout entier. »

Jean-Paul SARTRE, *Les mots*. Paris, Éd. Gallimard, 1964.

34 Dans ce texte, relevez les compléments d'objet direct des verbes en italique.

VOCABULAIRE 1. Les personnes âgées de 40, 50, 60, 70, 80, 90, 100 ans sont respectivement des *quadragénaires*, *quinquagénaires*, *sexagénaires*, *septuagénaires*, *octogénaires*, *nonagénaires* et *centenaires*.

2. *Granitique* : qui est de la nature du granit, une roche très dure, dense.

ORTHOGRAPHE *Goût* peut désormais s'écrire *gout*, sans accent circonflexe. [PG § 499]

35 Même exercice.

a) 1. Quels enfants n'*aiment* pas le chocolat ? — 2. L'habit *fait*-il le moine ? — 3. Chat échaudé *craint* l'eau froide. — 4. Si vous *avez* une réponse, *transmettez*-la moi. — 5. Les amis d'aujourd'hui, les *aura*-t-on encore dans les moments difficiles ? — 6. On *rencontre* des gens qui *prétendent* tout *savoir*.

b) 1. Qui ne *risque* rien, n'*a* rien. — 2. *Avez*-vous bien *compris* ce qu'*expliquait* le professeur ? — 3. Que de gens *ont* deux caractères : celui qu'ils *montrent* et celui qu'ils *ont*. — 4. Qui *veut* voyager loin *ménage* sa monture.

ORTHOGRAPHE Observez les traits d'union dans *transmettez-la*, *aura-t-on*.

36 Relevez les compléments d'objet directs; dites quel verbe chacun d'eux complète.

Larguez les amarres !

On jetait la bouée par-dessus bord, l'*Ibis* s'inclinait et il fallait vivement amarrer les écoutes. C'est pour les avoir vu faire souvent que je savais ces choses. Grand-père tenait la barre ; il ôtait sa coiffure et le vent ébouriffait ses derniers cheveux. Filion démêlait les cordes et les roulait en couronnes ; Honoré tirait de sa poche son tabac et l'*Ibis* tout penché sur tribord, giflant les petites vagues serrées, filait vers Hermance en montrant son gros ventre lisse. Au large, le séchard fraîchissait. Alors les cordes se tendaient, les poulies chantaient, l'eau effleurait le pont et accrochait à la bastaque ses mains transparentes. Grand-père me donnait une cigarette : « Tu ne le raconteras pas à ta grand'mère. »

Guy DE POURTALÈS, *Marins d'eau douce*. Paul Hartmann, 1919.

[PG § 499] ORTHOGRAPHE *Fraîchir* peut désormais s'écrire *fraichir*, sans accent circonflexe.

37 Remplacez les trois points par un complément d'objet direct:

1. Je prends ... — 2. Le soleil éclaire ... — 3. Les belles plumes font ... — 4. Il est utile d'apprendre ... — 5. ... cherchez-vous? — 6. Ces outils nous sont très utiles, nous ... entretenons. — 7. La Seine arrose ... — 8. Gutenberg a inventé ... — 9. Socrate fut condamné à boire ...

38 Employez dans de courtes phrases les mots (ou groupes) **suivants comme compléments d'objet directs:**

nos parents	la musique	les enfants jouer
la télévision	tout	que tout passe
à lire	rien	si vous viendrez
nous	votre profession	pourquoi tu hésites

39 Repérez les compléments d'objet directs et, quand le complément est un groupe de mots, indiquez le centre du groupe.

1. Les débats préélectoraux passionnent de nombreux auditeurs. — 2. Qu'attendez-vous de la vie? — 3. Votre signature atteste la validité du document. — 4. Certaines personnes ne supportent pas la moindre contradiction. — 5. Sachons réfléchir avant de prendre une résolution importante. — 6. Les films d'aventures captivent quiconque aime les intrigues et les rebondissements. — 7. Ces travailleurs craignent la faillite de leur entreprise. — 8. Comment un autre gardera-t-il ton secret si tu ne le gardes pas toi-même?

40 Relevez les compléments d'objet directs et les pronoms qui les reprennent.

1. L'avenir, on le prépare aujourd'hui. — 2. Ce problème, vous le résoudrez si vous réfléchissez bien. — 3. Poules, poulets, canards, chapons, le renard trouvait tout à son goût. — 4. Les souvenirs d'enfance, on les évoque avec plaisir quand on prend de l'âge. — 5. Quelle surprise

m'a causée votre lettre, je ne saurais la décrire. — 6. Cet immense bourdonnement des étés de mon enfance, je ne l'entends plus qu'au-dedans de moi. (Fr. Mauriac)

ORTHOGRAPHE *Goût* peut désormais s'écrire *gout*, sans accent circonflexe. [PG § 499]

41 Joignez à chacun des verbes suivants un sujet et un complément d'objet direct:

défend	coûte	connaît	procure
porte	pèse	pardonne	racontent

ORTHOGRAPHE *Coûte* et *connaît* peuvent désormais s'écrire sans accent circonflexe. [PG § 499]

2. Complément d'objet indirect [PG § 51-54]

La petite reine

Louis *voue* un culte à la petite reine. Il *rêve* de *ressembler* à Eddy Merckx. Il lui *rend* hommage sans *se soucier* des sourires amusés. Chaque dimanche, *profitant* de ses moments de loisir, il se *réjouit* d'enfourcher sa bicyclette et d'*échapper* à ses nombreuses obligations. Il *préfère* le vélo à n'importe quel autre sport. Il *obéit* à un désir profond qui le *pousse* à se dépasser sans cesse. Grâce à ses efforts physiques constants, il *bénéficie* d'une santé de fer.

42 Dans ce texte, relevez les compléments d'objet indirects des verbes italiques.

VOCABULAIRE 1. *La petite reine* désignait autrefois «la bicyclette».

2. *Une santé de fer* est «une santé inébranlable»; *un regard d'acier* est «dur et froid»; *un cœur de pierre* est «implacable» mais *un cœur d'or* est «généreux».

43 Même exercice.

a) 1. Les parents *se soucient* de leurs enfants. — 2. Elle *prête* une oreille attentive à mes explications. — 3. Puisque tu me le *demandes*, je te *livrerai* mon secret. — 4. *Fais*-lui confiance, ne *doute* pas de son succès.

b) 1. Je *rends* au public ce qu'il m'*a prêté*. (J. de La Bruyère) — 2. Ses parterres brodés qui *ressemblent* à de grands tapis. (V. Hugo) — 3. Kyo *échappait* à la peur par manque d'imagination. (A. Malraux) — 4. Vous me *rendez* l'article s'il *cesse* de vous plaire. (É. Zola) — 5. Il est toujours facile d'obéir, si l'on *rêve* de commander. (J.-P. Sartre) — 6. Gardes, qu'on *obéisse* aux ordres de ma mère! (J. Racine) — 7. Elle *avait rêvé* de clairs de lune, de voyages, de baisers donnés dans l'ombre des soirs. (G. de Maupassant) — 8. Il a fallu que je monte chez Emmanuel pour lui *emprunter* une cravate noire. (A. Camus)

44 Remplacez les trois points par un complément d'objet indirect.

a) 1. Nous préférons ... — 2. Battez-vous ... — 3. Je me réjouis ... — 4. Une mère se soucie ... — 5. On ne pense jamais ...

b) 1. Nous pouvons nous confier ... — 2. Les pouvoirs publics sévissent ... — 3. La plaisanterie a déplu ... — 4. Un bon directeur sait parfois user ...

45 Joignez à chacun des infinitifs suivants un complément d'objet indirect:

parler	succéder	commander	médire	s'opposer
profiter	s'apercevoir	résister	sourire	hériter

46 Inventez de courtes phrases où vous emploierez, chacun avec un complément d'objet indirect, les verbes suivants:

convenir	préférer	attribuer	céder
abuser	comparer	substituer	prêter

47 Distinguez parmi les mots en italique les compléments d'objet directs et les compléments d'objet indirects.

1. Certains aiment *les voyages* qui *leur* procurent *un dépaysement*, d'autres préfèrent *le farniente*. — 2. Il faut se réjouir *des accords signés entre ces deux pays*. — 3. Ta proposition ne *me* dit *rien* qui vaille. — 4. Je *vous* encourage à *bien travailler*. — 5. Je *me* dis *que vous réussirez*. — 6. La voisine se plaignait *qu'elle ne voyait personne*. — 7. L'Académie a remis *un prix* à *cet écrivain*.

[PG § 55-56 et 465-481]

3. Complément circonstanciel

Une tâche ingrate

> Je *m'installai* à la photocopieuse comme aux galères. À chaque fois, je *devais* soulever le battant, *placer* la page avec minutie, *appuyer* sur la touche puis examiner le résultat. Il *était* quinze heures quand j'*étais arrivée* à mon ergastule. À dix-neuf heures, je n'*avais* pas encore *fini*. Des employés *passaient* de temps en temps : s'ils avaient plus de dix copies à effectuer, je leur *demandais* humblement de consentir à utiliser la machine *située* à l'autre bout du couloir.
>
> Je *jetai* un oeil sur le contenu de ce que je photocopiais. Je crus *mourir de rire* en constatant qu'il s'agissait du règlement du club de golf dont monsieur Saito était l'affilié.
>
> Amélie Nothomb, *Stupeur et tremblements*. Paris, Albin Michel, 1999.

48 Faites correspondre à chacun des verbes en italique les compléments circonstanciels qui s'y rapportent en mentionnant la nuance qu'ils expriment.

VOCABULAIRE 1. Un *ergastule* était « une prison souterraine, un cachot, dans l'Antiquité romaine ».

2. *Jeter un œil, un regard, un coup d'œil...* signifie « regarder rapidement ».

3. L'emploi du verbe *mourir* utilisé par exagération est courant en français, il n'est donc pas rare de *mourir de rire, de faim, de soif, de froid, d'ennui, de peur, de chagrin, de honte*... tout en restant vivant !

49 Composez 2 phrases contenant chacune un complément circonstanciel de temps et un de lieu.

50 Discernez les compléments circonstanciels de temps et dites de chacun d'eux s'il marque : 1° l'époque ; 2° la durée.

1. Tout renaît au printemps. — 2. Lors du déluge, il plut durant quarante jours. — 3. À tout moment, il se pose des questions. — 4. Certains insectes ne vivent qu'un jour. — 5. Quand il pleut à la Saint-Médard, il pleut quarante jours plus tard. — 6. Je n'ai lu ton courriel qu'hier soir. — 7. En cet automne 1998, j'avais reporté *sine die* mon projet éditorial. (J.-P. Dubois)

VOCABULAIRE *Sine die* : locution latine signifiant littéralement « sans jour [fixé] ». *Ajourner une réunion sine die*, c'est la renvoyer à plus tard sans fixer de date pour la prochaine réunion.

ORTHOGRAPHE *Renaît* peut désormais s'écrire *renait*, sans accent circonflexe. [PG § 499]

51 Inventez de courtes phrases contenant chacune un complément circonstanciel de temps répondant aux questions suivantes :

1. En quelle année ? — 2. En combien d'années ? — 3. Depuis combien de temps ? — 4. Pour quand ? — 5. Combien de temps avant ? — 6. Pour combien de temps ?

52 Faites entrer dans une courte phrase chacun des compléments circonstanciels de temps que voici :

1. À l'heure de midi. — 2. Pendant l'hiver. — 3. Dans un mois. — 4. Durant toute la nuit. — 5. De bonne heure. — 6. Pour huit jours.

53 Discernez les compléments circonstanciels de lieu et dites de chacun d'eux s'il marque : 1° la situation ; 2° la direction ; 3° l'origine ; 4° le passage.

1. Un pinson chante dans le feuillage. — 2. Les Romains tiraient de la Sicile beaucoup de blé. — 3. Sous le pont Mirabeau coule la Seine. (G. Apollinaire) — 4. Un ballon surgit de nulle part, rebondit dans le jardin et roula vers la chaussée. — 5. De la forêt arrivent jusqu'à nous des effluves pénétrants. — 6. Un incendie éclata dans ma rue ; les pompiers arrivèrent sur les lieux ; d'énormes nuages de fumée sortaient par les fenêtres ; des cris d'effroi venaient du troisième étage. — 7. Le voile du matin sur les monts se déploie. (V. Hugo) — 8. Sur le pont de Nantes, un bal y est donné.

54 Joignez à chacune des propositions suivantes un complément circonstanciel, selon l'indication mise entre crochets :

1. Les passagers attendent le train [lieu]... — 2. Les cambrioleurs sont entrés [lieu : passage]... pour dévaliser la maison. — 3. Il faut manger [but]... — 4. Le bateau revint

à bon port [opposition]... — 5. La plupart des accidents sont provoqués [cause]... — 6. Mes neveux sont partis en voyage [temps]... — 7. L'arbitre signale la fin du match [instrument]... — 8. Les rescapés, presque morts [cause]..., purent se réchauffer [lieu]...

55 Employez dans une courte phrase chacun des verbes suivants en y joignant chaque fois un complément circonstanciel approprié:

travailler	parler	monter	semer
s'instruire	entrer	attendre	porter

[PG § 57, 293]

4. Complément d'agent

Tout m'avale

> Tout m'avale. Quand j'ai les yeux fermés, c'est par mon ventre que je suis avalée, c'est dans mon ventre que j'étouffe. Quand j'ai les yeux ouverts, c'est par ce que je vois que je suis avalée, c'est dans le ventre de ce que je vois que je suffoque. Je suis avalée par le fleuve trop grand, par le ciel trop haut, par les fleurs trop fragiles, par les papillons trop craintifs, par le visage trop beau de ma mère.
>
> Réjean Ducharme, *L'avalée des avalés*. Paris, Éd. Gallimard, 1966.

56 Relevez les verbes passifs du texte ci-dessus et faites correspondre à chacun d'eux les compléments d'agent.

PARLER La construction *c'est... que* est un gallicisme (tournure propre à la langue française) dont le but est de mettre certains éléments de la phrase en évidence.

57 Dans les phrases suivantes, relevez les compléments d'agent (en indiquant le centre si ce complément forme un groupe de mots) **et dites quel verbe passif ils complètent:**

a) 1. Quoi que nous fassions, nous sommes dénigrés par nos détracteurs. — 2. Les informations ne sont connues que des services secrets. — 3. Le maillot jaune est relayé par ses équipiers. — 4. Le repas a été apprécié par toute la tablée.

b) 1. Aucun juge par vous ne sera visité? (Molière) — 2. Laissez-moi carpe devenir : Je serai par cous repêchée. (J. de La Fontaine) — 3. Le pays était infesté de voleurs et de brigands. (B. Cendrars) — 4. Il n'était pas loin d'être saisi par le découragement. (J.-C. Rufin) — 5. La pièce était éclairée par le grand brasier de l'âtre. (J. Giono)

58 Tournez par l'actif les phrases suivantes et observez bien que le complément d'agent devient le sujet du verbe actif:

1. Nous avons tous été égratignés un jour par les épines d'une rose ou les aiguilles d'un sapin. — 2. Félicitations à ceux par qui ce pont a été construit! — 3. L'auditoire a été conquis par cet exposé. — 4. La boussole a été inventée par les Chinois. — 5. De nombreux lecteurs sont encore passionnés par les aventures de Tintin.

VOCABULAIRE Les feuilles du sapin sont des aiguilles et non des épines, comme on l'entend parfois.

59 Tournez par le passif les phrases suivantes et soulignez chaque fois le complément d'agent :

1. Beaucoup de jeunes apprécient les voyages. — 2. Bravo à celle qui a fait ce dessert ! — 3. Tous ceux qui le connaissent l'aiment. — 4. Ce qui compte, c'est qu'aucune distraction n'interrompe mon travail. — 5. Les vents de l'automne agitent la forêt.

60 Inventez de courtes phrases où les verbes suivants seront complétés par un complément d'agent :

est arrosé par fut surpris par est redouté de

61 Faites entrer dans de courtes phrases les compléments d'agent suivants :

par la pluie	par le soleil	des enfants
par le malheur	par mes parents	de personne

Attribut

1. Attribut du sujet

[PG § 59, 61-62]

Chassé-croisé amoureux

Henriette était une jolie brune, joyeuse et déterminée. Il ne me vint pas à l'esprit de me demander si *elle* était amoureuse de Charles, car je n'ai jamais conçu qu'*on* puisse être amoureuse d'un autre homme que Léopold. (...)

Elle restait troublée et m'observa. Blandine soignait son arthrite à Plombières où Léopold l'avait conduite et où il irait la rechercher, *j'*étais censée passer beaucoup de temps à la Bibliothèque royale, me consacrant à des lectures préparatoires à ma première année d'Histoire. (...)

Les hommes qui me courtisaient me semblaient toujours un peu incongrus. Ma beauté était destinée à Léopold, elle lui appartenait, et voilà que d'autres s'en éprenaient. *C'*était curieux et un peu agaçant. Quand je souris à Charles et qu'*il* en resta surpris et enchanté, j'admis que *c'*était bien utile.

Jacqueline HARPMAN, *La plage d'Ostende*. Paris, Éd. Stock, 1991.

62 Relevez, dans ce texte, les attributs des sujets en italique.

VOCABULAIRE *Arthrite* : le suffixe **-ite**, d'origine grecque, sert à désigner les « maladies inflammatoires » comme l'*otite* (inflammation de l'oreille), la *bronchite* (des bronches), la *phlébite* (d'une veine), la *péritonite* (du péritoine), la *gastrite* (de la muqueuse de l'estomac), l'*entérite* (de l'intestin) et ici, l'*arthrite* (des articulations). Le suffixe **-ose**, lui, sert à former des noms de « maladies non inflammatoires » comme la *névrose*, l'*ostéoporose* ou l'*arthrose* qui est une « altération chronique, une sorte de vieillissement des articulations ».

ORTHOGRAPHE Ne confondez pas *censé* et *sensé*. *Censé* suivi d'un verbe à l'infinitif signifie « qui est supposé, réputé » : *il n'est pas censé savoir cela, nul n'est censé ignorer la loi*. *Sensé*, par contre, signifie « qui a du bon sens » : *c'est une jeune fille sensée, voilà une parole sensée…*

63 Relevez les attributs et les sujets auxquels ils se rapportent.

a) 1. Le gorille est un grand singe. — 2. L'exactitude est la politesse des rois. (Louis XVIII) — 3. Prendre une résolution est facile, l'exécuter est parfois difficile. — 4. La parole est d'argent, mais le silence est d'or. — 5. Le chien et le chat sont des animaux de compagnie. — 6. Sa vie était un va-et-vient entre les vivants et les morts. (L. Trouillot)

b) 1. Rares sont les vrais amis. — 2. Le temps paraissait incertain et nous restions indécis. — 3. L'un est orfèvre, l'autre ferronnier d'art, le troisième est garçon boucher, un autre laquais. (B. Cendrars) — 4. Quels sont vos auteurs préférés ? — 5. Le sage est celui qui s'étonne de tout. (A. Gide) — 6. Chanter n'est pas crier.

c) 1. Bien des savants moururent pauvres. — 2. Si on continue à détruire la forêt amazonienne, que deviendront ses habitants ? — 3. Heureux les humbles ! — 4. Ses joues jadis si douces devenaient rêches et marbrées de petits vaisseaux. (A. Wiazemsky) — 5. Soyons solidaires et restons-le. — 6. Mon sentiment est que la douceur est préférable à la violence.

PRONONCIATION 1. La finale **-ille** se prononce [-ij] dans *gorille, Camille, pastille, vanille, cédille, camomille, Séville*, il *scintille*, mais [-il] dans *bacille, tranquille, codicille*.

2. *Habitant* et *humble* ont un h muet qui commande la liaison et l'élision tout comme : *l'hectare, l'hypoténuse, l'huître, l'heure, l'horloge, l'honneur, l'humour, l'hostie, hindou, heureux*.

64 Même exercice.

1. Sous le soleil déjà chaud, ces étoffes de printemps paraissaient riches et soyeuses. (A. Daudet) — 2. La lumière a l'air noire et la salle a l'air morte. (V. Hugo) — 3. Maigre devait être la cuisine qui se préparait à ce foyer. (Th. Gautier) — 4. Elle semblait encore plus pâle que d'habitude, ses yeux étaient vides. (J. M. G. Le Clézio) — 5. Si je dis à mon patron que c'est une gageure d'arriver à l'heure quand il neige, il argue que je suis imprévoyante. — 6. Quelle est cette langueur Qui pénètre mon cœur ? (P. Verlaine) — 7. Sa distraction était, le dimanche, d'inspecter les travaux publics. (G. Flaubert) — 8. Vif était le coup d'œil, plus vifs étaient le geste et la parole. (H. de Balzac)

[PG § 507] **PRONONCIATION** On entend clairement le **u** dans *arguer* [aRgye] ainsi que dans *gageure* [gaʒyr]. *Arguer* (ainsi que toute sa conjugaison) ne se prononce pas comme *narguer*, ni *gageure* comme *nageur*. Les rectifications de l'orthographe proposent, afin de dissiper le doute, de placer un tréma sur la voyelle qui doit être prononcée : *il argüe, gageüre*.

65 Discernez les attributs du sujet et analysez-les.

Une feuille tombe

L'air est froid et sec; les branches paraissent poudrées de gelée blanche, mais les feuilles restent bien vertes encore. Pourtant le feuillage des marronniers est, par places, un peu pâle. Le vent devient coupant: la ramure est en émoi. Une feuille se détache; elle est légère dans les remous de l'air; elle tourne un instant, flotte, remonte, vire à droite, à gauche, se retourne: elle est pareille à un oiseau blessé. Enfin elle semble si fatiguée qu'elle s'abandonne et se pose avec un frottement léger comme un soupir sur le pavé.

66 Remplacez les trois points par un attribut du sujet.

1. Tout homme est ... — 2. L'instruction est ... — 3. Nos parents sont ... — 4. Cette pièce de monnaie paraît ... — 5. Mon ami a été nommé ... — 6. Nous ne sommes que rarement ... — 7. Les apparences sont souvent ... : telle personne qui semblait ... est en réalité ...

ORTHOGRAPHE *Paraît* peut désormais s'écrire *parait*, sans accent circonflexe. [PG § 499]

67 Formez de courtes phrases en donnant un attribut aux mots suivants employés comme sujets:

gourmandise	trafic	rêver	tout	qui (relatif)
printemps	soleil	ville	chacun	ce (pronom)

68 Formez de courtes phrases où les mots suivants seront employés comme attributs du sujet:

aimable	plaisir	quel (interrog.)	ce	que (relat.)
meilleur	imperturbable	qui (relat.)	roi	à souhaiter

69 Composez trois phrases où l'attribut du sujet sera en tête.

2. Attribut du complément d'objet

[PG § 58, 60-62]

70 Dans les phrases suivantes, relevez les attributs du complément d'objet et le mot auquel chacun d'eux se rapporte.

a) 1. Quand nous jugeons l'occasion favorable, saisissons-la. — 2. Malgré son départ, il essayait de garder intacts les liens qu'il avait noués. — 3. Quand un rêve nous semble inaccessible, nous le trouvons souvent d'autant plus attirant. — 4. Ma grand-mère usait d'une tisane comme remède universel.

b) 1. L'examinatrice trouva la candidate brillante. — 2. Cette randonnée, certains la considéraient comme ardue, les autres comme une partie de plaisir. — 3. Si nous prenons un bâton et remuons la vase, nous rendrons l'eau complètement opaque. (M. Ricard) — 4. Habituellement, nous percevons le monde extérieur comme un ensemble d'entités autonomes. (M. Ricard) — 5. Des prisonniers, se servant d'un canif comme outil, ont fabriqué des objets qui sont de vrais chefs-d'œuvre. — 6. Seulette suis et seulette veut être, Seulette m'a mon doux ami laissée. (Ch. de Pisan)

71 Remplacez les trois points par un attribut du complément d'objet.

1. Nous garderons notre courage ... — 2. Vous trouverez sans doute ... la vie de ceux qui travaillent à rendre ... le sort de l'humanité. — 3. Ces plages m'enchantent, je les avais imaginées ... — 4. Ces chaussures, je les trouve ... et leurs semelles ... — 5. Les éboulements ont rendu la route ...

72 Faites entrer dans une courte phrase chacun des verbes suivants et donnez-lui un complément d'objet direct avec un attribut de ce complément d'objet.

juger	croire	appeler	tenir pour
trouver	choisir pour	proclamer	considérer comme

[PG § 58-62] **73 Distinguez les attributs du sujet et les attributs du complément d'objet et dites de chacun d'eux à quel mot il se rapporte.**

Feuillages d'automne

Les feuillages sont encore vigoureux, mais on devine la sève déjà moins généreuse. Les arbres prennent des teintes qu'on croirait invraisemblables, tant elles sont riches et variées. Les feuilles des tilleuls deviennent blondes ; celles des chênes, on les voit d'abord cuivrées, puis elles paraissent rouillées et elles resteront telles durant tout l'hiver. Elles sont étrangement tenaces et restent attachées aux branches jusqu'à ce que la poussée de la sève nouvelle vienne, au printemps, les jeter bas.

[PG § 63-64]

Déterminants du nom et du pronom

[PG § 63b]

1. Épithète

Sensation chaude

La salle à manger avait des lambris d'un *bois* foncé et de grands *rideaux* de *velours* rouge bordés de noir. Le soleil n'entrait pas par les fenêtres d'un seul *mouvement*, mais en *ondes* successives, modulées par les nuages et l'incessant *tremblement* des feuilles de peupliers de l'autre côté de la cour. Si le soleil passait à travers le feuillage des peupliers, c'était donc la belle *saison* ? Oui, dans la salle à manger, c'était toujours l'été. Et il y avait toujours un *soleil*, intermittent sans doute, mais vif et jaune. Ses *rayons* obliques, dans lesquels dansaient des myriades de *poussières* joyeuses, faisaient briller les argenteries et les grands *buffets* d'acajou, pour les laisser retomber dans l'ombre. C'étaient ces meubles et la patiente *lenteur* des rayons qui produisaient la *sensation* chaude.

Henri BAUCHAU, *La déchirure*.
Paris, Éd. Gallimard, 1966.

VOCABULAIRE Le terme *myriade* vient du grec où il signifiait « dix mille », il désigne en français « un très grand nombre indéterminé ». On peut parler d'une *myriade de poissons, d'étoiles, d'insectes*...

74 Relevez, dans le texte ci-dessus, les épithètes des noms en italique.

Modèle :

NOMS	ÉPITHÈTES
bois	foncé

75 Distinguez, dans le texte suivant, les épithètes, et analysez-les.

Les Champs Élysées

Mille petits ruisseaux d'une onde pure arrosaient ces beaux lieux et y faisaient sentir une délicieuse fraîcheur ; un nombre infini d'oiseaux faisaient résonner ces bocages de leurs doux chants. On voyait tout ensemble les fleurs du printemps qui naissaient sous les pas avec les plus riches fruits de l'automne qui pendaient des arbres.

FÉNELON.

VOCABULAIRE Un *bocage* est « un petit bois » ou encore « de la verdure qui donne de l'ombre ». (Terme vieilli ou poétique)

ORTHOGRAPHE *Fraîcheur* peut désormais s'écrire *fraicheur*, sans accent circonflexe. [PG § 499]

76 Distinguez, dans les phrases suivantes, les noms accompagnés d'une épithète.

a) 1. Un cow-boy solitaire et un chien fantaisiste sont les héros d'un dessin animé et d'une bande dessinée. – 2. Petite pluie abat grand vent. – 3. Le réchauffement climatique est vraisemblablement dû aux agissements inconsidérés des hommes. – 4. Un compagnon taciturne enveloppé dans un long manteau noir fait danser dans l'escalier les ombres terrifiantes d'une lanterne sourde. (Ph. Delerm)

b) 1. Un joli village s'étend au pied du mont, et l'on dirait que ses maisons blanches sortent du sable doré. (A. de Vigny) — 2. Un petit vent frais de saison sèche traverse la cour. Le vieux Vùlùka tousse. Anya reconnaît nettement la respiration caverneuse de bronches fatiguées. (C. Faïk-Nzuji) — 3. Au milieu de ce tumulte des eaux, j'ai remarqué une cascade légère et silencieuse, qui tombe avec une grâce infinie sous un rideau de saules. (R. de Chateaubriand)

ORTHOGRAPHE 1. *Reconnaît* peut désormais s'écrire *reconnait*, sans accent circonflexe. [PG § 499]

2. *Cow-boy* peut aujourd'hui s'écrire *cowboy*. Les rectifications de l'orthographe permettent la soudure de plusieurs noms composés d'origine étrangère, nous pouvons écrire désormais : *basketball, bluejeans, fairplay, globetrotteur, hotdog, sidecar, weekend*... (liste complète : PG § 510). Il en va de même pour les noms d'origine latine suivants : *apriori, exlibris, exvoto, statuquo* et *vadémécum*. [PG § 510]

3. Retenez l'orthographe de *dessiner, envelopper* et *développer*.

VOCABULAIRE Quelques mots de la famille d'*ombre* : *ombrage, ombreux, pénombre, ombrelle*.

77 Joignez une épithète à chacune des expressions suivantes:

l'abeille	un fleuve	les jours	un courage
un vent	un livre	une ombre	une patience

78 Joignez à un nom, comme épithète, chacun des adjectifs suivants:

fidèle	heureux	clair	profond
juste	équitable	blanc	exotique

79 Remplacez par une épithète les mots en italique:

a) 1. Des eaux *claires comme le cristal.* — 2. Les fleurs *du printemps.* — 3. Un bonheur *qui fuit rapidement.* — 4. Un repas *composé de mets simples.* — 5. Une promenade *qui ouvre l'appétit.* — 6. Des régions *fort éloignées du lieu où l'on est.* — 7. Un travail *qui procure un bénéfice suffisant.*

b) 1. Des aveux *qu'on fait de soi-même.* — 2. Un homme *âgé de soixante ans.* — 3. Une douleur *qui se tait.* — 4. Un vent *dont la course est violente et rapide.* — 5. Un visage *qui semble jeter des rayons.* — 6. Un serpent *qui a du venin.* — 7. Une plante *qui a du venin.* — 8. Une rivière *qui abonde en poissons.* — 9. Un commerce *qui apporte de gros bénéfices.* — 10. Un juge *qui est d'une probité parfaite.*

80 Repérez les épithètes détachées et marquez à quel nom (ou pronom) chacune d'elles se rapporte.

Modèle : Les *spectateurs*, *enthousiastes*, se mirent à applaudir.

1. Bientôt le soleil se leva, radieux, derrière la colline. — 2. Dans le crépuscule, montent, indécises, de vagues rumeurs. — 3. Il allait muet, pâle et frémissant aux bruits. (V. Hugo) — 4. Toujours souriante, ma mère arbore partout où elle va une imperturbable bonne humeur. — 5. Nous partîmes de grand matin, légers comme des hirondelles. — 6. La première étoile brille au fond des cieux, hâtive. — 7. Assourdi, parvenait au loin le bruit d'un moteur. — 8. À travers l'eau pure du diamant l'avenir s'étalait en effet, étincelant. (M. Duras)

81 Joignez à chacun des noms en italique une épithète détachée.

1. La *lune* monte dans un ciel violacé. — 2. Les *randonneurs* atteignent enfin le gîte. — 3. Tous les *visages* se tournèrent vers cet étrange visiteur. — 4. Tous les *passagers* de l'avion sont arrivés à destination. — 5. Les *spectateurs* regardent la scène qui se déroule sous leurs yeux. — 6. Mon *frère* oublie de me rendre la clé.

[PG § 499] **ORTHOGRAPHE** Un *gîte* peut désormais s'écrire *gite*, sans accent circonflexe.

82 Modifiez les phrases suivantes de telle façon que les attributs (en italique) deviennent des épithètes détachées:

Modèle: Les vagues assaillaient le rocher; elles étaient *énormes.* — Les vagues, *énormes*, assaillaient le rocher.

1. La neige couvrait la plaine; elle était *épaisse.* — 2. Au bout de la rue se dressait le château, qui paraissait *énorme.* — 3. Les enfants déballaient leurs cadeaux; ils étaient *impatients.* — 4. Nous étions *tristes*; nous avancions sous une pluie battante. — 5. Ma fille, qui était *insouciante*, se mit à fredonner. — 6. Le corbeau était *honteux* et *confus* et il jura qu'on ne l'y prendrait plus.

2. Apposition

[PG § 63e, 64 4°]

83 Relevez les appositions et le mot auquel chacune d'elle se rattache.

a) 1. Le brochet, ce requin des rivières, est d'une étonnante voracité. — 2. Les jardins du château de Belœil ont été dessinés par Le Nôtre, célèbre architecte français. — 3. Attila, roi des Huns, fut vaincu en 451 par Aetius, général romain, dans la célèbre bataille des champs Catalauniques. — 4. Moïse, le législateur des Hébreux, reçut le Décalogue sur le mont Sinaï. — 5. Patrick, orfèvre en la matière, taille ses haies avec précision.

b) 1. Ludo, le bâtard coquin et cabot, jappait à ses côtés, il était à la fête. (J. Garcin) — 2. Mon père avait une passion: l'achat des vieilleries chez les brocanteurs. (M. Pagnol) — 3. Un jour, j'étais monté au sommet de l'Etna, volcan qui brûle au milieu d'une île. (R. de Chateaubriand) — 4. Il y a un ver, un petit monsieur assez joli, tacheté de brun, qui vient me rendre visite (...). (A. Cohen) — 5. Naître et ne pas savoir que l'enfance éphémère, Ruisseau de lait qui fuit sans une goutte amère, Est l'âge du bonheur et le plus beau moment Que l'homme, ombre qui passe, ait sous le firmament! (V. Hugo) — 6. Les tout petits dorment, paquets, dans un linge noir accroché au dos des mères. (A. Malraux)

VOCABULAIRE *Cabot* a plusieurs sens : il peut désigner un «chien» d'une façon familière et péjorative, mais on qualifie aussi de ce terme ou de *cabotin* un «acteur ou une autre personne qui se fait valoir par des manières affectées».

ORTHOGRAPHE *Brûler* et *naître* peuvent désormais s'écrire sans accent circonflexe. [PG § 499]

84 Distinguez les appositions et analysez-les.

1. La ville de Paris s'appelait autrefois Lutèce. — 2. De très jeunes danseuses, un trio charmant, entrent en scène. — 3. Je constate une chose : que les délais n'ont pas été respectés. — 4. Les parents ont un grand souci : assurer l'avenir de leurs enfants. — 5. Ainsi donc, devenu maboul, enfantelet soudain jeté dans le malheur, petite créature stupéfaite et aveugle, j'errais dans la nuit des rues et des pensées. (A. Cohen) — 6. Je voulais t'envoyer un courriel ce matin, mais mon idiot de frère, cet égoïste, accaparait l'ordinateur. — 7. Gaspard et Marguerite avaient un chat, un grand matou roux qu'ils avaient d'abord appelé Leroux, puis Gaston. (G. Perec)

VOCABULAIRE 1. Le suffixe **-elet** a un sens diminutif : *roitelet, mantelet, agnelet, osselet, coquelet, porcelet, châtelet... Enfantelet* est formé sur ce modèle à partir du mot *enfant.*

2. *Maboul(e)* est un nom ou un adjectif provenant de l'arabe et signifiant «fou, cinglé».

85 Joignez une apposition à chacun des mots en italique.

1. *Zorro* trace son nom à la pointe de son épée. — 2. On nous présenta notre *guide.* — 3. Il offrit à sa fille un *cadeau.* — 4. Roméo n'avait qu'un *désir* : … — 5. Camille avait un *regret* : … — 6. Un *groupe de mineurs* recueillirent *Blanche-Neige* dans leur maisonnette. — 7. Cet homme avait une *passion* : …

86 Composez de courtes phrases où vous emploierez comme appositions les expressions suivantes:

1. Le fils de ma sœur. — 2. Saison des baignades. — 3. Le plus haut sommet des Alpes. — 4. Fidèle ami de l'homme. — 5. Que son fils reprenne l'entreprise familiale. — 6. Ce grand artiste.

[PG § 63f, 64 5°]

3. Complément déterminatif

Le grand café

Deux *parties* de billard étaient en train. Les garçons criaient les points; les joueurs couraient autour des billards encombrés de spectateurs. Des *flots* de *fumée* de tabac, s'élançant de la *bouche* de tous, les enveloppaient d'un nuage bleu. La haute *stature* de ces hommes, leurs épaules arrondies, leur démarche lourde, leurs énormes favoris, les longues *redingotes* qui les couvraient, tout attirait l'*attention* de Julien. Ces nobles *enfants* de l'antique Bisontium ne parlaient qu'en criant; ils se donnaient les *airs* de guerriers terribles. Julien admirait immobile; il songeait à l'*immensité* et à la *magnificence* d'une grande capitale telle que Besançon. Il ne se sentait nullement le *courage* de demander une *tasse* de café à un de ces *messieurs* au regard hautain, qui criaient les *points* du billard.

STENDHAL, *Le rouge et le noir.*

VOCABULAIRE 1. La *magnificence* est la qualité de ce qui est magnifique, beau et plein de grandeur; la *munificence* exprime la largesse, la prodigalité, son sens quoique plus restreint en est proche.

2. *Être en train* (*de*) : être en mouvement, en action.

3. *Se donner l'air de* : *air* est pris ici dans son acception d'« aspect, apparence » tout comme dans l'expression *avoir l'air, prendre de grands airs, n'avoir l'air de rien, ça m'en a tout l'air.*

4. La *redingote* est une longue veste à basques. Le mot d'origine anglaise (riding-coat) signifie « vêtement pour aller à cheval ».

87 Dans ce texte, relevez les compléments déterminatifs des noms en italique.

88 Relevez les compléments déterminatifs et le mot que chacun d'eux détermine.

a) 1. Les infusions de thym et autres remèdes de bonne femme ne sont pas venus à bout de ma grippe. — 2. Si tu passes par la pharmacie, achète-moi de la crème pour les mains et des pastilles contre la toux. — 3. Elle ne sort jamais sans son écharpe de soie et ses chaussures en nubuck. — 4. En général, les enfants ne mangent pas de chicons, ils n'en apprécient pas le goût. — 5. En hiver, Marie aime mettre son pull à rayures. — 6. Du haut de l'escalier, j'entendis la voix de ma mère qui répondait aux questions de ma sœur. — 7. À la télévision, j'ai vu un extrait du film dont tu m'as parlé.

b) 1. C'était une clé qui ouvrait l'avenir et scellait le passé. (M. Duras) — 2. Toutes les merveilles du monde vivaient dans son regard. (L. Trouillot) — 3. De notre première rencontre, cette année-là, il ne me reste plus que des souvenirs embrumés. (A. Maalouf) — 4. Mine basse, il était habillé de gros velours, d'un paletot de laine, d'une casquette en loutre et de chaussures à clous. (Ph. Claudel) — 5. La soupe au fenouil naissant est en accord avec le printemps et l'oignon de mars embaume vos baisers. (M. Rouanet) — 6. L'ardeur de vaincre cède à la peur de mourir. (P. Corneille) — 7. Nourri dans le sérail, j'en connais les détours. (J. Racine) — 8. C'était un vieillard dont la barbe blanche couvrait la poitrine. (A. France)

ORTHOGRAPHE 1. On peut écrire *clef* ou *clé*.

2. *Goût* peut désormais s'écrire *gout*, sans accent circonflexe. [PG § 499]

3. *Oignon* peut aussi s'écrire comme il se prononce : *ognon*. [PG § 512]

4. Ne confondons pas les homonymes : *sceller* (un pacte) et *seller* (un cheval) ; *sceptique* (incrédule) et *septique* (la fosse).

VOCABULAIRE *Chicon* est le nom donné en Belgique à l'*endive* ; de même on y parle de *salade de blé* pour désigner la *mâche* que l'on appelle *rampon* en Suisse et *doucette* dans certaines régions.

89 Remplacez les trois points par un complément déterminatif.

a) *Idée générale : cri de certains animaux.*

1. Le hennissement ... — 2. Le rugissement ... — 3. Le croassement ... — 4. Le coassement ... — 5. Le bêlement ... — 6. Le pépiement ... — 7. Le bramement ... — 8. Le glapissement ... — 9. Le hululement ...

b) *Idée générale : choses mises ensemble.*

1. Une meute ... — 2. Une botte ... — 3. Un tas ... — 4. Une corbeille ... — 5. Une galerie ... — 6. Une bande ... — 7. Un paquet ... — 8. Une collection ... — 9. Une gerbe ... — 10. Un quarteron ...

90 Joignez à un nom chacun des compléments déterminatifs suivants :

a) *Idée générale : retraite de certains animaux.*

1. ... du cheval. — 2. ... du bœuf. — 3. ... de l'abeille. — 4. ... du chien. — 5. ... du lapin sauvage. — 6. ... du lièvre. — 7. ... de l'aigle. — 8. ... du sanglier.

b) *Idée générale: habitation.*
1. ... du concierge. — 2. ... du roi. — 3. ... du forain. — 4. ... du berger. — 5. ... du passager.

91 Employez dans de courtes phrases les mots suivants comme compléments déterminatifs:

a) Mère — pays — maison — ville — forêt.

b) Chacun — nous — chanter — maintenant — ceci — dont — en.

c) Que les beaux jours reviennent — Que la menace était écartée — Que l'avion ne s'écrase.

92 Inventez, pour chaque cas, une phrase contenant un complément déterminatif: 1° du pronom *celui*; — 2° du pronom interrogatif *lequel*? — 3° du pronom indéfini *personne*.

93 Inventez, pour chaque cas, une phrase avec un complément déterminatif marquant: 1° la matière; — 2° le lieu; — 3° le temps; — 4° la manière; — 5° la mesure.

94 Remplacez par un adjectif épithète chaque complément déterminatif.

1. Un geste *d'ami*. — 2. L'amour *d'une mère*. — 3. Un pays *de montagnes*. — 4. Les fleurs *du printemps*. — 5. Un mal *qui ne fait que passer*. — 6. Un homme *qui oublie* son passé. — 7. Des produits *qui viennent de l'étranger*. — 8. Une ligue *contre l'alcoolisme*. — 9. Un enfant *sans parents*.

95 Mettez au singulier ou au pluriel le complément déterminatif entre crochets.

1. Un conte [*de fée*]. — 2. Des cours [*d'eau*]. — 3. Des poignées [*de main*]. — 4. Une ville [*d'eau*]. — 5. Du papier [*à lettre*]. — 6. Des cartes [*de visite*]. — 7. Des jaunes [*d'œuf*]. — 8. Un fruit [*à pépin*]. — 9. Des coups [*de fusil*]. — 10. Des pères [*de famille*]. — 11. Un état [*de chose*].

[PG § 65]

Complément de l'adjectif

96 Relevez les compléments des adjectifs en italique.

a) 1. Les yeux *pleins* de tendresse, maman regarde mon petit frère; elle est *fière* de ses premiers pas. — 2. Je te confie ce travail parce que je te crois *apte* à le faire. — 3. Montre-toi *digne* de ma confiance. — 4. Ma voisine, *bavarde* comme une pie, n'est pas *avare* de bons conseils. — 5. Je suis *certaine* qu'il fera beau demain.

b) 1. Elle fumait nerveusement, *indifférente* aux lazzis des garçons. (J. M. G. Le Clézio) — 2. Il m'assura que sa décision était prise et qu'il était très *conscient* de ce qu'il faisait. (B. Quiriny) — 3. Je veux que tous les cœurs soient *heureux* de ma joie. (Voltaire) — 4. *Pareils*

à des torches, les grands arbres brûlaient lentement. (G. de Maupassant) — 5. Le bruit des eaux glissait, *parallèle* à celui du vent, dans les herbes. (A. Chamson) — 6. Johnson était *heureux* de rencontrer Yacouba, un féticheur musulman. (A. Kourouma)

ORTHOGRAPHE *Brûler* peut désormais s'écrire *bruler*, sans accent circonflexe. [PG § 499]

97 Discernez les compléments d'adjectif et analysez-les.

a) 1. Les gâteaux au chocolat figuraient parmi les desserts dont la cuisinière était particulièrement fière. — 2. Je viendrai te voir demain, sois-en sûr. — 3. Cette histoire est fertile en rebondissements. — 4. Le professeur de yoga nous conseille d'être aimables envers nous-mêmes. — 5. Le XXe siècle aura été fécond en inventions.

b) 1. La mort a des rigueurs à nulle autre pareilles. (Malherbe) — 2. Si je savais quelque chose utile à ma patrie et qui fût préjudiciable à l'Europe, ou bien qui fût utile à l'Europe et préjudiciable au genre humain, je la regarderais comme un crime. (Montesquieu) — 3. La mère est ivre de joie quand elle parle de ses enfants et alors son charme est encore plus grand. (M. Duras) — 4. Un vieil homme tout moussu de barbe vend des perce-neige en pied, avec leur bulbe gangué de terre. (Colette) — 5. L'exaltante réalité vécue depuis trois ans apparaît soudain comme une chimère, prête à s'effacer, ainsi qu'un bouquet de nuages. (F. Cheng)

PRONONCIATION Le -c de *fécond* se prononce [k], celui de *second*, [g].

ORTHOGRAPHE 1. *Apparaît* peut désormais s'écrire *apparait*, sans accent circonflexe. [PG § 499]

2. *Perce-neige* est un nom féminin ou masculin. Traditionnellement, on écrit *des perce-neige* ; conformément aux réformes orthographiques, le pluriel des noms composés d'un verbe et d'un nom suit la règle des mots simples : *des perce-neiges*. [PG § 497]

98 Remplacez les trois points par un complément d'adjectif.

a) 1. Un artiste fier de … — 2. Un fossé large de … — 3. Un camion plein de … — 4. Un texte facile à … — 5. Une maison différente de … — 6. Un étudiant capable de … — 7. Un promeneur amoureux de … — 8. Un père équitable envers … — 9. Je suis inquiet pour … — 10. Un enfant enclin à …

b) 1. Toute vérité n'est pas bonne à … — 2. Elle se sentait solidaire avec … — 3. Ils sont … disposés envers … — 4. Cet ingrédient est indispensable à … — 5. Ces renseignements sont utiles pour … — 6. Mon amie était furieuse contre …

99 Donnez, dans de courtes phrases, un complément à chacun des adjectifs suivants :

nuisible	digne	doux	avide
facile	habile	agréable	susceptible

100 Retrouvez les expressions populaires associant un adjectif et un complément.

a) Bavard — bête — doux — frais — gai — jaloux — malin — paresseux — rusé — têtu.

1. … comme un agneau. — 2. … comme une couleuvre. — 3. … comme un gardon. — 4. … comme une mule. — 5. … comme une oie. — 6. … comme une pie. — 7. …

comme un pinson. — 8. … comme un renard. — 9. … comme un singe. — 10. … comme un tigre.

b) Beau — belle — ennuyeux — fraîche — jolie — long — plein — rapide — rapide — sage.

1. … comme un cœur. — 2. … comme un dieu. — 3. … comme l'éclair. — 4. … comme une flèche. — 5. … comme une image. — 6. … comme le jour. — 7. … comme un jour sans pain. — 8. … comme un œuf. — 9. … comme la pluie. — 10. … comme une rose.

[PG § 499] ORTHOGRAPHE *Fraîche* peut désormais s'écrire *fraiche*, sans accent circonflexe.

101 Relevez les compléments du comparatif ou du superlatif relatif et analysez-les.

1. En Europe, le golf est moins populaire que le football. — 2. Y a-t-il meilleur dessert qu'une tarte au citron? — 3. L'absence est le plus grand des maux. (J. de La Fontaine) — 4. Ce vin-là est moins bon que l'autre. — 5. Il n'est pire sourd que celui qui ne veut entendre. — 6. On a souvent besoin d'un plus petit que soi. — 7. Un rossignol, chétive créature, forme des sons aussi doux qu'éclatants. (J. de La Fontaine) — 8. Céline est la plus coquette de mes amies.

[PG § 66]

Compléments de mots invariables

102 Discernez les compléments de mots invariables et analysez-les.

a) 1. Pour monter ce meuble conformément au mode d'emploi, il faut le lire avant. — 2. Proportionnellement aux autres années, le nombre de voyages en avion a diminué. — 3. Le trafic s'écoule très lentement. — 4. Gare à toi si tu y touches! — 5. Venez me parler immédiatement après la leçon. — 6. Naître, vivre et mourir : voilà notre destin.

b) 1. Longtemps après que tu m'aies raconté cette histoire, j'en ris encore. — 2. Malheureusement pour nous, nos beaux projets tombent à l'eau. — 3. Il convient que préalablement à toute critique nous examinions si nos observations sont fondées. — 4. Paniqué, l'enfant se serrait tout contre sa mère. — 5. Haro sur le baudet! — 6. Fi du plaisir Que la crainte peut corrompre! (J. de La Fontaine)

VOCABULAIRE *Tomber à l'eau* signifie « échouer »; on peut dire aussi *tomber dans le lac.*

[PG § 499] ORTHOGRAPHE *Naître* peut désormais s'écrire *naitre*, sans accent circonflexe.

103 Inventez de courtes phrases dans lesquelles les mots suivants seront accompagnés d'un complément:

antérieurement	contrairement	après que	voici
conjointement	différemment	gare!	bravo!

Mots en apostrophe — mots explétifs

[PG § 68]

Que de politesses à un ours !

[Moron, le bouffon de la princesse d'Élide, aperçoit, dans la forêt, un ours qui vient à lui.]

Ah ! Monsieur l'Ours, je suis votre serviteur de tout mon cœur. De grâce, épargnez-moi ! Je vous assure que je ne vaux rien du tout à manger ; je n'ai que la peau et les os, et je vois de certaines gens là-bas qui seraient bien mieux votre affaire. Eh ! eh ! eh ! Monseigneur, tout doux, s'il vous plaît. *(Il caresse l'ours et tremble de frayeur)*. Là ! là ! là ! là ! Ah ! Monseigneur, que Votre Altesse est jolie et bien faite ! Elle a tout à fait l'air galant et la taille la plus mignonne du monde. Ah ! beau poil ! belle tête ! beaux yeux brillants et bien fendus ! Ah ! beau petit nez ! belle petite bouche ! petites quenottes jolies ! Ah, belle gorge ! belles petites menottes ! petits ongles bien faits ! *(L'ours se lève sur ses pattes de derrière.)* À l'aide ! au secours ! je suis mort ! miséricorde ! Pauvre Moron ! Ah ! mon Dieu ! Et vite, à moi, je suis perdu. *(Les chasseurs paraissent et Moron monte sur un arbre.)* Eh ! Messieurs, ayez pitié de moi. *(Les chasseurs combattent l'ours.)* Bon ! Messieurs, tuez-moi ce vilain animal-là. Ô Ciel, daigne les assister !

MOLIÈRE, *La princesse d'Élide.*

ORTHOGRAPHE *S'il vous plaît* peut désormais s'écrire sans accent circonflexe. [PG § 499]

104 Soulignez, dans le texte de Molière, les mots mis en apostrophe.

105 Relevez, dans les phrases suivantes, les mots mis en apostrophe et les mots explétifs ; analysez-les.

1. Fils des mères encore vivantes, n'oubliez plus que vos mères sont mortelles. (A. Cohen) — 2. Ô Temps ! suspends ton vol ; et vous, heures propices ! suspendez votre cours. (A. de Lamartine) — 3. À ces mots, plein d'un juste courroux, Il vous prend sa cognée, il vous tranche la bête, Il fait trois serpents de deux coups. (J. de La Fontaine) — 4. Prends-moi le bon parti ; laisse là tous les livres. (Boileau) — 5. Afrique que chante ma grand-mère Au bord de son fleuve lointain Je ne t'ai jamais connue. (D. Diop) — 6. Poète, prends ton luth ; la nuit, sur la pelouse, Balance le zéphyr dans son voile odorant. (A. de Musset) — 7. On lui lia les pieds, on vous le suspendit. (J. de La Fontaine)

106 Transformez les phrases suivantes de telle sorte que les mots en italique soient mis en apostrophe :

1. Le *pays de mes ancêtres* éveille en moi des sentiments nostalgiques. — 2. L'*enfant* sait-il que l'univers est infini ? — 3. Nous nous souviendrons longtemps des bons petits plats que nos *amis* nous ont mitonnés. — 4. Le *soleil* transfigure la ville et tous ses habitants. — 5. Je me demande ce qui se passe dans la tête d'un *petit chat*.

Ellipse — pléonasme

[PG § 69-70]

107 Dites quels sont les mots omis par ellipse.

1. Fais ce que dois, advienne que pourra. — 2. Loin des yeux, loin du cœur. — 3. Finies, les vacances ! — 4. À chacun son métier. — 5. Délicieux, vos gâteaux ! — 6. Il écoutait cette voix comme un chien celle de son maître. — 7. Aux grands maux les grands remèdes. — 8. On donne des otages : Les loups, leurs louveteaux ; et les brebis, leurs chiens. (J. de La Fontaine) — 9. Bienheureuse la cloche au gosier vigoureux. (Ch. Baudelaire) — 10. Tout autour de la salle, un long couloir, obscur, sans parquet. (A. Daudet) — 11. Pas un chat dans les rues du village ; tout le monde était à la grand-messe. (A. Daudet)

108 Rendez chacune des phrases suivantes plus ramassée en recourant à l'ellipse :

1. Il était, quoiqu'il fût jeune, désabusé et revenu de tout. — 2. Certaines personnes parlent des affaires internationales comme les aveugles parleraient des couleurs. — 3. La vie réserve à ces jeunes des métiers différents : l'un sera journaliste, un autre sera pilote, un autre sera musicien… — 4. Ce commerçant n'avait aucun ordre : de là vient sa faillite. — 5. Votre suggestion est très intéressante !

109 Dites quels sont les mots qui forment pléonasme et indiquez, dans chaque cas, ce qui est redoublé.

1. Que me font, à moi, tous ces chants ? — 2. Car partout où l'oiseau vole, la chèvre y grimpe. (V. Hugo) — 3. Car toi, loup, tu te plains, quoiqu'on ne t'ait rien pris. (J. de La Fontaine) — 4. Nous, nous ne l'étions pas, peut-être, fatigués ? (E. Rostand) — 5. Ils approchaient de la rive, les contrebandiers. (P. Loti)

110 Des pléonasmes vicieux se sont glissés dans ces phrases. Corrigez-les.

1. Vous pourrez avoir la possibilité de passer. — 2. Il y a des mots invariables, comme par exemple l'adverbe. — 3. Cela vous permettra de pouvoir réussir. — 4. Dans les coups durs, il faut s'entraider mutuellement. — 5. Je te préviens d'avance que si tu sors dehors par ce temps, tu t'enrhumeras. — 6. Ils ont marché à pied sans s'arrêter de Liège à Namur, je peux en témoigner, je l'ai vu de mes yeux. — 7. Au jour d'aujourd'hui, on ne sait plus à qui faire confiance !

Espèces de propositions

[PG § 71-73]

Crapaud

(12 juin 1898) À la Gloriette. J'écoute le crapaud. Régulièrement s'échappe de lui une goutte sonore, une note triste. Elle ne semble pas venir de terre : on dirait plutôt

la plainte d'un oiseau perché sur un arbre. C'est le gémissement obstiné de toute la campagne ruisselante de pluie. Un aboiement de chien, un bruit de porte le font taire. Puis il reprend : « Ou ! Ou ! Ou ! » Mais ce n'est pas cela. Il y a une consonne avant cette syllabe, je ne sais quelle consonne de gorge, une *h* un peu aspirée, un peu le bruit de la bulle qui vient crever à la surface d'une mare.
C'est autre chose encore. C'est le soupir d'une petite âme. C'est infiniment doux.
Et comme jamais personne ne lui répond, aucune âme sœur, il finit par se taire tout à fait.

Jules RENARD. *Journal 1887-1910.*

111 Distinguez, dans ce texte, les propositions indépendantes.

112 Écrivez dans une 1re colonne les propositions principales, et dans une 2e colonne, les propositions subordonnées.

a) 1. Beaucoup de dangers s'estompent quand on les regarde en face. — 2. Songeons à trier nos déchets pour que la nature soit sauvegardée. — 3. Lorsque les chats sont partis, les souris dansent. — 4. Si nous consommons trop d'énergie, les ressources naturelles seront bientôt épuisées. — 5. Rappelle-toi que nous nous sommes donné rendez-vous. — 6. La pluie qui tombe du ciel gris frappe mes vitres à petits coups.

b) 1. En Andalousie également, la pensée était florissante, et ses fruits étaient des livres qui, patiemment copiés, circulaient parmi les hommes de savoir de la Chine à l'Extrême-Orient. (A. Maalouf) — 2. Son visage étroit s'efforçait à l'impassibilité, bien qu'il y eût du rire dans ses yeux et qu'un tressaillement de lèvres marquât un invisible effort pour ne pas hurler de joie. (J.-C. Rufin) — 3. Une fin d'après-midi où nous nous étions aventurés plus bas, jusqu'à l'autre rive de la Tamise, j'ai senti la panique me gagner. (P. Modiano) — 4. Il arrivait aussi que mon père m'emmène à la criée au poisson qu'on appelait l'Encan, en plein centre-ville, entre le vieux port et les rails de la gare de marchandises. (E. Fottorino) — 5. Je voulais que tout cela se termine, et qu'on s'éloigne de cet endroit lugubre que le soleil froid de midi en décembre au Texas ne parvenait pas à transformer. (Ph. Labro)

113 En prenant pour modèle le schéma suivant, décomposez les phrases pour faire apparaître les rapports des propositions entre elles (et encadrez le verbe base de la phrase).

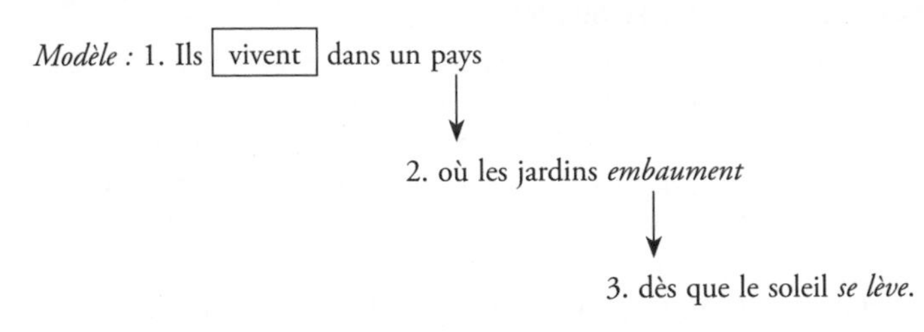

1. Il y avait ceci de particulier chez les Romains qu'ils mêlaient quelque sentiment religieux à l'amour qu'ils avaient pour leur patrie. (Montesquieu) — 2. Les hommes savent où ils vont, guidés par un jeune garçon qui marche devant eux en silence. (J. M. G. Le Clézio) — 3. Habituellement, nous percevons le monde extérieur comme un ensemble d'entités autonomes auxquelles nous attribuons des caractéristiques qui semblent leur appartenir en propre. (M. Ricard) — 4. Ils espéraient seulement qu'ils ne s'étaient pas trompés dans leurs calculs, qu'ils n'arriveraient pas trop tard, qu'ils ne retrouveraient pas Mondine en morceaux. (D. Pennac) — 5. Je songeais qu'il valait mieux que je descende discrètement, que j'ouvre la porte de la rue et que je fasse comme si je rentrais seulement. (G. Polet) — 6. Je retrouvais ce sentiment que j'avais eu avec ma fille quand, jadis, nous animions le tableau de Bruegel. (G. Polet)

VOCABULAIRE *Jadis* signifie « dans le passé, il y a longtemps » ; *naguère*, « il y a peu de temps ».

PRONONCIATION On prononce l'-*s* final de *jadis*, mais pas celui de *tandis* (*que*).

114 Joignez à chaque proposition principale une proposition subordonnée.

a) 1. Les pêcheurs attendent [que…]. — 2. Démarrez [dès que…]. — 3. Prends ton parapluie [*au cas où*…]. — 4. Cette mission est trop délicate [*pour que*…]. — 5. Nous assisterons au concert de ce groupe [*si*…].

b) 1. Pierre [qui…] n'amasse pas mousse. — 2. Renseignez-vous sur la manière [dont…]. — 3. Gardez un bon souvenir des moments [que…]. — 4. [Aussitôt que…], le public applaudit. — 5. [Quand…], il nous racontera tout. — 6. L'argent, [bien que…], ne fait pas le bonheur.

115 Joignez à chaque proposition subordonnée une proposition principale convenable.

1. Si vous cherchez votre veste… — 2. Dès que la caissière a pointé mes articles,… — 3. Si tu veux nous accompagner au cinéma,… — 4. … afin qu'il y ait assez de place dans le coffre de la voiture. — 5. … de manière que les enfants soient contents. — 6. Quoique la vie soit parfois difficile,…

116 Soulignez les propositions incidentes.

1. Chassez le naturel, dit un adage, il revient au galop. — 2. La terre, vous le savez bien, est notre patrimoine. — 3. Le mieux, dit-on, est l'ennemi du bien. — 4. La patience vous aiderait, je crois, à vaincre cette difficulté. — 5. Sire, dit le renard, vous êtes trop bon roi. — 6. Alexandre, rapporte-t-on, vint voir le philosophe Diogène. « Que désires-tu, lui demanda-t-il, que je fasse pour toi ? » « Que tu t'ôtes, répondit le philosophe, de mon soleil. »

PRONONCIATION La lettre -*x*- *d'Alexandre*, tout comme celle *d'Alexis* se prononce [ks].

117 Dites de chaque proposition si elle est affirmative, ou négative, ou interrogative, ou exclamative.

1. Nul n'est prophète en son pays. — 2. Comme j'aimerais que mes mots, assurés de leur lieu d'origine et de faire retour, soient des oiseaux migrateurs ! (J.-B. Pontalis) — 3. Qui n'a pas lorgné le gâteau des rois en cherchant la boursouflure du trésor caché ? (M. Rouanet) — 4. Les pluies de noroît sont glaciales et fouettent le sang. (J. Rouaud) — 5. Qu'ai-je à raconter sinon ce que je vois ? (L. Trouillot) — 6. La vie ne nous a pas permis de nous affronter et de nous aimer davantage. (A. Wiazemsky) — 7. Oh ! Se rendre maître d'une centaine de mots ! — 8. Quoi de plus éphémère que la mode ? — 9. Jamais on n'aura vu un réveillon pareil. — 10. Moi, héron, que je fasse une si pauvre chère ? — 11. Accepter une telle proposition ? Comment l'aurions-nous pu ?

VOCABULAIRE *Chère* : nourriture. L'expression *faire bonne chère* signifie au départ « faire bon visage, bon accueil » (du grec *kara*, « visage, tête ») et actuellement « faire un bon repas, se régaler ».

ORTHOGRAPHE 1. Le *maître* et le *noroît* (« vent du nord-ouest ») peuvent désormais s'écrire sans accent circonflexe. [PG § 499]

2. *Boursouflure*, *boursoufler* et les mots de leur famille peuvent s'écrire maintenant comme le verbe *souffler*, avec deux *-f*. [PG § 512]

118 Les propositions suivantes ont l'une des quatre formes: affirmative, négative, interrogative, exclamative. Donnez à chacune d'elles successivement les trois autres formes. (L'idée doit rester la même, mais certains mots peuvent être changés.)

1. Notre patience est infinie. — 2. L'habit ne fait pas le moine. — 3. Qu'il est mignon, ce petit chien ! — 4. Les droits de l'homme sont-ils respectés ?

119 Distinguez les interrogations directes et les interrogations indirectes.

1. Qu'y a-t-il de plus apaisant qu'une musique douce ? — 2. Dites-moi pourquoi vous arrivez toujours en retard. — 3. Je ne sais pas si vous m'avez compris. — 4. Quoi de plus captivant que ce match de tennis ? — 5. Dis-moi qui tu aimes, je te dirai qui tu es. — 6. Nous nous demandons de quoi demain sera fait, mais nous ignorons ce que l'avenir nous réserve.

120 Changez la forme de l'interrogation.

a) *En mettant l'interrogation indirecte* : 1. Mon petit garçon, à quoi penses-tu ? — 2. Qui n'a fait des châteaux en Espagne ? — 3. Est-ce le moment d'agir ? — 4. Que ferais-tu sans ton portable ? — 5. Est-ce que tu pourrais te passer de tes amis ?

b) *En mettant l'interrogation directe* : 1. Je ne sais pas si nous nous reverrons un jour. — 2. Vous demandez si j'ai changé d'avis. — 3. Nous ignorons quel sera votre sort. — 4. Je m'informe si l'avion a atterri. — 5. Vous voulez savoir comment on plante les choux à la mode de chez nous.

VOCABULAIRE 1. *Faire* (ou *bâtir*) *des châteaux en Espagne* : échafauder des projets chimériques (les chevaliers recevaient en fief des châteaux en Espagne, qu'ils devaient d'abord attaquer et prendre). (P.R.)

2. Dans les différents pays de la francophonie, *un portable* désigne ici, un « téléphone mobile, un GSM » et là, un « ordinateur portatif ».

[PG § 74-76]

Coordination — juxtaposition

Désenchantement

> Maintenant, un petit garçon bien habillé me propose de jouer avec lui, et j'accepte tout de suite. Je suis heureux, j'ai un ami ! Sa mère l'appelle. Il va, puis il revient et il me dit que sa maman veut me voir. Nous allons en courant et en nous tenant par la main. J'ôte ma casquette, je dis bonjour à la belle dame. Elle nous recommande d'être bien sages, de ne pas nous pencher sur le bassin. Je dis oui à la belle dame, et je suis heureux. J'ai un ami, je vais jouer avec lui ! Elle se tait, elle me regarde, et elle me demande comment je m'appelle. Je lui dis que je m'appelle Albert. Alors, elle me demande mon nom de famille. Je le lui dis et elle me regarde de nouveau, puis elle m'ordonne d'aller jouer plus loin. Comme je reprends la main de mon ami, elle le retient. Non, va jouer tout seul, elle me dit, nous devons rentrer à la maison. Alors, je m'en vais, et je suis triste.
>
> Albert COHEN, *Carnets 1978*. Paris, Éd. Gallimard, 1979.

121 Parmi les propositions de ce texte, distinguez les propositions coordonnées (indiquez la conjonction de coordination) **et les propositions juxtaposées.**

122 Dans les phrases suivantes, relevez les conjonctions de coordination et indiquez, pour chacune d'elles, la nuance exprimée (copulative, disjonctive, adversative, causale ou consécutive)**.**

1. Fumer nuit à la santé, donc évitons-le. — 2. Tu voyages aux quatre coins du monde, mais tu n'aimes pas prendre l'avion. — 3. L'on espère vieillir, et l'on craint la vieillesse. (La Bruyère) — 4. Mon verre n'est pas grand, mais je bois dans mon verre. (A. de Musset) — 5. Prenez garde au feu, car il brûle. — 6. Je vous écrirai ou je vous téléphonerai. — 7. Je passerai te prendre à huit heures; donc sois prête quand j'arrive.

[PG § 499] **ORTHOGRAPHE** *Brûler* peut désormais s'écrire *bruler*, sans accent circonflexe.

123 Distinguez les propositions coordonnées et les propositions juxtaposées.

1. L'homme est mortel; or je suis un homme; donc je suis mortel. — 2. Claire est allée chercher du pain ce matin, mais la boulangerie était fermée; elle en a donc acheté un au supermarché. — 3. Un camion obstrue la chaussée : il a perdu son chargement, par

conséquent le trafic est perturbé. — 4. On critique aisément; on ne fait pas facilement de compliments. — 5. Ils demandent le chef; je me nomme, ils se rendent. (P. Corneille) — 6. Le chat vit que les souris étaient retirées dans leurs trous, qu'elles n'osaient sortir; il fit le mort et se suspendit à une poutre.

124 Transformez les phrases suivantes de telle façon qu'on ait: 1° coordination; 2° subordination.

1. Je suis un homme; je peux me tromper. — 2. Le soir tombait : nous fîmes halte. — 3. Tu nous as servi un repas délicieux : je te remercie. — 4. Elle est souvent en retard : je ne lui en veux pas. — 5. C'était un vrai savant : il était modeste. — 6. Ne te vante pas : on s'éloignerait de toi.

PRONONCIATION La *halte* a un *h* aspiré qui empêche la liaison et l'élision, tout comme *la hâte, le hâle, le hall, le halo, la haine, le hareng, la hallebarde, la herse, le haricot, la hernie.*

RÉCAPITULATION

La proposition et ses éléments

125 Donnez la fonction des mots en italique.

a) 1. *Hier* un *incendie* éclata *subitement* dans mon *quartier.* — 2. *Les arbres* prennent des *teintes qu'*on croirait *invraisemblables.* — 3. Une de nos *grandes* joies était de nous *glisser* au salon où *personne* n'allait jamais. — 4. Vous avez un bel *idéal.* — 5. Avoir un comportement *idéal* est *impossible.* — 6. *Nul* ne sait s'il est *digne* d'*amour* ou de haine. — 7. *Souriant*, l'amateur de *prunes vous* mène dans son *jardin* et *vous* offre *fièrement* une reine-claude.

b) 1. Les naïfs croient *intelligents ceux* qui ont la facilité d'*enfiler* de belles phrases. — 2. *Cette* personne ne *nous* nuit en rien, et elle nous devient cependant un objet d'*aversion*, *parce que* nous la croyons plus *heureuse* que nous. — 3. Rien ne sert de *courir*, *il* faut *partir* à point. (J. de La Fontaine) — 4. Voici les *fêtes* de fin d'*année* et leur cortège de *réjouissances.* — 5. *Qui* te rend si *hardi* de troubler mon breuvage? Dit cet *animal* plein de *rage.* (J. de La Fontaine) — 6. Les oiseaux *migrateurs* quittent *nos* régions *dès que* s'annoncent les *brouillards de* l'automne.

PRONONCIATION La lettre *-s-* dans *invraisemblable*, bien qu'entre deux voyelles, se prononce [s] et non [z].

126 Même exercice.

a) 1. *Devant* ce paysage, je laissais voler ma *pensée*, *loin de* tout souci. — 2. Le temps fuit *sans que l'*on *y* songe. — 3. C'est un *trésor* que la *santé.* — 4. *Il* convient que vous cherchiez *dans* le dictionnaire l'orthographe des mots *dont* vous n'êtes pas *sûr.* — 5. Je *me* jure d'être plus sage. — 6. Donne-*toi* la peine de réfléchir. — 7. Ne *nous* couvrons pas de ridicule.

b) 1. La naïveté de l'*enfance me* plaît. — 2. Ce vase est plein d'*eau.* — 3. Rappelle-*toi* mes *paroles.* — 4. Il travaille *durement* pour *vivre.* — 5. Le tricheur n'est estimé de *personne.* — 6. Assemblez les éléments de *ce* meuble conformément au *mode* d'*emploi.*

[PG § 499]

ORTHOGRAPHE *Plaît* peut désormais s'écrire *plait,* sans accent circonflexe.

127 Même exercice.

a) 1. J'aime *à* regarder, dans mon *jardin,* l'abeille *butineuse* infatigable. — 2. Je n'arrête pas de *vous* dire, mes *enfants,* de mener une *vie* saine. — 3. L'idée *me* vint de *me* jeter à l'eau. — 4. Il fait un *froid* piquant. — 5. *Il* est de clairs *matins,* de *roses se* coiffant. — 6. *Les* boucles que vous *m'*avez offertes, je *les* ai trouvées fort *jolies.*

b) 1. Après les cinq heures *que* j'avais marché, je *me* sentais très *fatigué.* — 2. Les personnes âgées trouvent *préférables* aux *méthodes* récentes celles qu'on *leur* a appris à suivre dans leur jeune *âge.* — 3. *Partout,* affirment les *pacifistes,* il y a *place* pour la générosité, *car* partout il y a place pour l'amour. — 4. Cher *amour,* je suis loin de toi, mais je te sens *près de* moi, *fidèle* à nos souvenirs. — 5. Dès que je *le* pourrai, je prendrai *moi-même* des décisions *pour* le départ. — 6. Monsieur Seguin emporta la chèvre *dans* une étable toute noire, *dont* il ferma la porte à double *tour.* — 7. La douceur du vent permettait à *Amélie* de *garder ouverte* une petite ombrelle à manche brisé, tendue du même *écossais* rouge et vert *dont* elle était vêtue. (Ph. Hériat)

ORTHOGRAPHE Observez l'orthographe des adjectifs suivants : *infatigable, fatigant* et *extravagant.*

128 Décomposez les phrases suivantes en leurs diverses *propositions* et indiquez leur *nature.*

1. Quand nous craignons un danger, parfois nous ne voulons pas croire qu'il nous menace, et souvent aussi, nous estimons trop facilement qu'il va nous frapper. – 2. Il est amer et doux pendant les nuits d'hiver / D'écouter près du feu qui palpite et qui fume / Les souvenirs lointains lentement s'élever / Au bruit des carillons qui chantent dans la brume. (Ch. Baudelaire). – 3. Ah ! çà, me dit-il, je m'étonne que vous ne sachiez pas encore que, lorsqu'un supérieur parle, on écoute l'autorité s'exprimer par sa voix. – 4. Pendant que j'étais aux Indes, le gouvernement avait lancé une campagne contre les sauterelles, mais les paysans les ménageaient, allaient jusqu'à les entretenir et les soigner, par pitié pour une vie animale qu'ils estimaient sacrée. (A. Sigfried)

Espèces de noms 45
Féminin des noms 49
Noms dont le genre est à remarquer 52
Noms à double genre 53
Pluriel des noms 54
Noms à double forme au pluriel 55
Pluriel des noms propres 56
Pluriel des noms composés 57
Pluriel des noms étrangers et des noms accidentels 59
Noms sans singulier ou sans pluriel
ou changeant de sens au pluriel 61

Chapitre 3

Le nom

Espèces de noms

[PG § 95-96]

Adieu Vietnam

> L'avion décolla sans encombre de Tan Son Nhut. Des miettes de galette au beurre Traou Mad, deux plaques photographiques de la Société nationale de géographie, une note impayée de l'hôtel Baie d'Along, un plan du vieux Hué, l'odeur de pastis à la terrasse du Continental, une plaisanterie qui faisait beaucoup rire M. Franchini : «à l'au-delà, je préfère le vin d'ici», des images de chemises à fleurs quand on ferme les yeux, le bruit d'essaim d'un peloton de vélos Manufrance en route dans la jungle, le ridicule d'un ministre vêtu comme pour pêcher les crevettes, un gouverneur amateur d'Américaines, un besoin imbécile d'expositions coloniales, une histoire de draps de lit envoyés en express à Saint-Brieuc, un prénom masculin, Louis, tout cela ne constitue pas un excédent de bagages.
>
> Erik Orsenna, *L'exposition coloniale*. Paris, Éd. du Seuil, 1998.

129 Dans ce texte, relevez les noms communs et les noms propres. [PG § 96a]

VOCABULAIRE *Chemise* peut être employé dans des locutions. *Changer d'avis comme de chemise* veut dire «changer constamment d'avis»; *mouiller sa chemise*, «ne pas ménager ses efforts»; *y laisser jusqu'à sa dernière chemise*, «s'y ruiner»; *être en manches de chemise*, «avoir une tenue décontractée»; quant à une *pomme de terre en chemise*, elle est cuite dans sa peau.

ORTHOGRAPHE 1. Un *excédent* de bagages est un *surplus* et ici, une *surcharge*, à ne pas confondre avec *excédant*, participe présent du verbe *excéder*.

[PG § 512] 2. Traditionnellement, on écrit *imbécile*, mais *imbécillité*, cependant l'Académie propose de rectifier cette anomalie en écrivant *imbécilité*.

130 Discernez les noms communs et les noms propres et analysez-les. Voyages...

> Je rêve de randonnées en montagne, d'escalader le mont Blanc, ou l'Himalaya, de croisières sur le Nil ou sur le Saint-Laurent, d'approcher les volcans de l'île de la Réunion ou ceux d'Hawaii, je pourrais aussi visiter Istanbul, la Chine, le Chili, la Bretagne... Mais partirais-je à Noël ou à Pâques?

131 Donnez le nom général par lequel on désigne les habitants de ces :

a) *Villes* : 1. Paris — 2. Londres — 3. Milan — 4. Moscou — 5. Genève — 6. Bordeaux — 7. Madrid — 8. Québec — 9. Montréal — 10. Kinshasa — 11. Istanbul — 12. Le Caire — 13. Alger — 14. Tunis — 15. Amsterdam — 16. Rio de Janeiro — 17. Tokyo — 18. Saint-Étienne.

b) *États* : 1. Inde — 2. Burkina-Faso — 3. Guatemala — 4. Monaco — 5. Luxembourg — 6. Bulgarie — 7. Pologne — 8. Pays-Bas — 9. Allemagne — 10. Éthiopie — 11. Érythrée — 12. Espagne — 13. Finlande — 14. Madagascar — 15. Chypre — 16. Cuba — 17. Haïti — 18. Niger — 19. Nigeria — 20. Algérie.

c) *Régions* : 1. Berry — 2. Auvergne — 3. Hainaut — 4. Bretagne — 5. Champagne — 6. Cévennes — 7. Brabant — 8. Valais — 9. Alsace — 10. Vallée d'Aoste.

ORTHOGRAPHE Distinguez bien le nom propre désignant les habitants de l'adjectif qui les concerne, lui, sans majuscule. Les *Français* mais un *journaliste français*; un *Canadien* mais un *chanteur canadien*; un *Romain* mais un *correspondant romain*.

132 Rangez dans l'ordre alphabétique ces séries de noms propres.

a) Musset, Baudelaire, Corneille, Racine, Daudet, Lamartine, Hugo, Pascal, Maeterlinck, Ramuz.

b) Mozart, Satie, Beethoven, Grétry, Lulli, Chopin, Schubert, Liszt, Brahms, Debussy, Schumann.

c) Rubens, Raphaël, Vermeer, Ingres, Botticelli, Van Dyck, Picasso, Matisse, Millet, Memling.

[PG § 96b]

133 Rangez les noms suivants en deux groupes: 1° noms concrets; 2° noms abstraits:

cheval	voiture	étang	poirier
franchise	vitesse	pinson	épaisseur
maison	courage	dureté	hélicoptère

134 Quels sont les noms abstraits correspondant aux adjectifs suivants:

a)	petit	fixe	clair
	rude	candide	opaque
	aigu	pâle	sourd
b)	franc	hébété	apte
	exact	lucide	seul
	humble	ingénieux	las
c)	clairvoyant	violent	condescendant
	corpulent	élégant	constant
	clément	opulent	patient

135 Transformez les phrases suivantes par l'emploi de noms abstraits:

Modèle : Il est *bon* : cela se lit sur son visage. Sa *bonté* se lit sur son visage.

1. Elle est *faible* : elle cède à tous les caprices de ses enfants. — 2. Il est *compétent* : il a eu une promotion. — 3. Elle est *gentille* : elle attire la sympathie. — 4. C'est un analyste *subtil*; cela apparaît dans ses observations *fines*. — 5. Étant très *raffiné*, il est choqué par un langage *trivial*. — 6. Si vous m'*approuvez*, j'en serai *fier*. — 7. L'aide des bénévoles est *efficace* mais se révèle *insuffisante*.

ORTHOGRAPHE *Apparaît* peut désormais s'écrire *apparait*, sans accent circonflexe. [PG § 499]

136 Trouvez les noms dérivés des verbes suivants :

a) 1. (*décevoir*) Imaginez ma ... si vous ne venez pas. — 2. (*corrompre*) On parle beaucoup d'affaires de ... dans la presse. — 3. (*traduire*), (*trahir*) Il faut éviter que la ... d'un auteur soit une .... — 4. (*pendre*) J'inaugure ma maison samedi, je t'invite à ma ... de crémaillère. — 5. (*inventer*) L' ... de l'ordinateur a changé notre façon de communiquer. — 6. (*comprendre*) Je vous remercie de votre .... — 7. (*percevoir*) Dans l'obscurité, la ... des bruits est amplifiée. — 8. (*voir*), (*imprimer*) L'éditeur doit avoir une ... d'ensemble du livre avant d'en décider l' ... — 9. (*contredire*) Ce texte est un tissu de .... — 10. (*acquérir*) Ai-je fait une bonne ... en achetant cette voiture d'occasion? — 11. (*résoudre*), (*discuter*) La ... du conflit dépendra de la suite des ....

b) 1. (*gager*) Terminer ce travail dans les délais est une formidable .... — 2. (*blesser*) Le souvenir de son humiliation ravive sa .... — 3. (*signer*) Veuillez apposer votre ... au bas de ce document. — 4. (*lire*), (*nourrir*) La ... est la ... de l'esprit. — 5. (*ouvrir*) La cérémonie d' ... des Jeux Olympiques est retransmise à la télévision. — 6. (*écrire*) Arrives-tu à déchiffrer mon .... — 7. (*arriver*) Qui franchira le premier la ligne d' .... — 8. (*attendre*) Contre toute ..., le favori a abandonné la course. — 9. (*découvrir*) Voyager, c'est partir à la ... de nouveaux horizons. — 10. (*venger*) La ... est un plat qui se mange froid.

137 Les noms des cris d'animaux sont généralement formés à l'aide du verbe et du suffixe -ment. Attribuez son cri à chacun de ces animaux.

Barrissement — Beuglement — Bramement — Caquètement — Coassement — Croassement — Feulement — Glapissement — Hennissement — Pépiement — Rugissement — Vagissement.

1. La vache. — 2. L'éléphant — 3. Le corbeau. — 4. Le crocodile. — 5. Le renard. — 6. La grenouille. — 7. Le cerf. — 8. La poule. — 9. Le lion. — 10. Le cheval. — 11. Le tigre. — 12. Le poussin.

[PG § 27]

138 À l'aide d'un suffixe, donnez à chacun de ces noms un diminutif.

a) mouche — renard — chat — lion — lapin — lièvre — oiseau.

b) cascade — jambon — flotte — tarte — tonneau — maison — jardin.

139 Avec les noms suivants, formez des dérivés indiquant le contenu.

Bouche — poing — cuiller — four — charrette — brouette — assiette — pelle.

140 À partir de ces noms de fruits, voyez si vous pouvez retrouver celui des végétaux qui les portent en y combinant la finale *-ier*.

Pomme — cerise — prune — avocat — noix — noisette — banane — ananas — grenade — orange — poire — raisin — châtaigne — melon — coing — framboise — fraise — abricot — goyave — fruit de la passion.

141 Certaines pièces de vaisselle ou autres récipients tirent leur nom de celui de leur contenu associé au suffixe *-ier* (ou -ière)**. Voyez si c'est le cas pour ces objets destinés à contenir :**

1. du sucre — 2. de la sauce — 3. du sel — 4. de la salade — 5. de l'encre — 6. du lait — 7. du thé — 8. du café — 9. des épices — 10. de la moutarde — 11. de la soupe.

[PG § 96c]

142 Transformez les phrases suivantes en remplaçant par un nom collectif les mots en italique.

1. Hourra! nos *onze joueurs* ont brillamment gagné le match! — 2. La belle *rangée de colonnes* du Louvre est due à l'architecte Claude Perrault. — 3. *L'ensemble des navires*, pour cette opération, est sorti du port à l'aube. — 4. L'apiculteur a recueilli *les jeunes abeilles* dans une corbeille. — 5. Le vaisseau a péri, mais *tous les matelots* ont été sauvés. — 6. *Les auditeurs*, enthousiastes, ont acclamé l'orateur.

143 Quels sont les noms collectifs qui signifient:

1. L'ensemble des dents. — 2. L'ensemble des cheveux d'une personne. — 3. Une réunion de choses mises les unes sur les autres. — 4. L'ensemble des personnes unies par le sang ou l'alliance et vivant sous le même toit. — 5. Une petite pièce de poésie composée de quatre vers. — 6. Une troupe de chiens ou de loups. — 7. Tous les clients d'un marchand.

[PG § 37]

144 Dans chaque série, rapprochez les mots par couples, selon leur synonymie ou leur voisinage de sens.

a) Bataille — abjection — artifice — combat — limites — ruse — changement — bassesse — bornes — variation.

b) vivacité — lourdeur — monceau — précision — respect — promptitude — justesse — vénération — pesanteur — tas.

145 Parmi les noms *grincement, vrombissement, roulement, clapotis, clameur, crépitement,* qui désignent tous un bruit, choisissez celui qui convient pour chacun des compléments.

La *foule*, une *poulie*, les *vagues*, le *feu*, un *tambour*, un *avion*.

146 Trouvez des noms homonymes des mots suivants et insérez-les dans de petites phrases ou des expressions. [PG § 35]

1. Fois — 2. Sot — 3. Cour — 4. Peau.

147 Ne confondez pas les paronymes, choisissez dans quelle(s) phrase(s) placer chacun d'eux. [PG § 36]

1. *éruption / irruption* : L' … du Vésuve, en 79 après J.-C., détruisit Herculanum et Pompéi. / Une bande d'énergumènes fit… dans la salle. / Une… de boutons défigura ma sœur pendant quelques semaines. — 2. *lacune / lagune* : La ville de Venise a été construite sur une …. / Il y a, dans ce manuscrit, quelques …. — 3. *conjecture / conjoncture* : Dans la … présente, il conviendrait d'agir sans retard. / On se perd en… sur les causes de cet accident. / Rien de bien certain ; on ne peut faire en ceci que des …. / Il eût fallu, en cette …, un chef très avisé. — 4. *allocation / allocution* : L' … a été fort applaudie. / Vous toucherez incessamment votre …. — 5. *acceptation / acception* : Dois-je considérer votre dernière lettre comme une … de l'offre que je vous ai faite ? / Le mot « tête » s'emploie dans de nombreuses ….

Féminin des noms

[PG § 97-105, 516-521]

148 Donnez le féminin des noms suivants :

a)	chameau	espion	avocat	dévot
	paysan	fou	Anglican	cousin
	berger	sot	candidat	écolier
	sultan	faisan	Grec	jouvenceau
	Lapon	Gabriel	Persan	prisonnier
b)	époux	curieux	favori	Jean
	veuf	poivrot	oiseau	colonel
	baron	chien	marquis	orphelin
	héritier	messager	Breton	Turc
	Frédéric	Simon	idiot	préfet

149 Mettez au féminin :

a)

visiteur	fondateur	semeur	flatteur
acteur	coiffeur	pêcheur	médiateur
voleur	consolateur	lecteur	porteur

b)

pécheur	acheteur	spectateur	empereur
inspecteur	inventeur	ambassadeur	emprunteur
enchanteur	prieur	persécuteur	protecteur

150 Dites quel est, pour les noms suivants, le participe présent obtenu en changeant *-eur* en *-ant*. Formez ensuite le féminin de chacun de ces noms.

Modèle : menteur — mentant — une menteuse.

travailleur	chanteur	flatteur	voleur
tricheur	rêveur	promeneur	danseur
emballeur	fraudeur	joueur	semeur

151 Mettez au féminin. Cherchez d'abord pour chacun de ces noms si un participe présent obtenu en changeant -eur en -ant existe.

patineur	bienfaiteur	mangeur	rédacteur
moissonneur	querelleur	moniteur	moqueur
spectateur	instituteur	acheteur	acteur

152 Mettez au féminin les noms en italique.

a) 1. Coco Chanel était une grande [*créateur*] de mode. — 2. Les [*pêcheurs*] de moules exercent un rude métier. — 3. L'[*animateur*] de ce débat se montre trop partiale. — 4. Le poète tragique grec Euripide était le fils d'une [*vendeur*] d'herbes. — 5. Certaines femmes font profession de prédire l'avenir ; ces [*devins*] trouvent du crédit auprès des gens crédules.

b) 1. Les poètes ont célébré Diane [*chasseur*]. — 2. Ce châtelain avait la passion de la chasse ; sa femme, pour lui complaire, était devenue grande [*chasseur*]. — 3. La musique a ses enchantements ; c'est parfois une grande [*charmeur*]. — 4. En termes de droit, celle qui forme une demande en justice s'appelle [*demandeur*] ; celle contre laquelle est intentée la demande s'appelle [*défendeur*] ; celle qui donne à bail porte le nom de [*bailleur*] ; celle qui doit se nomme [*débiteur*]. — 5. Les Furies étaient, dans l'Antiquité romaine, les [*vengeurs*] des crimes.

153 Même exercice.

1. Avec ses vêtements informes et troués, on aurait dit une [*pauvre*]. — 2. La [*comte*] de Noailles a été une [*poète*] remarquable. — 3. Rome a été la [*maître*] du monde. — 4. Il y avait, chez les anciens Gaulois, des [*prêtres*] qui s'appelaient [*druides*]. — 5. Les paroles

de réconfort sont de douces [*consolateurs*]. — 6. En [*hôte*] accomplie, elle fut aux petits soins pour ses invités.

154 Dites quels sont:

a) Les noms féminins correspondant aux noms masculins suivants:

un traître	un daim	un jars	un échevin
un drôle	un gendre	un loup	un neveu
un empereur	un opérateur	un canard	un dindon

b) Les noms masculins correspondant aux noms féminins suivants:

une poule	une servante	une jument	une petite-fille
une mule	une tsarine	une Suissesse	une ânesse
une brebis	une laie	une héroïne	une biche

ORTHOGRAPHE *Traître* peut désormais s'écrire *traitre*, sans accent circonflexe. [PG § 499]

155 Mettez au féminin les noms en italique (et accommodez ce qui doit être accommodé).

a) 1. Un *homme* cruel comme un *tigre*. — 2. Le *dentiste* de mon *frère*. — 3. Le *conseiller* du *roi*. — 4. *L'assistant* du *rédacteur*. — 5. Le *doyen* des *magistrats*. — 6. Le *parrain* de ton *fils*. — 7. Le *président* directeur général. — 8. Les *héros* de la tragédie. — 9. Un *cerf* et un *chevreuil* aux abois.

b) 1. Le *père* de mes *copains*. — 2. Vendre un *bélier*, un *bouc* et un *taureau*. — 3. Avoir recours à un *médecin* et un *chirurgien*. — 4. *L'éducateur* des *garçons*. — 5. Un *architecte* et un *ingénieur* technicien. — 6. Son *mari* est *expert-comptable*. — 7. Un *écrivain* et un *poète*. — 8. *Monsieur* le *procureur*. — 9. Le *recteur* de l'université, un *chargé* de cours et un *chercheur*.

Féminin des noms: récapitulation

156 Mettez au féminin les noms en italique.

a) 1. Lucie a rendez-vous avec une [*conseiller*] d'orientation. — 2. Cette [*sourd-muet*] communique par le langage des signes. — 3. Une [*paysan*] vend de délicieux légumes au marché. — 4. C'est une rude [*travailleur*], elle ne ménage pas sa peine. — 5. La [*patron*] de ce restaurant cuisine en véritable [*gardien*] des traditions du terroir. — 6. Alexandra David-Neel, [*voyageur*] infatigable, fut la première [*Européen*] à pénétrer à Lhassa, au Tibet. — 7. Dans les contes de fées, on trouve des [*princes*], des [*rois*], des [*enchanteurs*] et des [*magiciens*].

b) 1. La [*prince*] lui fit sentir qu'elle était indignée que son frère lui dépêchât une telle [*ambassadeur*]. (Voltaire) — 2. Elle était dame [*patron*] de crèches nombreuses. (G. de Maupassant) — 3. Il fit tant que l'[*enchanteur*] Prit un poison peu différent du sien. (J. de La Fontaine) — 4. Chez la [*receveur*] de l'enregistrement, chez la [*pharmacien*] et la [*percepteur*], M. d'Avricourt imposait la couleur de ses cravates. (Colette) — 5. Ces petites [*ogres*] avaient le teint fort beau. (Ch. Perrault)

VOCABULAIRE Un sourd-muet est atteint de *surdité* et de *mutité* (ou de *mutisme*) ; un aveugle, de *cécité*; celui qui louche, de *strabisme*; celui qui a la vue courte, de *myopie*; celui qui voit mieux de loin que de près de *presbytie*; celui qui boite, de *boiterie* ou de *claudication*.

Noms dont le genre est à remarquer

157 Mettez l'article *un, une, du* ou *de la* et accordez les adjectifs.

a) ... haltère [*pesant*]
... moustiquaire [*léger*]
... [*frais*] oasis
... anagramme [*amusant*]
... omoplate [*saillant*]
... pore [*étroit*]
... emplâtre [*chaud*]
... équerre [*épais*]
... pétale [*bleu*]
... incendie [*dévastateur*]
... coriandre [*moulu*]
... nacre [*irisé*]

b) ... écritoire [*ancien*]
... exorde [*insinuant*]
... atmosphère [*lourd*]
... insigne [*nouveau*]
... argile [*compact*]
... chrysanthème [*blanc*]
... ovale [*parfait*]
... orbite [*creux*]
... ambre [*gris*]
... quinoa [*bien cuit*]
... tajine [*délicieux*]
... améthyste [*violet*]

c) ... épitaphe [*pompeux*]
... [*petit*] astérisque
... en-tête [*manuscrit*]
... amnistie [*complet*]
... effluve [*odorant*]
... [*petit*] élastique
... athénée [*nouveau*]
... [*beau*] azalée
... planisphère [*récent*]
... épithète [*injurieux*]
... acoustique [*architectural*]
... stère [*entier*]

VOCABULAIRE Une anagramme est un mot obtenu en mélangeant les lettres d'un autre mot. Exemples : *décor — corde*; *nippe — pépin*; *écran — crâne — carne*; *départ — pétard*. De son vrai nom, François Rabelais (XVIe siècle) avait ainsi formé plaisamment, par anagramme, le pseudonyme ALCOFRIBAS NASIER. De même, Paul Verlaine (XIXe siècle) a imaginé PAUVRE LÉLIAN. Marguerite Yourcenar doit le pseudonyme sous lequel elle est célèbre dans le monde des lettres à ce procédé, son vrai nom étant DE CRAYENCOUR.

ORTHOGRAPHE *C**h**rysant**h**ème, ant**h**racite, t**h**ésauriser, ant**h**ologie, ort**h**ographe, labyrint**h**e, est**h**étique, post**h**ume, neurast**h**énie, ecc**h**ymose, da**h**lia, bibliot**h**èque, catarr**h**e, épit**h**ète*... Un « **h** » muet se cache dans ces mots.

Noms à double genre

[PG § 106]

158 Mettez, selon le genre, l'article *un* ou *une*.

1. Choisir … crêpe de soie. Manger ... crêpe.
2. Le cadran d'... pendule. Les oscillations d'... pendule.
3. Suivre ... mode excentrique. Réformer ... mode d'enseignement.
4. Briser ... moule de plâtre. La coquille d'... moule a deux valves.

159 Faites l'accord des mots en italique.

a) 1. Le vent, dans les branches, chante comme [*un*] orgue [*aérien*]. — 2. La vie est parfois comme [*un*] hymne à la joie. — 3. J'aime mes enfants d'[*un*] amour [*profond*]. — 4. Dans la plaine, [*seul*] restent encore quelques orges. — 5. Voici Pâques [*revenu*] : les [*grand*] orgues retentissent. — 6. Adieu viandes en sauce, îles flottantes et fondants au chocolat! Autant d'[*exquis*] délices dont il faut se passer si l'on est au régime. — 7. [*Certain*] foudres ou grands tonneaux ont une contenance de 300 hectolitres.

b) 1. L'aigle [*majestueux*] plane plus haut que les hautes montagnes. — 2. L'aigle est [*furieux*] quand on lui ravit ses aiglons. — 3. Il y a dans le chœur de cette église [*un beau*] aigle de cuivre. — 4. Amour [*filial*] et amour [*maternel*] se répondent. — 5. Le peintre français Boucher a peint un grand nombre de [*petit*] Amours [*joufflu*]. — 6. Aujourd'hui encore, on joue les pièces de Molière. L'Avare est [*un*] de ses œuvres les plus célèbres. — 7. Les alchimistes du moyen âge cherchaient le moyen de changer en or les métaux inférieurs: cette recherche s'appelait [*le grand*] œuvre. — 8. L'entrepreneur assure que [*le gros*] œuvre sera [*achevé*] dans un mois.

c) 1. [*Tout*] les délices qui les environnent ne leur sont rien. (Fénelon) — 2. Aucun poète n'a fait monter vers ce ciel [*un pareil*] hymne de confiance et d'espoir. (A. Bellessort) — 3. Ce verre de vin puissant me fut [*un*] délice. (G. Duhamel) — 4. Les prêtres défilaient un par un, chantant les hymnes [*traditionnel*]. (J. Barbey d'Aurevilly) — 5. Je redoutai du roi les [*cruel*] amours. (J. Racine) — 6. Cela ressemblait aux sons d'orgues [*lointain*]. (R. Boylesve) — 7. C'était la détresse d'une agonie morale, arrivée à [*un*] période [*aigu*]. (P. Bourget) — 8. L'imagination m'apportait des délices [*infini*]. (G. de Nerval)

ORTHOGRAPHE *Île* peut désormais s'écrire *ile*, sans accent circonflexe. [PG § 499]

160 Sur le modèle suivant, incluez ces adjectifs au féminin, dans l'expression : toutes les ... gens.

Modèle: mauvais | mauvaise | toutes les mauvaises gens

heureux	bon	brave	vieux
honnête	meilleur	méchant	habile

161 Mettez à la forme convenable les mots en italique, dont «gens» commande l'accord.

1. Les [*vieux*] gens aiment à se rappeler leur passé. — 2. [*Certains*] gens ne sont [*heureux*] que quand un gros travail s'offre à leur activité. — 3. N'en voit-on pas qui, avec leurs amis,

paraissent les [*meilleur*] gens du monde, et qui, dans le cercle de leur famille, sont des gens [*hargneux*] ? — 4. Que répondre à de [*pareil*] gens [*auquel*] toute éducation a toujours fait défaut ? — 5. Les gens [*heureux*] n'ont pas d'histoire. — 6. On a vu de [*malheureux*] gens de lettres mourir dans le besoin. — 7. [*Quel*] gens êtes-vous ? — 8. Que diront- [*ils* ou *elles*], les [*bon*] gens du village ?

162 Même exercice.

1. Certains [*gens*] de robe ont oublié parfois que la justice leur imposait de graves devoirs. — 2. [*Confiné*] dans leurs souvenirs, [*tout*] ces gens sont [*dérouté*] par les événements actuels. — 3. Le fabuliste donne au peuple des grenouilles le nom de gens [*marécageux*]. — 4. Ah ! [*quel vilain*] et [*sot*] gens nous avons [*rencontré*] ! — 5. Ce sont de [*vrai*] gens d'affaires. — 6. J'écris pour ces [*petit*] gens d'entre [*lequel*] je suis sorti. (G. Duhamel) — 7. [*Tout*] les gens qui vous entourent ont droit à votre affection. (H. Troyat) — 8. Les cousins Jorrier n'étaient pas de [*mauvais*] gens. (H. Bosco) — 9. Parler et offenser, pour de [*certain*] gens est précisément la même chose. [*Ils* ou *elles*] sont [*piquant*] et [*amer*]. (J. de La Bruyère) — 10. Nous paraissions de fort [*vilain*] gens, des gens à la fois [*correct*] et injustes. (M. Barrès) — 11. C'étaient des gens [*naïf*], [*silencieux*] à force de solitude. (A. Daudet)

[PG § 107-113]

Pluriel des noms

163 Mettez au pluriel.

a) 1. Le licou du veau. — 2. Le gouvernail du vaisseau. — 3. L'aveu du vol d'un bijou. — 4. Le cheval du général. — 5. Le museau du putois. — 6. Un lambeau de sarrau. — 7. Ce travail est un jeu. — 8. Un pneu et un essieu. — 9. La voix du coucou dans le taillis. — 10. Un hibou et un blaireau.

b) 1. Le gaz lacrymogène. — 2. Le joujou dans le berceau. — 3. Un trou dans un vitrail. — 4. Le feu du fanal est un signal. — 5. Un cal au genou du chameau. — 6. Un pois, un chou et une noix. — 7. Un crucifix et une croix. — 8. Un rameau de buis. — 9. L'œil du lynx et du hibou. — 10. Le clou du festival.

c) 1. L'étau du forgeron. — 2. L'étal du boucher. — 3. Le gouvernail du bateau. — 4. Le chapeau de l'épouvantail. — 5. Un copeau mince comme un cheveu. — 6. Accomplir un travail. — 7. Un verrou sur le vantail. — 8. Ce récital est un régal. — 9. Un rail et un tuyau. — 10. Le portail du château.

ORTHOGRAPHE 1. Notez que la finale des noms se prononçant [o] s'écrit souvent **-eau**, cependant on écrit *tuyau*, *noyau*, *joyau*, *boyau*.

2. On écrit *lynx*, *larynx*, *pharynx*, mais *sphinx*.

[PG § 512] 3. La nouvelle orthographe de *vantail* est *ventail*.

164 Mettez au singulier.

a) 1. Les eaux des puits. — 2. Des fruits à noyau. — 3. Les troupeaux dans les enclos. — 4. Les avis des journaux. — 5. Les compas et les niveaux. — 6. Les succès des

rivaux. — 7. Des baux engendrant des procès. — 8. Les remords des filous. — 9. Les legs aux neveux.

b) 1. Des mets sur des plateaux. — 2. Les poids des métaux. — 3. Les poitrails de ces animaux. — 4. Des secours aux malheureux. — 5. Des écriteaux sur des poteaux. — 6. Des matelas dans des galetas. — 7. Des treillis et des barreaux. — 8. Des poireaux et des radis. — 9. Des brebis et des agneaux dans des enclos.

165 Mettez au pluriel les noms en italique.

a) 1. Dans les vieux [*palais*], on peut admirer des [*lambris*] ouvragés, des [*panneau*] sculptés et des [*tableau*] anciens. — 2. Les [*chacal*] vivent par troupes dans les régions désertiques ; ils cherchent leur nourriture dans les [*lieu*] habités ; ils ne s'attaquent jamais aux autres [*animal*]. — 3. Ah ! ces [*bocal*] de confitures dans les armoires de ma grand-mère ! Quels [*régal*] j'en faisais en imagination ! — 4. Dans les cortèges des [*carnaval*], les [*nez*] se cachent derrière les [*éventail*], sous les [*chapeau*] ou dans le col des [*manteau*]. — 5. De nombreuses îles de la Micronésie, ont été formées par des [*corail*].

b) 1. C'est imiter quelqu'un que de planter des [*chou*]. (A. de Musset) — 2. Les coupés et les [*landau*] s'engageaient à la file dans les arcades réservées. (G. de Maupassant) — 3. Ils ont mis des [*verrou*] aux trois portes de chêne. (M. Maeterlinck) — 4. On eût cru entendre des voix tristes sortir des [*soupirail*] de l'antre de la Sibylle. (R. de Chateaubriand) — 5. Les [*vitrail*] garnis de plomb obscurcissaient la pâleur de l'aube. (G. Flaubert) — 6. Mais j'use peu des [*bleu*] ! Les [*bleu*] sont froids ! (A. Billy) — 7. Les [*vantail*] de la porte offraient encore, vers le haut, quelques restes de peinture sang de bœuf. (Th. Gautier)

c) 1. Les [*hibou*] jetaient dans la nuit leurs appels lugubres, nous croyions entendre des [*voix*] de malfaiteurs cachés dans les [*bois*], prêts à nous surprendre. — 2. Un des [*jeu*] préférés des enfants est de faire ricocher des [*caillou*] sur l'eau des [*ruisseau*]. — 3. Les [*bail*] de maison sont faits généralement pour trois, six ou neuf ans. — 4. La gare brille de tous ses [*feu*], les [*signal*] luisent comme des [*clou*] lumineux dans le crépuscule. — 5. Le ciel n'était pas tout à fait bleu ; il était plutôt gris, mais d'un gris plus doux que tous les [*bleu*] du monde. (A. France) — 6. Mais qu'ils étaient beaux, les [*joujou*] de mes rêves ! (Id.)

ORTHOGRAPHE *Île* peut désormais s'écrire *ile*, sans accent circonflexe. [PG § 499]

Noms à double forme au pluriel [PG § 114-117]

166 Mettez au pluriel les noms en italique.

a) 1. Les [*aïeul*] racontent-ils encore leurs souvenirs à leurs petits-enfants ? — 2. Nos [*aïeul*] ne connaissaient pas les problèmes liés au réchauffement climatique. — 3. Les [*ciel*] de lit sont des espèces de dais drapés au-dessus des lits. — 4. Les [*œil*]-de-bœuf de la cour du Louvre, à Paris, sont ornés de sculptures. — 5. Certaines infiltrations se produisent parfois dans les [*ciel*] de carrière. — 6. Les botanistes rangent l'oignon, le poireau, l'échalote dans la famille des [*ail*]. — 7. Les [*œil*]-de-loup, les [*œil*]-de-chat, les [*œil*]-de-serpent sont des pierres chatoyantes.

b) 1. Est-il rien au monde de plus beau que des [*œil*] d'enfant? (E. Pérochon) — 2. Les [*ciel*] pour les mortels sont un livre entrouvert. (A. de Lamartine) — 3. Tous les [*travail*] que je n'aime pas sont ceux qui réclament de la patience. (Colette) — 4. L'amour qui tient ma chair, où mon instinct s'entête, C'est celui dont sont morts mes [*aïeul*] paysans. (J. Richepin) — 5. Des fleurs, des bêtes, des gens, des arbres, des [*ciel*] ... je peins de tout. (O. Mirbeau) — 6. Voici nos petits et leur mère qui viennent prendre place à côté de leurs [*aïeul*]. (Fr. Jammes) — 7. En été, par temps clair, on peut voir des étoiles filantes traverser les [*ciel*].

167 Même exercice.

a) 1. De longs chapelets d'[*ail*] pendent aux poutres du grenier. — 2. Un caractère énergique sait s'obliger à accomplir des [*travail*] qui lui répugnent. — 3. Certains chevaux peureux refusent de s'engager dans les [*travail*] des maréchaux-ferrants. — 4. Van Gogh a peint des [*ciel*] très tourmentés. — 5. Les [*œil*] sont le miroir de l'âme. — 6. On taille à deux [*œil*] bien saillants la brindille du poirier.

b) 1. Bleus ou noirs, tous aimés, tous beaux, Des [*œil*] sans nombre ont vu l'aurore. (Sully Prudhomme) — 2. Je suis né dans la Médie et je puis compter d'illustres [*aïeul*]. (Montesquieu) — 3. Je songe aux [*ciel*] marins, à leurs couchants si doux. (J. Moréas) — 4. Nos bons [*aïeul*] vivaient dans l'ignorance, Ne connaissant ni le « tien » ni le « mien ». (Voltaire) — 5. Pour raconter son infortune à la forêt de ses [*aïeul*], La biche brame au clair de lune. (M. Rollinat)

168 Faites entrer dans une courte phrase chacun des pluriels suivants:

1. Nos aïeux. — 2. Les travaux. — 3. Les ciels. — 4. Les aulx. — 5. Mes aïeuls. — 6. Plusieurs travails. — 7. Les cieux.

[PG § 118-121]

Pluriel des noms propres

169 Mettez, quand il y a lieu, la marque du pluriel aux noms propres en italique.

a) 1. Il y a chez nous une foule de [*Dumont*] et de [*Dupont*]. — 2. L'historien latin Suétone a écrit la vie des douze [*César*]. — 3. Tite-Live a raconté le combat des trois [*Horace*] contre les trois [*Curiace*]. — 4. Les [*Flaubert*], les [*Stendhal*], les [*Proust*] ont-ils des héritiers aujourd'hui?

b) 1. Les deux [*Van Eyck*] ont perfectionné, au XVe siècle, la peinture à l'huile. — 2. Dans ce musée sont rassemblés les [*Manet*], les [*Monet*] et les [*Renoir*] les plus célèbres. — 3. Le grand Condé était de la famille des [*Bourbon*]. — 4. De tous les peuples de la Gaule, a dit César, les [*Belge*] sont les plus braves. — 5. Je n'ai lu que deux [*Balzac*]. — 6. Beaucoup de récits relatent la découverte des [*Amérique*].

170 Même exercice.

a) 1. La famille des [*Capulet*] et celle des [*Montaigu*] se sont livré, au XVe siècle, à Vérone, une lutte sans pitié. — 2. Hélas! tous les [*César*] et tous les [*Charlemagne*] Ont deux versants ainsi que les hautes montagnes. (V. Hugo) — 3. On voyait, tapissant le manteau de la cheminée, un arbre généalogique de la famille des [*Chateaubriand*]. — 4. Les [*Zidane*], les [*Federer*], les [*Merckx*], les [*Villeneuve*] resteront, dans le monde sportif, des champions inoubliables. — 5. Existe-t-il encore des [*Gandhi*] et des [*Martin Luther King*] ?

b) 1. Ne confondez pas les deux [*Claudel*], Paul et Philippe, tous deux écrivains. — 2. Dans cette affaire, il jouait les [*don Quichotte*]. — 3. Pour notre classe, il nous faudrait trente [*Père Goriot*] et quelques [*Courrier International*]. — 4. Les deux [*Lenoir*] se prêtent, en toutes circonstances, un mutuel appui.

Pluriel des noms composés

[PG § 122-128, 497, 502-504, 510]

171 Mettez au pluriel.

a) 1. Le chef-lieu de la province. — 2. La table du wagon-restaurant. — 3. La clef du coffre-fort. — 4. L'aile de la chauve-souris. — 5. Le cadre de cette eau-forte. — 6. Le nid de l'oiseau-mouche. — 7. La tige du chou-fleur. — 8. Le noyau de la reine-claude. — 9. Le piquant du porc-épic. — 10. L'arc-boutant de ce mur.

b) 1. L'anniversaire de la grand-mère. — 2. Le chef-d'œuvre de l'artiste. — 3. L'appel du haut-parleur. — 4. Le faux-fuyant de l'hypocrisie. — 5. Le timbre-poste de ce pays. — 6. L'arrière-boutique du brocanteur. — 7. Le lasso du cow-boy. — 8. La porte du rez-de-chaussée. — 9. L'auteur de l'avant-projet.

c) 1. Le nom de l'ayant droit. — 2. La clef de la garde-robe. — 3. Le modèle de ce couvre-lit. — 4. Un rôle de bouche-trou. — 5. Le personnage de ce bas-relief. — 6. Ce cabaret est un coupe-gorge. — 7. Le mot du pince-sans-rire. — 8. Le banc du terre-plein. — 9. Le post-scriptum de la lettre. — 10. L'inscription de l'ex-voto.

PRONONCIATION Alors que le « c » est muet dans le mot *porc* [pɔr], dans *porc-épic*, on entend toutes les lettres [pɔrkepik].

172 Mettez au pluriel les noms composés en italique.

a) 1. Quelle variété de teintes dans ces [*plate-bande*] ! Les [*reine-marguerite*] y voisinent avec les [*bouton-d'or*], les [*gueule-de-lion*], les [*pied-d'alouette*] et les [*belle-d'un-jour*]. — 2. On a fait aux [*belle-mère*] une réputation détestable. — 3. Les [*avant-bec*] d'un pont sont les contreforts en avant et en arrière de la pile de ce pont. — 4. Ne soyez pas des [*casse-cou*]. — 5. Ils se quittèrent sans [*arrière-pensée*].

b) 1. L'hiver s'en va; déjà voici les premières [*perce-neige*]. — 2. La sagesse m'incite à accepter les [*tête-à-tête*] avec moi-même. — 3. Julien va droit au but, il a horreur des [*sous-entendu*]. — 4. Envoyez-moi des [*fac-similé*] des documents originaux. — 5. Les [*perce-oreille*] sont inoffensifs : ils ne percent que des fruits.

VOCABULAIRE *Aller droit au but* signifie « s'exprimer directement, sans ambages ». C'est le contraire d'*y aller par quatre chemins*.

173 Même exercice.

a) 1. Mille [*arc-en-ciel*] se courbent et se croisent sur l'abîme. (R. de Chateaubriand) — 2. Ils cherchent à réveiller leur goût déjà éteint par des [*eau-de-vie*]. (La Bruyère) — 3. Tous les autres [*porte-drapeau*] étaient là. (A. Daudet) — 4. Il n'y a pas un de vos [*beau-frère*] qui ne soit plus riche que vous. (Mme de Sévigné) — 5. Mes [*arrière-neveu*] me devront cet ombrage. (J. de La Fontaine) — 6. Voilà ce qui se passe quand il est loisible aux [*touche-à-tout*] de se donner carrière. (P. Claudel) — 7. Quelques dahlias achevaient de se flétrir dans les [*plate-bande*]. (Th. Gautier)

b) 1. C'était le même village, mais avec le grand silence des [*après-midi*] d'été. (A. Daudet) — 2. Ses deux [*grand-père*] vendaient du drap auprès de la porte Saint-Innocent. (Molière) — 3. Notre vie ressemble à ces bâtisses fragiles, étayées dans le ciel par des [*arc-boutant*]. (R. de Chateaubriand) — 4. On parle, on va, l'on vient; les [*guet-apens*] sont prêts. (V. Hugo) — 5. Je me souviens des [*Fête-Dieu*]. (Fr. Mauriac) — 6. Les lanternes des [*garde-barrière*] étaient invisibles. (J. Giraudoux) — 7. Il n'y a que les [*meurt-de-faim*] pour avaler les bouchées doubles. (R. Boylesve) — 8. Les [*gratte-ciel*] disparaissent à mi-hauteur. (P. Morand)

[PG § 499] ORTHOGRAPHE *Abîme* et *goût* peuvent désormais s'écrire sans accent circonflexe.

174 Inventez de courtes phrases où vous emploierez, au pluriel, les expressions suivantes:

1. Le chef-d'œuvre. — 2. Un après-rasage. — 3. Un arc-en-ciel. — 4. Un après-midi. — 5. Une garde-malade. — 6. Le marteau-piqueur.

ORTHOGRAPHE Selon les rectifications orthographiques :

[PG § 503-504, 510] 1° On écrit **soudés** une série de noms qui **traditionnellement** s'écrivent **avec un trait d'union**, c'est le cas d'*arc-boutant, chauve-souris, haut-parleur, plate-bande, terre-plein* et également de mots composés d'origine latine ou étrangère : *ex-voto, fac-similé, cow-boy*. Une fois soudés, ces noms reçoivent un pluriel régulier : nous aurons donc des *arcboutants, chauvesouris, hautparleurs, platebandes, terrepleins, exvotos, facsimilés, cowboys*. Notez que cette remarque ne concerne qu'une liste déterminée de mots composés.

[PG § 497] 2° Le **pluriel** des noms comportant un trait d'union **composés au moyen d'un verbe ou d'une préposition et d'un nom** suivent la règle des mots simples et prennent la marque du pluriel seulement quand ils sont au pluriel, cette marque est portée par le second élément, nous aurons donc des *coupe-gorges, casse-cous, perce-neiges, porte-drapeaux, garde-barrières, garde-malades* (pour les noms composés avec *garde-*, la distinction entre personnes et objets disparaît), *gratte-ciels* et aussi *après-midis*.

Pluriel des noms étrangers et des noms accidentels

[PG § 129-131, 502]

175 Mettez les mots suivants au pluriel :

a) 1. Un graffiti. — 2. Un referendum ou un référendum. — 3. Un média. — 4. Une vendetta. — 5. un spaghetti. — 6. Un impresario ou un imprésario.

b) 1. Un match. — 2. Un dandy. — 3. Un expresso. — 4. Un lied. — 5. Un hidalgo. — 6. Un imbroglio.

ORTHOGRAPHE Les mots d'origine latine ou étrangère contenant un **–e** prononcé [e] reçoivent de plus en plus souvent un accent aigu comme les autres mots français. C'est le cas de *mémento* ou encore de *média*. Les rectifications de l'orthographe encouragent cette pratique pour une série de mots.

[PG § 511]

176 Même exercice.

1. Un Alléluia s'élève. — 2. Un nouvel alinéa. — 3. L'agenda de l'homme d'affaires. — 4. Un sandwich beurré. — 5. Un in-folio épais. — 6. La photo du paparazzi. — 7. Un concerto de Beethoven. — 8. Chanter un Te Deum. — 9. Un forum de discussion. — 10. Le solo du jazzman.

177 Mettez, quand il y a lieu, la marque du pluriel aux noms en italique.

a) 1. Les [*lobby*] agroalimentaires font pression pour augmenter les [*quota*] laitiers. — 2. En attendant de trouver un emploi stable, Jérôme assure des [*intérim*]. — 3. En période de crise, certaines sociétés subissent des [*déficit*] importants malgré des [*agenda*] bien remplis. — 4. À toute vitesse, il enchaîna plusieurs [*Avé*] et plusieurs [*Pater*]. — 5. À la fin de la représentation, les artistes saluèrent sous les [*lazzi*] et les [*quolibet*].

b) 1. Les accusés espèrent être innocentés grâce à des [*alibi*] indiscutables. — 2. Pendant la pause de midi, les [*snack-bar*] proposant des [*sandwich*] ne désemplissent pas. — 3. Elle leur servit des [*zakouski*] pas plus grands que des [*confetti*]. — 4. L'administration exige parfois les [*duplicata*] de certains actes. — 5. Ce documentaire a été tourné par deux [*cameraman*].

ORTHOGRAPHE *Enchaîner* peut désormais s'écrire *enchainer*, sans accent circonflexe.

[PG § 499]

178 Même exercice.

a) 1. Tu piqueras des [«*peut-être*»] aux ailes de tes projets. (G. Duhamel) — 2. Quels sont tes [*hobby*] ? — 3. Aurelle comprenait enfin que le monde est un grand parc dessiné par un dieu jardinier pour les [*gentleman*] des Royaumes-Unis. (A. Maurois) — 4. Mais il ne répondit à mes questions que par des [*oui*] ou des [*non*]. (O. Mirbeau) — 5. Paul était devenu, à vingt ans, un des plus élégants [*dandy*] de la jeunesse dorée toulousaine. (É. Henriot) — 6. Une musique triomphale éclate, couvrant le crépitement des [*bravo*]. (H. Béraud)

b) 1. Les spectateurs, enthousiastes, applaudirent à tout rompre; la salle croulait sous les [*bravo*]. — 2. Les comédies de Molière sont truffées de [*quiproquo*]. — 3. Cet étudiant, malgré ses [*accessit*], passe ses examens avec peine. — 4. Sur tout le parcours du cortège, les [*vivat*] montaient, enthousiastes. — 5. Cet enfant a un grand désir de savoir : que de [*pourquoi*], que de [*comment*] dans sa conversation !

179 Mettez au pluriel les expressions suivantes et faites-les entrer chacune dans une petite phrase :

1. Un risotto aux asperges. — 2. Une médium qui communique avec l'au-delà. — 3. Un parfait gentleman. — 4. Un Te Deum. — 5. Un si, un mais, un cependant.

[PG § 510] ORTHOGRAPHE Selon les *rectifications de l'orthographe* :
Les noms d'origine étrangère ont un singulier et un pluriel régulier. On choisit comme forme du singulier la forme la plus fréquente, même s'il s'agit d'un pluriel dans l'autre langue (*un scampi*). Ces mots forment régulièrement leur pluriel avec un –s non prononcé (*des matchs*) ou, comme en français, restent invariables s'ils se terminent par -s, -x et -z (*des boss, des kibboutz*). Il est à noter que la marque du pluriel ne s'applique pas aux mots [PG § 502] ayant conservé valeur de citation (*des mea culpa*). Le pluriel des mots composés étrangers se trouvent simplifiés par la soudure (*des ossobucos, des weekends*).

[PG § 107-113]

Pluriel des noms : récapitulation

180 Mettez au pluriel les noms en italique.

Rénovation

Charmées par la dimension des combles, Marie et Camille décident d'y installer une chambre. Avant de commencer les [*travail*], il faut déblayer le grenier encombré d'objets légués par les [*aïeul*], enlever les vieux [*portemanteau*] cassés, les malles renfermant, telles des [*coffre-fort*], des piles de [*Soir Illustré*], des [*éventail*] défraîchis, des [*abat-jour*] dégarnis, des [*couvre-lit*] mités...

Cela fait, se pose la question des [*pourquoi*] et des [*comment*]. Les deux amies passent des [*après-midi*] entiers à planifier les aménagements. À moins d'avoir des [*Mécène*] pour couvrir les frais, elles prendront les [*devant*] et mettront la main à la pâte. Elles ne toucheront pas aux [*œil-de-bœuf*]. Par contre, vêtues de [*bleu*] de travail et les [*cheveu*] protégés par des [*couvre-chef*], à [*genou*] sur le plancher, elles ôteront les [*clou*] qui en dépassent, le raboteront, le verniront. Elles blanchiront murs et boiseries, remplaceront les baldaquins poussiéreux par des [*ciel*] de lit clairs. Les deux [*garde-robe*] aux miroirs biseautés resteront face-à-face. Les harmonies de couleurs, les [*camaïeu*] de gris seront autant de [*régal*] pour les [*œil*]. Ainsi rénovée, la pièce aura un air romantique et paisible.

[PG § 499] ORTHOGRAPHE *Défraîchi* peut désormais s'écrire *défraichi*, sans accent circonflexe.

Noms sans singulier ou sans pluriel ou changeant de sens au pluriel

[PG § 132-133]

181 Faites entrer chacun des mots suivants dans une expression.

agrès	arrhes	intempéries	prémices
agissements	décombres	mœurs	rillettes
ambages	funérailles	pierreries	sévices

182 Faites entrer chacun des noms suivants dans deux phrases, en l'employant d'abord au singulier, puis au pluriel, avec des sens différents :

ciseau	attention	cuivre	vacance
lunette	bonté	lettre	vue

Espèces et emploi 63
Article devant «plus, moins, mieux» 65
Article partitif 66
Répétition de l'article 68
Omission de l'article 69

Chapitre 4

L'article

[PG § 134-151]

Espèces et emploi

[PG § 134-148]

Retour au port

> *Le* principal divertissement était *le* retour des barques. Dès qu'elles avaient dépassé *les* balises, elles commençaient à louvoyer. Leurs voiles descendaient aux deux tiers des mâts; et, *la* misaine gonflée comme *un* ballon, elles avançaient, glissaient dans *le* clapotement des vagues, jusqu'au milieu du port, où *l'*ancre tout à coup tombait. Ensuite *le* bateau se plaçait contre *le* quai. *Les* matelots jetaient par-dessus *le* bordage *des* poissons palpitants; *une* file de charrettes les attendait, et *des* femmes en bonnet de coton s'élançaient pour prendre *les* corbeilles et embrasser leurs hommes.
>
> Gustave Flaubert, *Un cœur simple.*

183 Dans ce texte, distinguez parmi les articles en italique:

1° les articles définis; 2° les articles indéfinis (et joignez à chacun d'eux le nom auquel il se rapporte).

VOCABULAIRE 1. *Misaine* : voile basse du mât de l'avant du navire (autrefois du milieu). (P.R.)

2. *Louvoyer* : naviguer en zigzag contre le vent. Au figuré, le terme signifie : tergiverser, prendre des détours pour atteindre un but. On peut noter que les verbes en *–oyer* marquent généralement la répétition ou le prolongement de l'action.

[PG § 512] ORTHOGRAPHE Traditionnellement, on écrit cha**rr**ette et cha**r**iot. Désormais, on peut écrire cha**rr**iot.

184 Faites entrer chacun des noms suivants dans deux courtes phrases; dans la 1re, il sera précédé d'un article défini; dans la seconde, d'un article indéfini:

rose — livre — maison — hirondelle — chat.

[PG § 20, 22] **185 Mettez devant chacun des noms ou groupes suivants l'article *le* ou *la* et faites l'élision quand il y a lieu:**

origine	habitude	hirondelle	haut lieu	yaourt
entreprise	hérisson	halo	abondance	hurluberlu
heure	humble demeure	oisiveté	heureux jour	ouistiti

PRONONCIATION Devant un *h* muet, l'élision et la liaison se font : *l'habit, l'hélice, l'herbe, l'histoire, l'horizon, l'horreur, l'hôtel, l'huile, l'humeur, l'hypocrisie*… Devant un *h* aspiré, elles ne se font pas : *la haie, le handicapé, la harpe, le hasard, la hauteur, le héron, le homard, le hoquet, le houx, le hublot*…

186 Analysez les articles (ils sont en italique)**.**

Modèle: Le soleil brille; — *le*: article défini; masc. sing.; déterminatif de *soleil.*

a) 1. *Les* yeux sont *le* miroir de *l'*âme. — 2. *Un* jeune garçon, à *l'*ombre d'*un* pin, *les* pieds nus dans *le* sable, jouait de *la* guitare en regardant *la* mer. — 3. *La* fièvre donne à *l'*enfant *un* regard brillant.

b) 1. Comme *un* poison se répand dans *les* veines, *l'*angoisse s'insinue dans *l'*esprit. — 2. Il a *les* cheveux trop longs, il ira chez *le* coiffeur *un* jour prochain.

[PG § 139] **187 Dites si, dans les phrases suivantes, *des* est l'article indéfini pluriel ou s'il équivaut à la préposition *de* combinée avec *les*, article défini:**

1. *Des* nuages planent sur la ville. — 2. Voyez la course *des* nuages. — 3. *Des* avions volent au-dessus *des* toits. — 4. *Des* plats posés sur la table montent *des* odeurs appétissantes. — 5. Mon père, armé de son fusil, tirait *des* chouettes qui sortaient *des* créneaux à l'entrée de la nuit. (R. de Chateaubriand)

LANGAGE L'ancien article contracté *ès* signifie *en les*, il ne s'emploie donc qu'avec un nom pluriel : *docteur ès sciences, licencié ès lettres, maître ès arts*…

[PG § 139, 145, 146] **188 Dans les phrases suivantes, discernez les articles contractés et les articles partitifs:**

1. L'automne vient: les feuilles *des* marronniers prennent *des* teintes jaunâtres; *de la* brume flotte le matin *au* fond *des* vallées. — 2. La modestie est *au* mérite ce que les ombres sont *aux* figures dans un tableau: elle lui donne *de la* force et *du* relief. (La Bruyère) — 3. Nous

trouvons toujours *du* réconfort auprès *des* amis qui nous veulent *du* bien. — 4. Il faut *de l'*énergie et *de la* patience pour venir à bout *du* travail commencé.

189 Discernez les divers articles et analysez-les.

Étranges bûcherons

> La manière dont les castors abattent les arbres est curieuse : ils les choisissent toujours au bord d'une rivière. Des travailleurs, dont le nombre est proportionné à l'importance de la besogne, rongent incessamment les racines. Il y faut de la patience, mais le travail avance. On n'incise point l'arbre du côté de la terre, mais du côté de l'eau, pour qu'il tombe sur le courant. Un castor, placé à quelque distance, avertit les bûcherons par un sifflement quand il voit pencher la cime de l'arbre attaqué.
>
> D'après René de CHATEAUBRIAND.

LANGAGE *Incessamment* signifie *sans cesse* ou encore *très prochainement*. L'expression *incessamment sous peu* est donc un pléonasme qui est utilisé par plaisanterie.

ORTHOGRAPHE Désormais, *bûcheron* peut s'écrire sans accent circonflexe. Par ailleurs, *cime* n'en a jamais eu. [PG § 499]

190 Analysez les différents articles.

a) 1. Le sourire est la plus belle récompense. — 2. Le souci des autres est la base de la vie en société. — 3. On ferme délicieusement les yeux, assis près des roseaux qui font un bruit de soie. (M. Rouanet) — 4. Quand les chats sont partis, dit un proverbe, les souris dansent. — 5. Le sportif se fie aux conseils de son entraîneur.

b) 1. Le cuisinier est sensible aux compliments des convives. — 2. Les astronautes ont accompli, dans la grande aventure de l'espace, des exploits prodigieux. — 3. C'est de l'eau cotonneuse et du ciel gris d'ardoise au bord d'un rêve sourd. (Ph. Delerm) — 4. L'architecte donne des conseils aux clients, dresse les plans de la maison, suit l'avancement des travaux.

ORTHOGRAPHE *Entraîneur* peut désormais s'écrire sans accent circonflexe. [PG § 499]

191 Justifiez l'emploi des articles définis en italique.

1. Mets à profit le moment présent : *la* maxime est judicieuse. — 2. Au siège de Frederikshall, en 1718, une balle atteignit Charles XII à *la* tempe ; le roi avait encore eu la force, en expirant, de mettre *la* main sur la garde de son épée. — 3. Musset a écrit sur *la* Malibran des stances célèbres. — 4. *Les* Van Gogh, *les* Cézanne, *les* Gauguin sont des précurseurs de Picasso. — 5. *La* Rome des Césars était bien différente de *la* Rome d'aujourd'hui.

Article devant «plus, moins, mieux» [PG § 141]

192 Justifiez l'emploi de l'article devant plus, moins, mieux.

1. La rose est *la* plus belle des fleurs. — 2. C'est dans une ambiance chaleureuse que nous nous sentons *le* plus détendus. — 3. Est-il vrai que c'est en hiver que la nature est *le*

moins belle? — 4. Ce ne sont pas toujours les étudiants *les* plus brillants qui décrochent les meilleures situations. — 5. Les médecins prescrivent les remèdes qu'ils estiment *les* mieux appropriés à chaque cas.

193 Remplacez les trois points par *le*, ou *la*, ou *les*.

a) 1. C'est vers le 21 juin que les jours sont... plus longs. — 2. Les résolutions... plus fermes sont vaines si elles ne se concrétisent pas en actes. — 3. ... plus désespérés sont les chants... plus beaux. (A. de Musset) — 4. Les plaisanteries... plus courtes sont ... meilleures. — 5. C'est dans la solitude que nous sommes... plus disposés à nous concentrer. — 6. Il importe de savoir par quel spécialiste la maladie sera... mieux diagnostiquée.

b) 1. Les prévisions... plus alarmistes envisagent la chute du gouvernement. — 2. Les articles... plus chers ne sont pas toujours de meilleure qualité. — 3. Les cordonniers sont toujours... plus mal chaussés. — 4. Ce qui l'avait... plus peinée, c'est de se sentir trahie. — 5. C'est quand elles se sentent... plus débordées que certaines personnes se montrent... plus efficaces. — 6. Elle tâta de nouveau les bottes de poireaux, puis elle garda celle qui lui parut ... plus belle. (A. France)

194 Sur chacun des thèmes suivants formez deux phrases où vous emploierez devant *plus, moins, mieux*: 1° l'article variable *le, la, les*; 2° l'article invariable *le*.

1. La famille. — 2. L'actrice. — 3. Les sports.

[PG § 145-148]

Article partitif

Confidences

> La femme qui m'écoutait fut émue de mon récit : elle vit de la générosité dans ce que j'appelais de la faiblesse, du malheur dans ce que je nommais de la dureté. (...) Je fus entraîné à l'aveu complet de mes sentiments : je convins que j'avais pour Ellénore du dévouement, de la sympathie, de la pitié; mais j'ajoutai que l'amour n'entrait pour rien dans les devoirs que je m'imposais. Cette vérité, jusqu'alors renfermée dans mon cœur, et quelquefois seulement révélée à Ellénore au milieu du trouble et de la colère, prit à mes propres yeux plus de réalité et de force, par cela seul qu'un autre en était devenu dépositaire.
>
> Benjamin CONSTANT, *Adolphe.*

195 Relevez dans le texte qui précède, les articles partitifs (il y en a sept).

[PG § 499]

ORTHOGRAPHE *Traîne, traîneau, traîner, entraîner, entraînement*... peuvent désormais s'écrire sans accent circonflexe.

196 Discernez les cas où *du, de la, de l', des* (ils sont en italique) sont des articles partitifs.

a) 1. Avec *de la* patience, on vient à bout *des* difficultés les plus grandes. — 2. Au bord *de l'*autoroute, *des* panneaux de signalisation annoncent *des* déviations. — 3. *Du* tact et *du* doigté seront nécessaires pour la convaincre. — 4. Tu possèdes les atouts pour réussir *des* études : *de l'*intelligence, *de la* mémoire, *du* jugement ; il te reste à acquérir *de la* méthode. — 5. Ma sœur fait la vinaigrette avec *de l'*huile d'olive et *du* citron ; elle ajoute parfois *des* brins de ciboulette finement hachés.

b) 1. Il faut parfois *du* courage pour s'acquitter *des* tâches *de la* vie quotidienne. — 2. *Des* conducteurs font *des* appels de phares pour signaler *des* ralentissements. — 3. *Des* chevaux, *des* peaux, *du* talc, *du* froment, *de la* farine, *du* maïs, *de la* viande séchée, *du* fromage, *du* beurre, *des* planches, *du* saumon fumé étaient journellement embarqués. (B. Cendrars) — 4. Cueille-t-on *du* raisin sur les épines ou *des* figues sur les ronces ? — 5. Les pique-niqueurs s'assirent en bordure *du* champ ; *des* paniers, ils sortirent *du* pain, *des* tomates, *du* saucisson, *du* fromage, *des* fruits et même *du* vin. — 6. Eh bien, moi, je t'irai porter *des* confitures. (V. Hugo) — 7. *De* l'apaisement et un peu *d'*espoir étaient revenus à la maison depuis cette soirée. (P. Loti)

ORTHOGRAPHE *Pique-niqueur* peut désormais s'écrire sans trait d'union, *piqueniqueur*. [PG § 503]

197 Formez, sur chacun des thèmes suivants, deux phrases où vous ferez entrer *du, de la, de l'*, avec deux valeurs différentes, la 1re partitive, la 2e non partitive.

Modèles : a) *De la* lumière passe à travers les volets entrouverts. — b) L'éclat *de la* lumière éblouit les yeux.

1. La pluie. — 2. L'orage. — 3. Le brouillard. — 4. La neige.

198 Analysez la préposition *de* servant d'article partitif.

[PG § 146, R. 3-4, 147]

Modèle : « Il n'a pas *de* courage. » — *De* : préposition servant d'article partitif ; se rapporte à *courage*.

1. Ces convives n'ont plus *de* vin. — 2. Elle n'éprouve guère *de* difficulté à se servir d'un ordinateur. — 3. Il n'y a pas *de* vraie protection de l'environnement sans une réduction de la pollution. — 4. Réfugié dans les bras de sa maman, l'enfant n'éprouve plus *de* crainte. — 5. Il ne tombe jamais *de* pluie dans ces régions.

199 Remplacez les trois points par *du, de la, de l', des* — ou par le simple *de*.

[PG § 147]

1. Il émanait du jardin ... douces senteurs fleuries. — 2. Nous avons lancé cette campagne avec ... grands espoirs ; avec ... bonne humeur et moyennant ... beaux efforts, nous avons obtenu ... excellents résultats. — 3. Bonne nuit, faites ... beaux rêves. — 4. Si vous allez à la montagne, vous y trouverez ... grand air, vous y verrez ... larges paysages. — 5. On rencontre dans les films de science-fiction ... étranges créatures qui viennent d'ailleurs. —

6. À l'Opéra, on voit … petits rats en tutu un peu partout. — 7. Dans les laboratoires, on expérimente sur … jeunes rats … nouveaux traitements contre le cancer.

[PG § 148] **200 Remplacez les trois points par *de* là où la négation est absolue** (l'idée est alors «aucune quantité de») **— ou par *du, de la, de l', des,* dans le cas contraire.**

1. Il y a dans les profondeurs de l'océan des poissons qui n'ont pas … yeux. — 2. Astrid n'a-t-elle pas … yeux magnifiques? — 3. Personne au village ne lui portait plus … blé (A. Daudet) — 4. Je n'ai pas amassé … millions pour envoyer mon unique héritier se faire casser la figure en Afrique. (É. Augier) — 5. Je n'ai pas … ordre, je perds toujours tout. — 6. Cela, ce n'est pas … petite bière!

[PG § 149-150]

Répétition de l'article

201 Dites pourquoi, dans les phrases suivantes, l'article est répété ou non.

1. Les prés, les bois, les champs, les jardins, sous les souffles du printemps, se mettent à revivre. — 2. L'équilibre, le calme, la sérénité remplacent peu à peu la peur, l'angoisse, l'agitation quand on pratique le yoga. — 3. Une charmante et aimable voisine vient relever mon courrier en mon absence. — 4. Cet orateur a prononcé un long et ennuyeux discours. — 5. L'indispensable, la primordiale recherche médicale nécessite plus de subsides des pouvoirs publics. — 6. Un collègue et ami de mon père annonce sa visite.

202 Répétez l'article s'il y a lieu.

a) 1. Dans le petit bois de chênes verts, il y a des oiseaux,… violettes, et… sources sous l'herbe fine. (A. Daudet) — 2. Au marché aux puces, certains brocanteurs vendent de vraies et… fausses antiquités. — 3. Un éducateur a une haute et… importante mission à remplir. — 4. Certains guerriers francs avaient à la ceinture une francisque ou… hache à fer recourbé.

b) 1. Il est bon de se conformer aux us et… coutumes des lieux où l'on habite. — 2. Le général a ordonné que les officiers,… sous-officiers et… soldats participeraient à la cérémonie. — 3. Les bons et… vrais amis sont unis en toute occasion. — 4. Rodin fut un grand et… célèbre sculpteur. — 5. Certains disent que le chien est le plus fidèle,… plus affectueux,… meilleur compagnon de l'homme.

PRONONCIATION On ne prononce pas le *p* de *sculpteur, compter, septième* mais on l'entend dans *symptôme, présomptif, septembre.*

203 Pour ce qui est de l'article, tournez chacune des expressions suivantes de trois autres manières:

1. Le code civil et le code pénal. — 2. La littérature française et la littérature anglaise. — 3. La langue italienne et la langue espagnole. — 4. La race bovine et la race chevaline.

Omission de l'article

[PG § 151]

204 Justifiez l'omission de l'article.

1. Bonne renommée vaut mieux que ceinture dorée. — 2. Ayons conscience de nos faiblesses comme de nos forces. — 3. Gloire, jeunesse, orgueil, biens que la tombe emporte... (V. Hugo) — 4. Volontiers gens boiteux haïssent le logis. (J. de La Fontaine) — 5. Le lièvre passe sur le bord de l'étang: grenouilles aussitôt de sauter dans l'eau. — 6. Vous êtes plombier.

205 Trouvez cinq proverbes où l'on constate l'omission de l'article.

206 Faites entrer, chacun dans une locution, les noms suivants, employés sans article:

garde	honte	fortune	parole	asile
tête	courage	vergogne	service	possession

207 Employez dans une petite phrase chacune des expressions suivantes:

1. Donner carte blanche. — 2. Faire grise mine. — 3. Ajouter foi. — 4. Imposer silence. — 5. Noir comme jais. — 6. Être chef. — 7. Être le chef.

LANGAGE Notez l'omission de l'article dans les expressions suivantes : *à cor et à cri* signifiant : en insistant bruyamment, comme à la chasse avec le cor et les chiens; *de fil en aiguille* : petit à petit, insensiblement, en passant progressivement d'une idée à l'autre; *suer sang et eau* : se donner beaucoup de peine; *avoir vent de quelque chose* : en être informé; *il y a anguille sous roche* : il y a une chose qui se prépare et que l'on soupçonne.

Généralités 71
Féminin des adjectifs 73
Pluriel des adjectifs qualificatifs 76
Degrés des adjectifs qualificatifs 77
Accord de l'adjectif qualificatif 79
Mots désignant une couleur 82
Adjectifs composés 84
Adjectifs pris adverbialement 84
Accord de certains adjectifs 86
Place de l'adjectif épithète 88
Adjectifs numéraux 88
Adjectifs possessifs 92
Adjectifs démonstratifs 95
Adjectifs indéfinis 96
Sur le mot « quelque » 98
Sur le mot « tout » 100
Sur le mot « même » 102
Sur le mot « tel » 104

Chapitre 5

L' adjectif

[PG § 152-225]

Généralités

[PG § 152-154]

Jeunes filles en fleurs

Pour revenir à Albertine, je n'ai jamais connu de femmes douées plus qu'elle d'heureuse aptitude au mensonge animé, coloré des teintes mêmes de la vie, si ce n'est une de ses amies — une de mes jeunes filles en fleurs aussi, rose comme Albertine, mais dont le profil irrégulier, creusé, puis proéminent à nouveau, ressemblait tout à fait à certaines grappes de fleurs roses dont j'ai oublié le nom et qui ont ainsi de longs et sinueux rentrants. Cette jeune fille était, au point de vue de la fable, supérieure à Albertine, car elle n'y mêlait aucun des moments douloureux, des sous-entendus rageurs qui étaient fréquents chez mon amie. J'ai dit pourtant qu'elle était charmante quand elle inventait un récit qui ne laissait pas de place au doute, car on voyait alors devant soi la chose — pourtant imaginée — qu'elle disait, en se servant comme vue de sa parole.

Marcel Proust, *La prisonnière*.

208 Relevez dans le texte ci-dessus les adjectifs qualificatifs et analysez-les.

Modèle: *douées*: adject. qualific.; fém. plur.; épithète de *femmes*.

VOCABULAIRE *Fable* a ici le sens d'« invention mensongère », cet emploi est littéraire.

209 Analysez les adjectifs qualificatifs (épithètes ou attributs).

1. Le silence éternel de ces espaces infinis m'effraie. (B. Pascal) — 2. Il est un heureux choix de mots harmonieux. (Boileau) — 3. Rien ne nous rend si grands qu'une grande douleur. (A. de Musset) — 4. Dieu! que le son du cor est triste au fond des bois! (A. de Vigny) — 5. Que vous êtes joli! que vous me semblez beau! (J. de La Fontaine) — 6. Le sinistre océan jette son noir sanglot. (V. Hugo)

210 Joignez à chacun des noms suivants un adjectif qualificatif épithète:

un livre	un orage	un chemin	un paysage
un professeur	une pluie	un ciel	une maladie

211 Employez chacun des mots suivants dans une courte phrase, d'abord comme nom, puis comme adjectif qualificatif:

noir	beau	vieux	riche
utile	piquant	ridicule	froid

212 Dans les expressions suivantes, remplacez par un adjectif qualificatif les mots en italique:

a) 1. Un soleil *de printemps*. — 2. Une adresse *qui étonne*. — 3. L'autorité *du père*. — 4. Un plat *sans saveur*. — 5. Un accident *causant la mort*. — 6. Une maison *pleine de lumière*. — 7. Un journal *paraissant tous les jours*. — 8. La promotion *de l'intelligence*. — 9. La fonction *de l'évêque*. — 10. Un plan *de cinq ans*. — 11. Un champignon *qui empoisonne*. — 12. Un serpent *qui a du venin*.

b) 1. Un métier *qui apporte du profit*. — 2. Un intérêt *qui consiste en argent*. — 3. Un travail *qui procure un bénéfice suffisant*. — 4. Une colonne *faite d'une seule pierre*. — 5. Un homme *qui parle un grand nombre de langues*. — 6. Un visage *qui a un teint très rouge*. — 7. Un témoignage *conforme à la vérité*. — 8. Un mur *appartenant à deux bâtiments contigus*. — 9. Un fruit *qui est en forme d'œuf*. — 10. Deux jardins *touchant l'un à l'autre*. — 11. La région *de la poitrine*. — 12. Un chemin *plein de pierres*.

213 Formez les adjectifs en -ible et en -able à partir des verbes suivants.

a) 1. Un bruit *qu'on ne peut percevoir.* (lat. *percipere*) — 2. Un fou rire qu'on ne peut contenir. (lat. *coercere*) — 3. Un champignon *qu'on peut manger.* (lat. *comedere*) — 4. Une soif *qu'on ne peut éteindre.* (lat. *extinguere*) — 5. Des principes *auxquels on ne peut toucher.* (lat. *tangere*) — 6. Un désordre *qu'on ne peut décrire.* (lat. *describere*) — 7. Une bouée *qui ne peut être submergée.* — 8. Un texte *qui ne peut être compris que par l'intelligence.* — 9. Une amitié *qui ne fait pas défaut.* (lat. *deficere*) — 10. Un charme *qui ne peut être dit.* (lat. *dicere*)

b) 1. Une aventure *qu'on ne peut raconter.* (lat. *narrare*) — 2. Un appétit *qu'on ne peut rassasier.* — 3. Une preuve *dont on ne peut douter.* (lat. *dubitare*) — 4. Un calme *qu'on ne peut perturber.* — 5. Un sort *contre lequel on ne peut pas lutter.* — 6. Une sévérité *qui résiste aux prières.* (lat. *orare*) — 7. Un homme *qui ne peut être blessé.* (lat. *vulnerare*) — 8. Des denrées *qui ne sont pas durables.* (lat. *perire*) — 9. Une situation *qu'on ne peut démêler.* (lat. *extricare*)

ORTHOGRAPHE Notez bien : *appli**cable**, expli**cable**, impla**cable**, imprati**cable**, inextri**cable*** mais *criti**quable**, inatta**quable**, remar**quable**, imman**quable**.*

214 Quels sont les adjectifs terminés par le suffixe -aire correspondant aux mots suivants ?

cercle — *premier* — *île* (lat. *insula*) — *seul* — *planète* — *humain* — *œil* (lat. *oculus*) — *oreille* (lat. *auricula, petite oreille*) — *anneau* (lat. *annulus*). — *lettre* (lat. *epistola*) — *angle* (lat. *angulus*) — *étoile* (lat. *stella*) — *cuisine* (lat. *culina*)

ORTHOGRAPHE *Île* peut désormais s'écrire *ile*, sans accent circonflexe. [PG § 499]

215 Quels sont les adjectifs terminés par le suffixe -u correspondant aux expressions suivantes ?

en forme de *fourche* — qui a beaucoup de *feuilles* — couvert de *mousse* — qui a beaucoup de *branches* — qui a de grosses *joues* — *blanchi* par la vieillesse (lat. *canus, blanc*) — qui a beaucoup de *grains* — qui a un gros *ventre.*

Féminin des adjectifs

[PG § 155-167]

216 Donnez le féminin des adjectifs suivants :

clair	étourdi	vert	gris	timide	rapide	jeune
trapu	inclus	conclu	haut	compact	intelligent	froid
petit	droit	pesant	violent	honnête	futur	informe

217 Donnez le masculin des adjectifs dont voici la forme féminine:

étrangère	aiguë	exclue	tierce
pâlotte	franche	inquiète	neuve
grecque	percluse	rousse	ambiguë
honteuse	lasse	secrète	andalouse

[PG § 506. 4°] **ORTHOGRAPHE** *Les rectifications de l'orthographe* appliquent la règle générale qui préconise le tréma sur la voyelle qui se prononce dans : *aigüe* (*suraigüe*, etc)., *ambigüe*, *exigüe*, *contigüe*, où traditionnellement on le place sur le *e*.

218 Mettez à la forme convenable les adjectifs en italique.

a) 1. De l'eau [*clair*]. — 2. Une confiance [*mutuel*]. — 3. La littérature [*français*]. — 4. Une [*pareil*] ardeur. — 5. Un [*nouveau*] ouvrage. — 6. Un [*fou*] orgueil. — 7. Une coutume [*païen*]. — 8. Une voix [*plaintif*]. — 9. Une maison [*princier*]. — 10. Une demande [*exprès*].

b) 1. Une sœur [*jumeau*]. — 2. Une [*vieux*] chanson. — 3. Une [*fou*] entreprise. — 4. Une figure [*vieillot*]. — 5. Une solution [*boiteux*]. — 6. Une syllabe [*bref*]. — 7. La nation [*franc*]. — 8. Une physionomie [*franc*]. — 9. Une tumeur [*malin*].

c) 1. Une parole [*flatteur*]. — 2. Une voix [*charmeur*]. — 3. Une joie [*intérieur*]. — 4. Une attitude [*provocateur*]. — 5. Une force [*moteur*]. — 6. Une fée [*protecteur*]. — 7. Une réplique [*vengeur*]. — 8. Une vallée [*enchanteur*]. — 9. Une volonté [*dominateur*]. — 10. Une humeur [*grondeur*].

219 Joignez chacun des adjectifs suivants à un nom féminin et faites l'accord:

Modèle: Une maladie *mortelle*.

a) mortel	nouveau	vermeil	long
gentil	aérien	contigu	sec
nul	glouton	complet	public
bénin	musulman	naïf	juif
b) solennel	mou	ambigu	caduc
frais	persan	bas	vengeur
lapon	douillet	sot	doux
peureux	discret	turc	aigu

220 Accordez les adjectifs en italique.

1. Une inquiétude [*perpétuel*] tourmente les personnes [*anxieux*]. — 2. Une démarche [*objectif*] est [*étranger*] à toute passion [*partisan*]. — 3. Mon équipe [*favori*] participera à la compétition [*international*]. — 4. Une douleur [*vif*] ne témoigne parfois que d'une affection [*bénin*]. — 5. Cette découverte [*exceptionnel*] devait rester [*secret*] néanmoins la

presse [*quotidien*] l'a rendue [*public*]. — 6. Ma question vous paraîtra peut-être [*indiscret*] et un peu [*naïf*], mais cette histoire me semble très [*étrange*].

ORTHOGRAPHE 1. *Exceptionnel*, comme tous les adjectifs en **-onnel** ont deux *n* : *professionnel, sensationnel, occasionnel, traditionnel, passionnel...*

2. *Paraître* peut désormais s'écrire *paraitre*, sans accent circonflexe sur le *i*. [PG § 499]

221 Mettez au féminin les adjectifs en italique et faites l'accord.

1. Des flammes [*oblong*] tremblaient sur les cuirasses d'airain. (G. Flaubert) — 2. Les scieries n'interrompaient pas leur [*long*] plainte, les piles de planches parfumaient cette après-midi d'une odeur de résine [*frais*] et de copeaux. (Fr. Mauriac) — 3. Dans les ruelles [*tortueux*], la machine avança avec une lenteur de saurien. (H. Troyat) — 4. Il se laissait glisser en de [*délicieux*] somnolences, tandis que la forêt [*printanier*] bruissait autour de lui. (M. Genevoix) — 5. Leur bible [*hébreu*] à la main, elles chantent à voix [*aigu*] dans ce silence de nécropole. (P. Loti) — 6. Il sut se défier de la liqueur [*traître*]. (J. de La Fontaine) — 7. Au sein de vos [*faux*] prospérités, les passions [*vengeur*] punissent vos forfaits. (J.-J. Rousseau) — 8. L'amitié improvisée que je lui avais vouée d'abord se fit [*tuteur*] et [*maternel*]. (A. Hermant)

ORTHOGRAPHE *Traître* peut désormais s'écrire *traitre*, sans accent circonflexe sur le *i*. [PG § 499]

222 Faites entrer, chacun dans une phrase de votre invention, les adjectifs suivants, mis au féminin:

1. Favori. — 2. Discret. — 3. Faux. — 4. Caduc. — 5. Frais. — 6. Rémunérateur.

Féminin des adjectifs : récapitulation [PG § 155-167]

223 Mettez à la forme convenable les adjectifs en italique.

Une jeune fille au pair

La [*jeune*] personne envoyée par l'agence pour s'occuper de nos enfants nous fit une [*bon*] impression : c'était une [*beau*] [*grand*] fille [*frais*] à l'allure [*sportif*], dotée d'une [*épais*] chevelure [*roux*] qui ondulait gracieusement. Elle conquit rapidement l'affection de Théo et de Zoé. De sa voix [*doux*], elle leur racontait des histoires [*merveilleux*], [*plein*] de fantaisie; elle leur confectionnait d'[*étrange*] marionnettes d'inspiration [*grec*] ou [*turc*] ; dans la cour [*intérieur*], elle les entraînait dans de [*long*] parties de ballon, mais son occupation [*favori*] était de leur inculquer les [*premier*] notions de jardinage : à l'automne, elle planta avec eux des bulbes de jacinthes et de tulipes qui, au printemps, égayèrent la saison de leur floraison [*blanc*] et [*violet*]. Toujours [*inquiet*] du bien-être des petits, elle savait trouver les paroles [*consolateur*] qui apaisaient leurs peines et, [*discret*], savait garder pour elle les [*éventuel*] confidences qu'ils lui faisaient. En peu de temps, elle s'était intégrée à la famille et c'est avec tristesse que nous la vîmes quitter la maison [*familial*] pour rejoindre sa ville [*natal*] où l'attendait son fiancé.

VOCABULAIRE 1. *Au pair* signifie « en fournissant un travail en échange du logement et de la nourriture, sans rémunération ».

2. Les prénoms féminins se terminant par le son [e] s'écrivent parfois **-ée** : *Aimée, Andrée, Dorothée, Edmée, Renée*... Cependant, on écrit : *Aglaé, Chloé, Daphné, Maïté* et *Zoé*.

[PG § 499] **ORTHOGRAPHE** *Entraîner* peut désormais s'écrire *entrainer*, sans accent circonflexe sur le *i*.

[PG § 168-171]

Pluriel des adjectifs qualificatifs

224 Mettez au pluriel.

a) 1. Un cœur pur. — 2. Une nation pacifique. — 3. Un bon auteur. — 4. Un long voyage. — 5. Un léger effort. — 6. Un poème lyrique. — 7. Une belle action. — 8. Un requin bleu.

b) 1. Un gros livre. — 2. Un brouillard épais. — 3. Un doux murmure. — 4. Un mot amical. — 5. Un hideux spectacle. — 6. Un hôtel luxueux. — 7. Le nouveau journal. — 8. Un beau vitrail. — 9. Un affreux malentendu. — 10. Un décor somptueux.

c) 1. Un chantier naval. — 2. Un bijou précieux. — 3. Un succès final. — 4. Un discours banal et ennuyeux. — 5. Un prophète hébreu. — 6. Un moment fatal. — 7. Un moulin banal. — 8. Un texte original. — 9. Un prince féodal. — 10. Un frère jumeau. — 11. Un exposé magistral. — 12. Un monument colossal.

225 Accordez les adjectifs en italique.

a) 1. Les climats [*équatorial*] n'ont pas de saison sèche ; les climats [*tropical*] ont une période pluvieuse et une période sèche. — 2. Le mistral, le sirocco, le simoun sont des vents [*régional*]. — 3. Les historiens doivent se montrer [*impartial*]. — 4. Les temps [*féodal*] ont connu les fours, les moulins, les pressoirs [*banal*]. — 5. Sylvie aime les films [*sentimental*].

b) 1. Les pourparlers, fort brefs, étaient devenus presque [*cordial*]. (A. Hermant) — 2. Il fit son entrée dans Moscou sous sept arcs [*triomphal*]. (Voltaire) — 3. Eh bien, mes amis, j'ai, moi, Jubier, rejeté l'enseignement de mes coteaux [*natal*]. (M. Bedel) — 4. Dans mes abris [*familial*], si bien protégé, à l'écart, je n'avais pour fuir que les rêves. (É. Henriot) — 5. Les passants [*matinal*] rangés contre les maisons, les gens aux fenêtres saluent. (O. Aubry) — 6. Les restaurateurs de tableaux leur sont plus [*fatal*] que tout le reste. (Fr. Mauriac) — 7. Après des compliments [*banal*], on s'assit autour de la table. (Ch. de Gaulle) — 8. Ces glissements ont été [*fatal*] pour les Français. (A. Siegfried)

Degrés des adjectifs qualificatifs

[PG § 172-176]

Le guépard

Les plaines où le Niger commence à prendre figure de *grand* fleuve servent de champ de course tout d'abord à une bête *bien sympathique*: le guépard. *Sympathique*, parce qu'il n'est pas *cruel* et que, de tout temps, il fut un animal *fort facile* à apprivoiser. À condition qu'on lui réserve de *très larges* espaces et qu'il puisse chasser avec l'homme, il accepte volontiers l'amitié du maître de la nature. Il traduit même ses sentiments par un ronronnement qui n'est pas *moins significatif* que celui des chats.

Car cet animal, qui est *aussi rapide* que *le plus rapide* des lévriers et qui a une tête de *gros* chat, ronronne comme ce dernier. Le guépard est *le meilleur* coureur de la création. Sur un ou deux kilomètres, il est *imbattable*. Il dédaigne les appâts et les gibiers *morts*. C'est un animal *très sportif*.

D'après André Demaison, *La vie privée des bêtes sauvages*. Paris, Éd. Armand Colin.

226 **Dites si, dans le texte ci-dessus, les mots en italique marquent le positif, ou le comparatif** (d'égalité, de supériorité, d'infériorité)**, ou le superlatif** (absolu, relatif)**.**

VOCABULAIRE *Prendre figure*, dans ce contexte, signifie « prendre forme ».

ORTHOGRAPHE 1. On écrit *guépar**d***, *léopar**d***, avec un **d** final mais *jaguar*, *couguar* ou *cougouar*.

2. *Maître* peut désormais s'écrire *maitre*, sans accent circonflexe sur le i. [PG § 499]

227 **Distinguez les positifs, les comparatifs** (d'égalité, de supériorité, d'infériorité)**, les superlatifs** (absolus, relatifs)**.**

1. Dans certains cas, une bonne tisane est le meilleur des remèdes. — 2. Cajou est le plus affectueux des chiens. — 3. Il est infiniment souhaitable que les hommes politiques soient plus attentifs à l'État qu'à leurs propres intérêts. — 4. La cuisine de tous les jours peut être aussi savoureuse que celle des chefs étoilés. — 5. La girafe a le cou très long. — 6. La baleine est plus grosse que l'éléphant; c'est le plus gros des animaux. — 7. Rien n'est moins stable que le temps qu'il fait.

228 **Donnez, pour chacun des adjectifs suivants, les trois comparatifs:**

[PG § 174]

1. Beau. — 2. Froid. — 3. Juste. — 4. Vieux. — 5. Précieux.

ORTHOGRAPHE À l'instar de *pré**cieux***, on retrouve *perni**cieux***, *tendan**cieux***, *falla**cieux***, *conscien**cieux***, *astu**cieux***. Mais on a aussi *facé**tieux***, *minu**tieux***, *supersti**tieux***, *préten**tieux***, *ambi**tieux***.

229 Remplacez les trois points par le comparatif de supériorité de l'adjectif placé en tête de la phrase.

a) 1. [*Haut*] L'Everest est ... que le mont Blanc. — 2. [*Adéquat*] Face à l'injustice, est-il une démarche ... que la solidarité ? — 3. [*Attentif*] Nous prêtons une oreille ... quand les médias relatent des faits nous intéressant. — 4. [*Grand*] Depuis que Gilles collectionne les vieux vinyles, il a acquis une connaissance musicale .... — 5. [*Amusant*] Jamais je n'ai entendu histoire ....

b) 1. [*Bon*] Il n'est pas de ... remède au stress que le sport. — 2. [*Mauvais*] Un conflit a éclaté au Moyen-Orient. La situation des habitants est encore ... qu'on ne le dit. — 3. [*Bon*] L'ajout de sucre vanillé rendra cette tarte .... — 4. [*Petit*] Le prix des appartements est ... dans ce quartier. — 5. [*Mauvais*] Il n'y a point de ... sourd que celui qui ne veut rien entendre. — 6. [*Petit*] Le chevreuil est ... que le cerf.

[PG § 175] **230 Distinguez les superlatifs absolus et les superlatifs relatifs.**

a) 1. Un mal très grave nécessite un remède fort énergique. — 2. Pourvu que les grandes joies viennent après les peines les plus profondes ! — 3. C'est une musique bien douce que tu nous joues là. — 4. Il était mon meilleur ami; tous les secrets de son cœur m'étaient connus. (La Martelière) — 5. On trouve parfois dans les greniers des meubles archivieux. — 6. Ce philatéliste possède des timbres rarissimes : il en est extrêmement fier.

b) 1. Les plus désespérés sont les chants les plus beaux. — 2. Ma plus belle histoire d'amour, c'est vous. (Barbara) — 3. C'était un très bel homme, grand, avec des cheveux noirs brillants ramenés en arrière, et des yeux bien vifs et d'un beau bleu azur. (Ph. Claudel) — 4. (...) tu as l'impression que tu pourrais découvrir chaque détail, le moindre nuage s'il y avait un ciel, la plus petite terre s'il y avait un horizon. (G. Perec) — 5. Ils sont sympa, eux? demanda Joséphine. — Oui, hyper-sympa. Lui, il est médecin. Et sa femme, elle chante dans les chœurs de l'Opéra. Elle a une super-belle voix. (K. Pancol) — 6. Je n'avais pas la moindre idée de l'endroit où je pourrais trouver un docteur. (J.M.G. Le Clézio)

231 Donnez, pour chacun des adjectifs suivants: 1° le comparatif de supériorité; 2° le superlatif absolu (avec très) **et le superlatif relatif** (avec le plus)**:**

1. Long. — 2. Agréable. — 3. Facile. — 4. Riche. — 5. Courageux. — 6. Rapide.

232 Donnez, pour ceux des adjectifs en italique qui admettent les divers degrés: 1° le comparatif (d'égalité, de supériorité, d'infériorité)**; 2° le superlatif** (absolu, relatif)**:**

Modèle: L'homme serein; — aussi serein, plus serein, moins serein; — très serein, le plus serein, le moins serein.

1. Un climat *froid.* — 2. Une somme *triple.* — 3. Un livre *intéressant.* — 4. Une *grosse* déception. — 5. Un bois *épais.* — 6. Le *dernier* jour. — 7. Une retraite *sûre.* — 8. Un *bon* dessert. — 9. La *principale* qualité. — 10. Un *haut* édifice. — 11. Un champ *carré.* — 12. Le globe *terrestre.*

ORTHOGRAPHE *Sûre* : Si la nouvelle orthographe conserve l'accent circonflexe sur *dû*, *mûr* et *sûr* afin d'éviter la confusion avec leurs homonymes, il n'en est rien pour leur féminin, comme c'était déjà le cas pour *due*, on peut donc écrire : *mure* et *sure*. [PG § 499]

233 Relevez les comparatifs et les superlatifs relatifs ainsi que le complément de chacun d'eux.

1. Louis est plus docile que son frère. — 2. Rien n'est plus beau qu'un sourire d'enfant. — 3. Ma tâche est moins pénible que la vôtre. — 4. Cette fleur est la plus belle de toutes. — 5. Je vous prête le plus intéressant de mes livres. — 6. Jacques est le meilleur des hommes. — 7. Flaubert est postérieur à Chateaubriand.

234 Inventez trois phrases négatives contenant chacune un comparatif d'égalité (employez *si* ou *aussi*).

Modèle: Pierre n'est pas *si courageux* (ou: *aussi courageux*) que son frère.

Accord de l'adjectif qualificatif

[PG § 177-184]

Florentine

Elle avait un visage *mince, délicat*, presque *enfantin*. L'effort qu'elle faisait pour se maîtriser gonflait et nouait les *petites* veines *bleues* de ses tempes et en se pinçant les ailes presque *diaphanes* du nez tiraient vers elles la peau des joues, *mate, lisse* et *fine* comme de la soie. Sa bouche était mal *assurée*, et parfois esquissait un tremblement, mais Jean, en regardant les yeux, fut soudain frappé de leur expression. Sous le trait *surélevé* des sourcils *épilés* que prolongeait un coup de crayon, les paupières en s'abaissant ne livraient qu'un *mince* rayon de regard *mordoré, prudent, attentif* et extraordinairement *avide*. Puis les cils battaient et la prunelle jaillissait *entière*, *pleine* d'un chatoiement brusque. Sur les épaules tombait une masse de cheveux brun clair.

Gabrielle Roy, *Bonheur d'occasion*. Montréal, Stanké, 1977.

235 Analysez, dans le texte ci-dessus, les adjectifs en italique.

VOCABULAIRE 1. *Enfantin*, *puéril* et *infantile* sont trois adjectifs qui signifie «relatif à l'enfance». Ce sont donc des synonymes.

2. *Diaphane* : translucide, qui laisse passer la lumière sans être transparent. *Une peau diaphane*, quant à elle, est tellement pâle et fine qu'elle laisse apparaître les veines.

ORTHOGRAPHE *Maîtriser* peut s'écrire aujourd'hui sans accent circonflexe sur le *i* : *maitriser*. [PG § 499]

[PG § 177-178] **236 Justifiez l'accord des adjectifs en italique.**

1. C'est dans les *vieilles* marmites qu'on fait les *bonnes* soupes. — 2. Il est arrivé le premier au terme d'une *longue* course. — 3. Il a remplacé ses outils de jardinage par une bêche et un râteau *neufs*. — 4. Les paroles et les gestes *violents* attisent les tensions. — 5. Le héron a les pieds et le cou très *longs*. — 6. La taille et l'allure *sinistre* de ces personnages inspirent le malaise. — 7. Ce spectacle suscite en moi une inquiétude et un trouble *profonds*. — 8. Mon oncle et ma tante sont *contents* de moi. — 9. Armez-vous d'un courage et d'une foi *nouvelle*. (J. Racine)

[PG § 177-178] **237 Accordez les adjectifs en italique.**

a) 1. Sa tête était [*rond*], ses oreilles [*petit*], son nez [*droit*], son teint [*doré*]. (B. Vian) — 2. Les [*petit*] ruisseaux font les [*grand*] rivières. — 3. Je trace des mots avec ma plume trempée dans l'encre rouge… Je vois bien qu'ils ne sont pas [*pareil*] aux [*vrai*] mots des livres. (N. Sarraute) — 4. [*Intrépide*] sont les alpinistes qui partent à l'assaut de l'Everest. — 5. Les difficultés du tour de France laissèrent [*intact*] l'endurance et le courage du champion. — 6. Les enfants trouvent [*ennuyeux*] les conversations des adultes. — 7. Ce gâteau a un goût de miel et de noisette [*grillé*]. — 8. Bien [*mûr*], la poire et l'abricot sont délicieux.

b) 1. Ta tombe et ton berceau sont [*couvert*] d'un nuage. (A. de Lamartine) — 2. C'est une chance d'avoir eu un père et une mère [*excellent*]. (É. Henriot) — 3. Elle s'était levée avec une résolution et une énergie [*effrayant*]. (G. de Maupassant) — 4. Je priais la mer, je priais le vent d'être [*clément*] à mon espérance. (E.-M. de Vogüé) — 5. Un souffle agite un lambeau bleu qu'étoilent encore une femme annamite, une jonque, une pagode [*fardé*] d'or. (A. Vialatte) — 6. Le château de Murol est d'une étendue et d'une complication [*fantastique*]. (G. Sand) — 7. Il tomba soudain dans un mutisme et une immobilité [*effrayant*]. (A. Maurois) — 8. Ces laitières ont une aisance, une sûreté et un aplomb [*admirable*]. (Th. Gautier)

[PG § 499] **ORTHOGRAPHE** *Goût* peut s'écrire aujourd'hui sans accent circonflexe sur le *u* : *gout*.

[PG § 178] **238 Faites l'accord des adjectifs entre crochets.**

a) 1. Mon père et ma mère sont [*grand*]. — 2. Une rose et un œillet [*blanc*]. — 3. Le lièvre et la grenouille sont [*craintif*]. — 4. Une table et une armoire [*verni*]. — 5. Ce dessin et cette caricature sont [*amusant*]. — 6. Un roman et plusieurs nouvelles [*intéressant*]. — 7. Des glycines et des lilas [*odorant*].

b) 1. Des chansons et des effluves [*printanier*]. — 2. Des moustiquaires et des oriflammes [*neuf*]. — 3. L'enclume et le marteau [*pesant*]. — 4. Le froment et l'avoine bien [*mûr*]. — 5. L'atmosphère et la mer sont [*bleu*]. — 6. Ces arabesques et ces paraphes sont [*prétentieux*]. — 7. [*Content*] de leur journée, Pierre et sa sœur rentrent [*joyeux*] à la maison.

c) 1. Il était dans une colère, une fureur [*terrible*]. — 2. Il a montré une patience, une endurance [*exceptionnel*]. — 3. Il s'entraîne avec une constance, un acharnement [*étonnant*].

— 4. Cet homme déploie un courage, une énergie peu [*commun*]. — 5. Il éprouva une peine, une détresse [*insurmontable*].

ORTHOGRAPHE *Entraîner* peut s'écrire aujourd'hui sans accent circonflexe sur le *i* : *entrainer*. [PG § 499]

239 Faites l'accord des adjectifs entre crochets. [PG § 179-180]

a) 1. La girafe a le cou ainsi que les pattes très [*long*]. — 2. Plusieurs fois vainqueur du tour de France, Eddy Merckx a montré une énergie, une ténacité [*extrême*]. — 3. Certains restaurants servent de la viande ou du poisson [*cru*]. — 4. L'autruche a la tête, ainsi que le cou, [*garni*] de duvet. — 5. Nous aimons à contempler la mer ou le ciel [*étoilé*]. — 6. Ces jongleurs font preuve d'une adresse, d'une habileté [*étonnant*].

b) 1. Par le yoga et la méditation, elle parvient à rester [*maître*] d'elle-même. — 2. Ces disciplines orientales procurent un calme, une sérénité [*exceptionnel*]. — 3. M. Palissot est le tact et la délicatesse [*personnifié*]. (A. Billy) — 4. Il y a, dans la culture comme dans l'éloquence [*anglais*], quelque chose de négligé dans la perfection qui m'enchante. (A. Maurois) — 5. C'étaient trois femmes d'un esprit et d'une beauté [*exceptionnel*]. (Villiers de l'Isle-Adam)

ORTHOGRAPHE *Maître* peut s'écrire aujourd'hui sans accent circonflexe sur le *i* : *maitre*. [PG § 499]

240 Faites l'accord des adjectifs en italique. [PG § 182]

1. Des feuilles de papier [*rectangulaire*]. — 2. Une corbeille de fruits [*mûr*]. — 3. Des livres d'images [*relié*]. — 4. Des bas de coton [*troué*]. — 5. Un mur de pierres très [*haut*]. — 6. Un verre d'eau [*gazeux*]. — 7. Des colonnes de marbre [*épars*]. — 8. Un vol d'oies [*sauvage*]. — 9. Un tas de feuilles [*mort*]. — 10. Un bouquet de fleurs [*artificiel*].

ORTHOGRAPHE Notez la terminaison -ciel pour *artificiel, circonstanciel, révérenciel, superficiel*; mais -tiel pour *confidentiel, essentiel, providentiel, référentiel, substantiel, torrentiel.*

241 Justifiez l'accord de l'adjectif en donnant dans chaque cas, le sens de « avoir l'air ». [PG § 183]

1. Ils m'avaient l'air terriblement *hardis.* (A. France) — 2. Seule madame Hoc avait l'air *inquiète.* (M. Prévost) — 3. Ses yeux n'avaient plus l'air *vivants.* (V. Hugo) — 4. Quand elle revint dans le bureau, elle avait l'air *enchanté* et *dispos.* (H. Troyat) — 5. À Paris les oranges ont l'air *triste* de fruits tombés. (A. Daudet) — 6. L'église avait l'air *toute neuve.* (Fr. Jammes) — 7. Elle avait l'air doucement *ébloui* des convalescents. (G. Duhamel) — 8. Tous ces pauvres livres, qui croulaient par piles, avaient l'air *prêts* à partir. (A. Daudet)

242 Justifiez l'accord des adjectifs en italique. [PG § 184]

1. Leur tâche est des plus *délicates.* (G. Duhamel) — 2. La demande était d'ailleurs des plus *simples.* (E. Jaloux) — 3. Un rat plein d'embonpoint, gras et des mieux *nourris*, Et qui ne connaissait l'avent ni le carême, Sur le bord d'un marais égayait ses esprits. (J. de La

Fontaine) — 4. La cour a gardé un caractère oriental des plus *purs*. (P. Arène) — 5. La nuit est des plus *obscures*. (A. Gide) — 6. N'est-ce pas que cet homme est des moins *ordinaires*? (E. Rostand)

ORTHOGRAPHE Notez l'emploi du *n* au lieu du *m* devant *p* dans *embonpoint*, comme aussi devant le *b* dans *bonbon*, *bonbonnière* et *bonbonne*.

[PG § 185]

Mots désignant une couleur

Le colonel et la tulipe

> Le colonel Bruck était un de ces hommes éternellement jeunes, qui vont d'un pas désinvolte à la rencontre d'une soixantaine qui ne les effraye nullement. Grand, mince, les cheveux presque [*blanc*], le visage plutôt [*rouge*] que [*hâlé*], les yeux étrangement [*bleu*], le colonel Bruck avait incontestablement une « sacrée allure ».
> Vêtu de son éternel complet de flanelle [*gris*], modèle croisé, il contemplait ce jour-là, dans le jardin de son cottage, les tulipes démesurées qu'il cultivait avec passion. Il y en avait des [*rouge sang*], des [*mauve tendre*], des [*jaune*], des [*mordoré*], des [*noir*] même, somptueuses, veloutées, fièrement dressées au bout d'une tige robuste, presque aussi grosse que le petit doigt.
>
> Thomas Owen, *L'initiation à la peur.* Les Auteurs Associés, 1942.

243 Dans ce texte, relevez les mots désignant une couleur. Accordez-les en observant s'ils sont: 1° adjectifs simples; 2° adjectifs composés; 3° noms.

VOCABULAIRE 1. *La soixantaine* désigne l'âge de soixante ans. On parle aussi de *la vingtaine*, *la trentaine*, *la quarantaine*, *la cinquantaine* et, en Belgique et en Suisse, de *septantaine* et de *nonantaine*. L'expression *friser la soixantaine* veut dire « avoir tout près de soixante ans ».

2. L'adjectif *sacré* utilisé familièrement devant un nom a le sens de « fameux ».

[PG § 331] **ORTHOGRAPHE** *Il effraye* ou *effraie* : les verbes en -**ayer** peuvent conserver l'*y* dans toute leur conjugaison.

PRONONCIATION Un *cottage* est une petite maison de campagne assez élégante. Il s'agit ici d'un anglicisme. On le prononce à l'anglaise [kɔtɜdʒ] ou à la française [kɔtaʒ].

244 Justifiez l'accord des mots en italique.

1. Entre les nuages *noirs*, le soleil glisse ses rayons *jaune pâle*. — 2. Les meubles sont cachés sous leurs housses de percale *blanche*, striées de raies *rouge vif*. — 3. Ajoutons ces feuillages *vert foncé* à notre bouquet. — 4. Après le ski, nous rentrons, les joues *pourpres*. — 5. La mer a des reflets *vert émeraude*. — 6. Des branchages *vert-de-gris* jonchent le sol. — 7. Ils ont choisi des tentures *bleu électrique*.

245 Mettez à la forme convenable les mots en italique.

a) 1. Des cheveux [*châtain*]. — 2. Des rubans [*brun foncé*]. — 3. Des bannières [*rouge vif*]. — 4. Des étoffes [*mauve*]. — 5. Des myosotis [*bleu ciel*]. — 6. Des coussins [*vieil or*]. — 7. Des salons [*blanc et or*]. — 8. Des foulards [*crème*].

b) 1. Des sourcils [*châtain clair*]. — 2. Des robes [*pervenche*]. — 3. Des broderies [*gris perle*]. — 4. Des uniformes [*kaki*]. — 5. Des rubans [*vert pomme*]. — 6. Des tissus [*tête de nègre*]. — 7. Des cravates [*café au lait*]. — 8. Des ensembles [*bleu marine*].

246 Complétez de trois manières différentes les expressions suivantes, en notant chaque fois une couleur (1° adjectif simple ; 2° adjectif composé ; 3° nom) :

1. Des feuilles. — 2. Des volets. — 3. Des reflets. — 4. Des lueurs. — 5. Des pétales. — 6. Des rideaux. — 7. Des yeux. — 8. Des tulipes.

247 Faites, quand il y a lieu, l'accord des mots en italique.

a) 1. Une grande profondeur semble se creuser [*vert d'émeraude*]. (Cl. Farrère) — 2. Sa figure était [*coquelicot*]. (R. Boylesve) — 3. Une demi-teinte [*violet clair*] enveloppe toute chose. (E. Psichari) — 4. Il est vrai que ce chien avait de beaux yeux, des prunelles [*marron*] avec des lueurs [*doré*]. (A. France) — 5. Il avait une figure un peu longue, une moustache [*châtain clair*]. (Tr. Bernard) — 6. Ses yeux étaient [*bleu*] ; ses lèvres [*rose lilas*]. (P. Benoit) — 7. Nous admirions quel air délicieusement étrange et chimériquement joyeux prenaient sur le tapis ces maisons [*vert pomme*], [*rose*], [*lilas*], [*ventre de biche*]. (Th. Gautier)

b) 1. Il avait les joues [*pourpre*]. (Stendhal) — 2. C'est toujours l'assemblage des marguerites [*jaune pâle*] et des lins [*rose*]. (P. Loti) — 3. Elle était vêtue d'une robe [*lilas*]. (J. Green) — 4. Les dernières vagues atlantiques se jettent sur une pointe de rochers [*brun pourpre*]. (P. Morand) — 5. Au sommet d'une des plus lointaines montagnes [*gris perle*] s'esquisse une petite ville [*gris rose*]. (P. Loti) — 6. Elle avait en fait ces yeux [*bleu norvège*], ces joues [*rose saxe*], ces cheveux [*blond vénitien*], tout cet ensemble, en un mot, que l'on nomme chez les femmes l'air anglais. (J. Giraudoux) — 7. Les colibris ne gazouillent plus. Leurs petites ailes [*bleu, rose, rubis, vert de mer*] restent immobiles. (A. Daudet) — 8. La voiture de Corinne était toute petite, d'un blanc de lait, avec des garnitures [*sang de bœuf*]. (H. Troyat) — 9. Son peigne d'ambre divisa la masse soyeuse en longs filets [*orange*]. (B. Vian)

248 Attribuez à chaque gemme une de ces couleurs :

Bleu — bleu vert — jaune — noir — rouge — vert — violet.

1. L'améthyste — 2. L'émeraude — 3. Le jais — 4. le rubis — 5. le saphir — 6. la topaze — 7. la turquoise.

249 Trouvez à quoi s'oppose *blanc*.

1. Du vin *blanc* — 2. Une arme *blanche* — 3. Du pain *blanc* — 4. Du raisin *blanc*.

VOCABULAIRE Retenez quelques expressions concernant les couleurs : on peut être *noir* comme «(du) jais, du charbon, de l'ébène, de l'encre», *blanc* comme «neige, le lis, un cachet d'aspirine, un linge, un lavabo», *rouge* comme «une tomate, une pivoine, un coq, un coquelicot, une cerise, une écrevisse», *jaune* comme «un coing, un citron», *vert* «de peur, de jalousie, de rage», *bleu* «de froid, de colère».

[PG § 186]

Adjectifs composés

250 Orthographiez correctement les adjectifs composés en italique.

a) 1. Des réflexions [*aigre-doux*]. — 2. Des personnes [*sourd-muet*]. — 3. Des monuments [*gréco-romain*]. — 4. Des comédies [*héroï-comique*]. — 5. Les [*avant-dernier*] pages. — 6. Une brebis [*mort-né*]. — 6. Les populations [*anglo-saxon*]. — 7. La guerre [*russo-japonais*]. — 8. La période [*gallo-romain*].

b) 1. Une fillette [*nouveau-né*]. — 2. Les signes [*avant-coureur*] d'une catastrophe. — 3. Des personnages [*tout-puissant*]. — 4. Des portes [*large ouvert*]. — 5. Des adolescents [*frais émoulu*] du collège. — 6. Des personnes [*nouveau venu*]. — 7. Des chatons [*nouveau-né*]. — 8. Les gens les plus [*haut placé*].

251 Donnez aux adjectifs composés la forme convenable.

a) 1. Les paroles [*aigre-doux*] et les reproches [*sous-entendu*] tendent l'atmosphère. — 2. La fenêtre était [*grand ouvert*] derrière son contrevent rabattu. (M. Genevoix) — 3. Au diable chefs-d'œuvre [*mort-né*]! (Th. Gautier) — 4. L'opinion des pays [*anglo-saxon*] vous est redevenue favorable. (J. et J. Tharaud) — 5. Les [*nouveau venu*] avaient le bras droit découvert. (C. Jullian) — 6. Les yeux [*large ouvert*] et aveugles, elle contemplait quelque chose d'invisible. (Colette)

b) 1. Ces athlètes sont arrivés [*bon premier*]. — 2. Admirez ce parterre de roses [*frais éclos*]. — 3. Les philatélistes considèrent leurs collections comme [*sacro-saint*]. — 4. Les abeilles [*nouveau-né*] sont semblables aux abeilles de toujours. (G. Duhamel) — 5. Légère et [*court-vêtu*], elle allait à grands pas. (J. de La Fontaine) — 6. Il menait avec lui les généraux [*premier-né*] de sa gloire. (R. de Chateaubriand) — 7. Je m'en vais voir si ces mains [*tout-puissant*] me seront favorables ou rigoureuses. (Bossuet) — 8. Il y avait partout des insectes [*nouveau-né*]. (E. Fromentin)

[PG § 187]

Adjectifs pris adverbialement

252 Faites entrer dans de petites phrases, en les rapportant à un nom pluriel, les expressions suivantes:

1. Sentir bon. — 2. Voir clair. — 3. Marcher droit. — 4. Parler franc. — 5. Penser juste. — 6. Voler bas.

253 Justifiez l'accord ou le non-accord des mots en italique.

Modèles: a) Ces paroles me vont *droit* au cœur; — *droit*: adjectif pris adverbialement, complém. de *vont*.

b) La fusée monte, *droite*, vers le ciel; — *droite*: épithète détachée de *fusée*.

1. Des fumées montaient *droites* dans le ciel. — 2. Les arbres jaillissaient *droit* vers le ciel. — 3. Si vous ne dites que ce pré appartient au marquis de Carabas, vous serez tous hachés *menu* comme chair à pâté. — 4. Cette grêle d'insectes tomba *drue* et *bruyante*. (A. Daudet) — 5. À l'entrée du four étaient allumées des bûchettes de bouleau, qui brûlaient *clair*. (A. Theuriet) — 6. La gaieté de ces gens sonne, *franche* et *claire*, dans la conversation. — 7. Une rivière coulait dans un lit aux bords tranchés *vif*. (M. Genevoix) — 8. Alors, les sources chantent bien plus *clair*. (A. Daudet)

ORTHOGRAPHE 1. *Bûchette* et *brûler* peuvent désormais s'écrire *buchette* et *bruler*, sans accent circonflexe sur le *u*. Par contre, il subsiste sur les *a*, *e* et *o* : *pâté*, *grêle*, *fenêtre*. [PG § 499]

2. *Gaieté* s'écrit aussi *gaîté*.

254 Distinguez, en vue de l'accord, si les mots en italique gardent leur valeur adjective ou s'ils sont pris adverbialement.

1. Comment un traître marcherait-il la tête [*haut*] ? — 2. Cet athlète porte [*haut*] les couleurs de son équipe. — 3. Mon père a pris rendez-vous chez l'ophtalmologue car il ne voit plus [*clair*]. — 4. Après cinq ans d'études de droit, Marie a appris à raisonner [*juste*]. — 5. Une petite pluie tombait, [*doux*] et [*bienfaisant*], sur la campagne. — 6. La planète paie [*cher*] notre consommation excessive. — 7.Cette maison est [*cher*], vous la vendez bien [*cher*].

VOCABULAIRE 1. Énumérer toutes les locutions à propos de *tête* est un vrai *casse-tête*. Elles sont tellement nombreuses qu'on ne sait plus *où donner de la tête*. Épinglons tout de même celles-ci : *garder la tête haute* c'est «ne rien avoir à se reprocher»; son contraire, *la tête basse* évoque la honte, la confusion; *avoir la tête sur les épaules*, c'est «être sensé»; *tenir tête*, «résister».

2. Un *ophtalmologue* ou un *oculiste* est un médecin qui traite les *maladies des yeux*; un *cardiologue*, les *maladies du cœur*; un *neurologue*, les *maladies nerveuses*; un *dermatologue*, les *maladies de la peau*; un *pédiatre*, les *maladies des enfants*; un *psychiatre*, les *maladies mentales*; un *otorhinolaryngologiste*, les *maladies de l'oreille, du nez et de la gorge*; un *anesthésiste* est un médecin qui pratique les *anesthésies*.

ORTHOGRAPHE 1. On écrit *excessif*, *excellent*, *excéder*, *excepter*, *exciter*.

2. *Traître* peut désormais s'écrire *traitre*, sans accent circonflexe sur le *i*. [PG § 499]

[PG § 188-196] Accord de certains adjectifs

255 Accordez, s'il y a lieu, les adjectifs en italique (attention ! mettez bien, quand il le faut, le trait d'union !)

a) 1. Deux [*demi*] douzaines. — 2. Une pomme et [*demi*]. — 3. Une biche [*demi*] morte. — 4. La [*mi*] carême. — 5. Trois heures et [*demi*]. — 6. La [*mi*] temps. — 7. À [*mi*] hauteur. — 8. Les [*semi*] voyelles. — 9. Une besogne [*à demi*] faite. — 10. Toutes les [*demi*] heures. — 11. Parler à [*demi*] mot. — 12. Deux journées et [*demi*].

b) 1. Depuis deux heures et [*demi*] on était à table. (G. Flaubert) — 2. Son employeur lui permet de travailler quatre [*demi*] journées. — 3. La gloire de ce musée est une abondante collection de panneaux peints, [*mi*] gothiques, [*mi*] flamands. (M. Barrès) — 4. Les [*demi*] heures s'en vont l'une après l'autre, tranquilles. (P. Loti) — 5. Certains clochers sonnent encore les heures, les [*demi*] et les quarts. — 6. Ah ! je suis [*demi*] morte ! (E. Rostand) — 7. Il y a des trains [*semi*] directs. — 8. Ces avis sont [*semi*] officiels. — 9. Quatre [*demi*] valent deux unités. — 10. Trois oranges pour nous deux : cela fait pour chacun une orange et [*demi*] ! — 11. Je rêvais, les paupières [*mi*] closes. — 12. À propos de certaines affaires, la presse nous révèle seulement des [*demi*] vérités.

[PG § 189-191] **256 Accordez, quand il y a lieu, les adjectifs en italique.**

1. Je me rappelle avec émotion mes [*feu*] tantes, si amusantes. — 2. Mes [*feu*] oncles étaient des boute-en-train. — 3. On ne dit plus aujourd'hui : [*feu*] la reine ; on dit : la reine défunte. — 4. Une lettre doit être expédiée [*franc de port*]. — 5. Renvoyez ces paquets [*franc de port*]. — 6. Elles se font [*fort*] de renverser tous les obstacles. — 7. Les avocats qui plaident coupable reconnaissent la culpabilité de l'accusé en se faisant [*fort*] de l'excuser ou de l'atténuer.

[PG § 503] **ORTHOGRAPHE** Un *boute-en-train* (toujours au masculin, même s'il s'agit d'une femme) est une personne amusante qui met de l'ambiance en société, on dit aussi un *gai luron* ou un *joyeux drille*. On peut écrire aujourd'hui ***un boutentrain, des boutentrains***.

[PG § 192-196] **257 Accordez, quand il y a lieu, les mots en italique.**

a) 1. Les [*grand*]-mères gardent souvent leurs [*petit*]-enfants. — 2. C'est à [*grand*]-peine que les cyclistes progressent dans les cols. — 3. Nous avions du soleil [*plein*] les yeux. — 4. J'aime à me promener dans la forêt, le matin, [*nu*]-tête.

b) 1. Tous étaient pieds [*nu*]. (V. Hugo) — 2. Elle s'était levée [*nu*]-jambes, [*nu*]-pieds. (G. de Maupassant) — 3. Nous vaincrons la difficulté [*haut*] la main. — 4. Nous avons ouvert tous les tiroirs [*possible*]. (Ch. Baudelaire) — 5. Les instructions de M. Aldo étaient formelles : n'emporter que le moins de bagages [*possible*]. (P. Benoit) — 6. On croit avoir reçu tous les coups [*possible*]. (Fr. Mauriac) — 7. Angelo ne pensait à rien d'autre qu'à faire le plus de mouvements [*possible*]. (J. Giono)

Accord de l'adjectif : récapitulation

[PG § 177-196]

258 Donnez aux mots en italique la forme convenable.

Scènes de la vie étudiante

La vie étudiante a ses charmes, ses moments [*fort*] aussi. Maud et Bertrand, [*nouveau*] venus à l'université sont amenés à s'en rendre compte. Les premiers tests d'évaluation [*annoncé*] auront lieu très bientôt. Plus une minute à perdre, ils doivent viser [*haut*] et faire [*fort*]! Les [*demi*]-mesures et les compromis boiteux ne sont plus [*possible*], il faut agir! Leurs cahiers de notes [*grand*] ouverts devant eux, Maud et Bertrand, [*équipé*] tous deux de surligneurs [*mauve*], [*rose*] et [*vert pomme*] partent à la découverte de l'histoire et de l'art [*gréco-romain*]. Il leur apparaît rapidement que les cours et les matières qui avaient pourtant l'air [*intéressant*] et [*facile*] à comprendre se révèlent en fait des plus [*compliqué*] quand il s'agit de les mémoriser et d'en retenir le plus de détails [*possible*]. Les difficultés de cette discipline [*foisonnant*], [*renforcé*] par la proximité de l'échéance affolent les étudiants. Mais il ne faut pas qu'ils perdent courage, leurs efforts seront récompensés : Magali organise une grande fête le soir de l'examen!

ORTHOGRAPHE 1. Observez que la finale [ã] est diversement orthographiée dans les prénoms masculins : *Bertrand, Fernand, Ferdinand, Armand, Roland*; *Christian, Fabian, Gaëtan, Alban*; *Clément, Florent, Vincent*; *Constant*

[PG § 499]

2. *Apparaître* peut désormais s'écrire *apparaitre*, sans accent circonflexe sur le *i*.

VOCABULAIRE Le mot *compte* intervient dans beaucoup d'expressions : *se rendre compte de* signifie « s'apercevoir de, comprendre », alors que *rendre compte* veut dire « s'expliquer ou se justifier en faisant un rapport de ce qu'on a vu ou fait ». *Trouver son compte*, c'est « trouver son avantage », *travailler à son compte*, « être son propre employeur ».

259 Mettez à la forme convenable les mots en italique.

a) 1. Rien ne rend les hommes si [*petit*] que l'immensité de l'univers. — 2. On peut faire une cuisine savoureuse avec des ingrédients qui ne coûtent pas [*cher*]. — 3. Elle essaie de se renseigner par tous les moyens [*possible*]. — 4. Le soleil se lève: des [*demi*]-clartés hasardent à l'horizon leurs teintes [*rose pâle*]. — 5. Les boiseries [*acajou*] ressortent bien sur des tentures [*jaune clair*]. — 6. Julien a des projets [*plein*] la tête.

b) 1. Il contemplait avec émotion une statue [*haut*] perchée. (R. Bazin) — 2. Le torrent des images se glisse sous mes yeux à [*demi*] fermés. (E. Jaloux) — 3. Au reste, à quoi [*bon*] ces petits moyens? (J. Lemaitre) — 4. Les papillons [*nouveau*]-nés dérivent au fil du vent. (G. Duhamel) — 5. Vous n'avez jamais vu une colère, un désespoir [*pareil*] au mien. (A. Daudet) — 6. Je marchais en soulevant du bout du pied le plus de cailloux [*possible*]. (R. Boylesve) — 7. Ils avisèrent sur le port un restaurant des plus [*médiocre*]. (G. Flaubert) — 8. Il tenait à la main une feuille de papier [*frais*] écrite. (Id.)

ORTHOGRAPHE *Coûter* peut désormais s'écrire *couter*, sans accent circonflexe.

[PG § 499]

[PG § 197-198]

Place de l'adjectif épithète

260 Mettez à la place convenable (avant ou après le nom) **les adjectifs en italique.**

a) 1. [*Rapide*] Un fleuve. — 2. [*Perpendiculaire*] Une droite. — 3. [*Harmonieux*] Un mot. — 4. [*Long*] Un compliment. — 5. [*Rouge*] Une tuile. — 6. [*Tortueuse*] Une route. — 7. [*Gothique*] L'architecture. — 8. [*Suisse*] Un village. — 9. [*Canadien*] Le blé.

b) 1. [*Vieille*] Une chaumière. — 2. [*Dormantes*] Des eaux. — 3. [*Étoilé*] Le ciel. — 4. [*Premiers*] Les hommes. — 5. [*Artificiel*] Un satellite. — 6. [*Olympiques*] Les jeux. — 7. [*Troisième*] Le rang. — 8. [*Ovale*] Un visage. — 9. [*Petites*] Les fleurs des champs.

261 Donnez aux adjectifs entre crochets la place convenable (avant ou après le nom)**.**

a) 1. [*Triste*] Fi! monsieur, vous jouez là un ... personnage ...! — 2. [*Pauvre*] Un ... homme ... est celui qui manque de ressources matérielles; un ... homme ... est quelqu'un qui est à plaindre. — 3. [*Brave*] Un ... homme ... a beaucoup de courage, de vaillance; un ... homme ... est bon et obligeant.

b) 1. [*Ancien*] Un ... ami ... est un homme qui n'est plus ami; un ... ami ... est un homme avec qui on est ami depuis longtemps. — 2. [*Bon*] Un ... chef ... réunit toutes les qualités requises pour bien commander; un ... chef ... a de la bonté. — 3. [*Simple*] Une ... signature ... suffit pour s'engager pour la vie. — 4. [*Commune*] Les auditeurs ont proclamé d'une ... voix ... que ce chanteur n'avait qu'une ... voix ...

[PG § 199-205]

Adjectifs numéraux

Une épitaphe

C'est ici que repose celui qui ne s'est jamais reposé. Il s'est promené à cinq cent trente enterrements. Il s'est réjoui de la naissance de deux mille six cent quatre-vingts enfants. Les pensions dont il a félicité ses amis, toujours en des termes différents, montent à deux millions six cent mille livres; le chemin qu'il a fait sur le pavé à neuf mille six cents stades; celui qu'il a fait dans la campagne, à trente-six. Sa conversation était amusante: il avait un fonds tout fait de trois cent soixante-cinq contes; il possédait, d'ailleurs, depuis son jeune âge, cent dix-huit apophtegmes tirés des Anciens, qu'il employait dans les occasions brillantes.

MONTESQUIEU, *Lettres persanes.*

262 Relevez, dans le texte de Montesquieu, les adjectifs numéraux cardinaux, et analysez chacun d'eux.

Modèle: L'année a *quatre* saisons; — *quatre*: adj. numéral cardinal, détermine *saisons.*

VOCABULAIRE 1. Une *épitaphe* est une *inscription sur un tombeau*; une *épigraphe*, une *inscription sur un édifice* ou une *citation qu'un auteur met en tête de livre ou de chapitre*; une *épigramme*, un *petit poème satirique*, notez que ces trois paronymes sont du genre féminin.

2. Une *apophtegme* est une parole mémorable, un pensée ayant valeur de maxime.

3. Un *stade*, dans ce cas, est une mesure de longueur dans la Grèce antique.

VOCABULAIRE *Trente-six* signifie *beaucoup* dans l'expression *il n'y a pas trente-six solutions*. Quand on est étourdi par un coup, il arrive qu'on voie *trente-six chandelles* et quand on va très mal, on est *au* (ou *dans le*) *trente-sixième dessous*. Un événement qui a lieu *tous les trente-six du mois* ne se produit quasiment jamais.

ORTHOGRAPHE Quelques mots se terminent par ***s*** au singulier : *le fonds, le puits, le remous, le mets, le remords, le pouls*. Ne confondez pas *les fonts baptismaux, le fond d'un puits* et *un bon fonds de placement*.

263 Écrivez les nombres en toutes lettres.

a)	80 ans	530 hommes	785 kilomètres	41 ares
	32 hectolitres	480 mètres	401 volumes	70 kilos
	66 dollars	101 litres	64 ans	131 pages
b)	8 200 tuiles	1 805 hectares	526 mètres	2 321 641 euros
	202 moutons	561 204 habitants	7 801 hectares	21 000 000 d'euros
	91 vaches	86 384 680 euros	240 degrés	3 121 406 habitants

ORTHOGRAPHE Depuis les rectifications de l'orthographe, on peut lier par des traits d'union les numéraux formant un nombre complexe, qu'il soit inférieur ou supérieur à cent. Il possède sept-cent-mille-trois-cent-vingt-et-un euros. Notons que *milliard, millier* et *million* sont des noms et ne sont donc pas concernés par cette règle : deux millions cent-cinquante-trois-mille. [PG § 496]

264 Mettez, quand il le faut, l's du pluriel à *vingt* et à *cent*.

1. Trois [*cent*] euros. — 2. Quatre [*vingt*] mètres. — 3. Cinq [*cent*] [*vingt*] kilos. — 4. Quatre [*vingt*] [*deux*] ans. — 5. Huit [*cent*] trente hommes. — 6. Sept [*cent*] cartouches. — 7. Trois [*cent*] quatre [*vingt*] cinq grammes. — 8. Neuf [*cent*] quatre [*vingt*] dix dollars. — 9. Reçu la somme de huit [*cent*] quatre [*vingt*] euros.

265 Même exercice.

1. Plus de trois [*cent*] chevaliers étaient réunis autour du roi. (J. Michelet) — 2. De nombreux villages sont tombés de six [*cent*] habitants à trois [*cent*]. (M. Barrès) — 3. Ma carrière est de quatre [*vingt*] ans tout au plus. (Bossuet) — 4. Elle avait une rente de trois [*cent*] quatre [*vingt*] francs, léguée par sa maîtresse. (G. Flaubert) — 5. On mesura [*vingt*] cinq verges carrées de terre. (J. Michelet) — 6. On se fusillait à quatre [*vingt*] mètres. (V. Hugo) — 7. Les deux corps de la grande armée romaine étaient séparés par quatre [*cent*] kilomètres de route. (C. Jullian)

ORTHOGRAPHE *Maîtresse* peut désormais s'écrire *maitresse*, sans accent circonflexe. [PG § 499]

266 Remplacez les trois points par *mille* ou par *mil* et mettez, quand il y a lieu, l's du pluriel.

1. Vingt-trois ... euros. — 2. Six ... hommes. — 3. Trente ... habitants. — 4. En ... neuf cent quarante. — 5. Quatre ... huit cents mètres. — 6. Les terreurs de l'an ... — 7. Deux cent ... euros. — 8. L'an deux ... — 9. En ... huit cent quinze. — 10. Une distance de six ... marins. — 11. Un trajet de vingt ... anglais.

267 Écrivez les nombres en toutes lettres (attention : *mille*).

Un beau parti

C'est une fille accoutumée à vivre de salade, de lait, de fromage et de pommes, et à laquelle par conséquent il ne faudra ni table bien servie, ni consommés exquis, ni orges mondés perpétuels, ni les autres délicatesses qu'il faudrait pour une autre femme ; et cela ne va pas à si peu de chose qu'il ne monte bien, tous les ans, à 3 000 francs pour le moins. Outre cela, elle n'est curieuse que d'une propreté fort simple, et n'aime point les superbes habits, ni les riches bijoux, ni les meubles somptueux, où donnent ses pareilles avec tant de chaleur ; et cet article-là vaut plus de 4 000 livres par an. De plus, elle a une aversion horrible pour le jeu, ce qui n'est pas commun aux femmes d'aujourd'hui ; et j'en sais une de nos quartiers qui a perdu à trente-et-quarante 20 000 francs cette année. Mais n'en prenons rien que le quart. 5 000 francs au jeu par an, et 4 000 francs en habits et bijoux, cela fait 9 000 livres ; et 1 000 écus que nous mettons pour la nourriture, ne voilà-t-il pas par année vos 12 000 francs bien comptés ?

MOLIÈRE, *L'avare.*

VOCABULAIRE 1. *Être curieux de* a ici le sens vieilli de « avoir souci de, être intéressé par ».

2. *Propreté* a le sens ancien de « manière convenable de s'habiller, de se meubler ».

3. *Donner*, ici intransitif, a le sens de « se porter, se jeter ».

4. Le *trente-et-quarante* est un jeu de cartes et d'argent.

268 Écrivez les nombres en toutes lettres.

a) 1. L'homme a 32 dents. — 2. L'air contient 21 parties d'oxygène pour 79 parties d'azote. — 2. Le plomb fond à 355 degrés ; l'étain, à 230 degrés. — 4. La lumière parcourt 300 000 kilomètres par seconde. — 5. La Lune est à environ 384 000 kilomètres de la Terre. — 6. La bombe atomique lancée sur Hiroshima, le 6 août 1945, a tué plus de 80 000 personnes.

b) 1. Les anciennes diligences pesaient jusqu'à 4 000 kilogrammes. — 2. Dans l'air, la vitesse du son est d'environ 340 mètres par seconde ; dans l'eau, elle est d'environ 1 435 mètres par seconde ; dans les solides, elle est de plus de 3 000 mètres par seconde. — 3. La plus grande des pyramides d'Égypte a une hauteur de 138 mètres. — 4. La tour Eiffel a été édifiée en 1889, à Paris ; elle a 300 mètres de hauteur et pèse plus de 9 000 000 de kilos. — 5. Le tunnel creusé sous le mont Blanc entre la France et l'Italie a une longueur de 11 600 mètres.

c) 1. Le tunnel du Simplon comprend deux galeries: l'une est longue de 19 801 mètres, l'autre de 19 821 mètres. — 2. Luna-10, le premier satellite artificiel de la Lune, lancé par les savants soviétiques en avril 1966, pesait 245 kilos. — 3. La Chine a une population de plus de 1 260 000 000 d'habitants. — 4. Aux approches de l'an 1000, on crut, dit-on, à la fin du monde. — 5. Il serait intéressant d'avoir des détails sur la vie des populations qui habitaient nos régions vers l'an 1500 ou vers l'an 2000 avant Jésus-Christ. — 6. Les baleines peuvent atteindre une longueur de 25 mètres et peser jusqu'à 150 000 kilos.

269 Écrivez les nombres en toutes lettres.

1. Bâtie pour contenir 175 000 spectateurs, l'enceinte regorgeait. Ses tribunes entouraient une arène de 600 mètres. (H. Béraud) — 2. Et le lugubre roi sourit de voir groupées Sur 400 vaisseaux 80 000 épées. (V. Hugo) — 3. Il habitait à 200 mètres du bourg une cabane de planches pourries. (O. Mirbeau) — 4. Les 25 000 francs que j'avais confiés à Fauconnier valurent un jour 500 000 francs. (J. Chardonne) — 5. Il se donna ensuite le plaisir d'ouvrir les 80 volumes. (Stendhal) — 6. Il était né en 1809, en face des bleus coteaux des blanches Pyrénées. (Fr. Jammes)

270 Dans les phrases suivantes, relevez les adjectifs numéraux ordinaux et analysez-les.

1. Nous vivons au vingt et unième siècle. — 2. Louis IX entreprit la septième et la huitième croisade. — 3. Dans le calendrier républicain, le dixième jour de la décade s'appelait décadi. — 4. La Fontaine a vécu au dix-septième siècle. — 5. Le mètre est la dix-millionième partie du quart du méridien terrestre.

271 Écrivez en toutes lettres les adjectifs numéraux ordinaux correspondant aux nombres suivants:

1	4	6	10	20	100	583	1 001
2	5	9	13	30	101	679	2 289

272 Relevez les adjectifs numéraux (cardinaux et ordinaux) et analysez-les.

Une légende arabe

Une légende arabe rapporte que le brahmane qui avait imaginé le jeu des échecs ne demanda à son prince pour récompense rien d'autre que des grains de blé: un grain sur la première case, deux sur la deuxième, quatre sur la troisième, huit sur la quatrième, et ainsi de suite, toujours en doublant, jusqu'à la soixante-quatrième case. La demande parut modeste et le prince y acquiesça volontiers.

Mais le calcul fait, on s'aperçut avec horreur que toutes les réserves de l'Inde, et même la production de la terre entière, seraient de loin insuffisantes pour constituer la quantité de blé demandée. Le nombre de grains correspondant à l'ensemble des soixante-quatre cases de l'échiquier s'élevait, en effet, à plus de dix-huit milliards de milliards [18 suivi de 18 zéros]! Pour produire cette étonnante quantité de blé, il eût fallu ensemencer soixante-seize fois les continents du monde entier.

VOCABULAIRE Un *brahmane* est un membre de la caste sacerdotale, la première des grandes castes de l'Inde.

273 Écrivez en chiffres romains les nombres suivants : 32 — 65 — 91 — 524 — 709 — 1673 — 1968

Pour rappel : I = 1 ; IV = 4 ; V = 5 ; VI = 6 ; IX = 9 ; X = 10 ; XI = 11 ; XIX = 19 ; XL = 40 ; LXXII = 72 ; XC = 90 ; C = 100 ; D = 500 ; DC = 600 ; M = 1000 ; MM = 2000.

VOCABULAIRE Un *chronogramme* (gr. *khronos*, temps ; *gramma*, lettre) est une phrase (souvent latine) dont les lettres numérales, par addition de leurs valeurs, indiquent une date. Un chronogramme, gravé sur le linteau de la porte d'un vieux presbytère, dit : **eCCe DoMVs pastorIs ; possVnt Intrare VoLentes** (= Voici la maison du pasteur ; peuvent entrer ceux qui le veulent). En quelle année, marquée par ce chronogramme, ce presbytère a-t-il été construit ?

[PG § 206-213]

Adjectifs possessifs

La princesse de Babylone

La belle princesse de Babylone arrivait avec le phénix, sa femme de chambre Irla, et ses deux cents cavaliers gangarides montés sur leurs licornes. Il fallut attendre assez longtemps pour qu'on ouvrît les portes. Elle demanda d'abord si le plus beau des hommes, le plus courageux, le plus spirituel et le plus fidèle était encore dans cette ville. Les magistrats virent bien qu'elle voulait parler d'Amazan. Elle se fit conduire à son hôtel ; elle entra, le cœur palpitant d'amour : toute son âme était pénétrée de l'inexprimable joie de revoir enfin dans son amant le modèle de la constance. Rien ne put l'empêcher d'entrer dans sa chambre ; les rideaux étaient ouverts : elle vit le bel Amazan dormant entre les bras d'une jolie brune. Ils avaient tous deux un très grand besoin de repos.

VOLTAIRE, *La Princesse de Babylone.*

274 Relevez dans le texte ci-dessus, les adjectifs possessifs ; analysez chacun d'eux.

Modèle : Je range *ma* chambre : — *ma* : adj. possessif ; fém. sing. ; 1re pers. ; déterminatif de *chambre*.

VOCABULAIRE 1. Phénix : oiseau fabuleux qui, brûlé, renaissait de ses cendres.

2. Licorne : animal fabuleux au corps de cheval et possédant une longue corne torsadée sur le front. Au Moyen Âge, elle était considérée comme l'emblème de la pureté et de la virginité.

275 Analysez les adjectifs possessifs et dites s'ils concernent un ou plusieurs possesseurs, un ou plusieurs objets possédés.

1. Je termine mon travail. — 2. Ouvre ton livre. — 3. Le chien a mangé sa pâtée. — 4. L'hiver a ses plaisirs. — 5. Les hirondelles construisent leurs nids. — 6. Nous crions notre joie. — 7. Quel est votre nom? quels sont vos prénoms? — 8. Je pris mes jambes à mon cou.

276 Même exercice.

1. Ainsi, ils étaient dans un bar de Paris, lui dans sa tenue d'officier, elle dans sa plus belle robe, un soir de novembre 1943. (B. Godbille) — 2. C'est aussi en développant nos qualités intérieures que nous pouvons le mieux aider les autres. (M. Ricard) — 3. (...) enfant, j'avais coutume de défier mes aînés aux escalades les plus périlleuses; nous n'avions d'autre équipement que nos mains et nos jambes nues, mais notre peau savait se coller à la peau de la pierre et pas un colosse ne résistait. (A. Maalouf) — 4. L'enfant n'aime pas qu'on bouscule ses habitudes. (K. Pancol) — 5. Là se réunissaient les hirondelles prêtes à quitter nos climats. Je ne perdais pas un seul de leurs gazouillements. (R. de Chateaubriand) — 6. Ses sanglots réprimés secouaient sa poitrine sous les plis épais de sa robe d'étamine noire. (M. Yourcenar) — 7. J'ai retrouvé l'autre jour un mien article. (H. de Montherlant) — 8. M. Auguste Krauser est né dans le département de l'Oise ; mais, avec son large feutre noir, son court veston de lustrine, son pantalon bouffant sur les reins, son buste massif et ses gestes lents, il a l'air d'un paysan auvergnat. (G. Duhamel)

ORTHOGRAPHE *Aîné* peut désormais s'écrire *aîné*, sans accent circonflexe sur le *i*. [PG § 499]

277 Conjuguez au présent de l'indicatif:

1. Je prends mon livre, ma règle et mes cahiers. — 2. Je retrouve ma ville, mon quartier, mes parents.

278 Donnez deux expressions où *mon* sera joint à un nom *masculin*, puis deux expressions où il sera joint à un nom *féminin*. — De même avec *ton*, et avec *son*.

279 Remplacez les trois points par l'adjectif possessif convenable.

a) 1. Il accepte ... amis avec ... défauts. — 2. J'aime les rues du centre et ... animation. — 3. Je retrouve ... ville et ... incessante activité. — 4. Chacun est responsable de ... actes. — 5. Heureux celui qui connaît ... bonheur. — 6. Le professeur demande à ... élèves de prendre ... affaires.

b) 1. Ils jouaient au tric-trac, lapaient ... thé dans la soucoupe avec de longs soupirs, ou formaient cercle autour d'une bassine d'eau tiède pour y tremper ... pieds blessés. (N. Bouvier) — 2. Il portait sous ... bras une mince serviette de cuir marron dont la couleur contrastait avec le blanc immaculé de ... tenue de tennis. (P. Modiano) — 3. J'envoyai une bonne vingtaine de lettres à ... grand-mère, ... premier public. (F. Weyergans) — 4. Tu es partout, ... cendres t'ont dispersé mais les arbres t'enracinent dans ma mémoire.

(E. Fottorino) — 5. Le premier matin, nous retrouvions sous la haie … bêches rouillées et … seaux de plage. (J.B. Pontalis) — 6. Avec … parapluie bleu et … brebis sales, avec … vêtements qui sentent le fromage, tu t'en vas vers le ciel du coteau, appuyé sur … bâton de houx, de chêne ou de néflier. (Fr. Jammes)

[PG § 499] **ORTHOGRAPHE** *Connaître* peut désormais s'écrire *connaitre*, sans accent circonflexe sur le *i*. Par contre, *coteau* n'en a jamais eu.

280 Refondez les phrases suivantes en remplaçant les éléments en italique par un adjectif possessif, que vous placerez avant le nom.

1. Vous voyez là la maison *qui m'appartient*. — 2. Les livres *que tu possèdes* sont tes amis. — 3. Les compliments *que vous me faites* me touchent. — 4. Les jeux *auxquels vous vous livrez* sont bien bruyants ! — 5. À l'âge *où ils sont*, on n'a pas encore beaucoup d'expérience.

[PG § 209] **281 Retrouvez la phrase qui correspond à chacune des nuances marquées par l'adjectif possessif : appartenance, soumission, habitude, affection, mépris, intérêt, ironie.**

1. *Mon* verre n'est pas grand, mais je bois dans *mon* verre. (A. de Musset) — 2. Tu es encore en train de parler de *ton* Bénabar ! — 3. Je le vois : vous avez encore *votre* migraine. — 4. *Mon* capitaine, j'exécuterai ces ordres. — 5. Viens, *mon* Corentin, mettons-nous en route ! — 6. *Notre* lièvre, dit le fabuliste, n'avait que quatre pas à faire. — 7. Comment voulez-vous que je le regrette, *votre* Paris bruyant et noir ? (A. Daudet)

[PG § 210] **282 Inventez quatre courtes phrases où l'article défini tiendra lieu du possessif devant des noms désignant soit des parties du corps ou du vêtement, soit une faculté mentale.**

[PG § 230] **283 Remplacez les trois points par *leurs*, adjectif possessif, ou par *leur*, pronom invariable** (= à eux, à elles) **Indiquez de quel cas il s'agit.**

1. Qui de nous n'a trouvé du charme à suivre des yeux les nuages du ciel ? Qui ne ... a envié la liberté de ... voyages au milieu des airs ? (A. de Vigny) — 2. Ils appelleraient cet équilibre bonheur et sauraient, par … liberté, par … sagesse, par … culture, le préserver, le découvrir à chaque instant de … vie commune. (G. Perec) — 3. Mais il … est arrivé, à Paris ou ailleurs, quand je les rencontrais, de me présenter à … compagne (…). (B. Cendrars) — 4. L'intendant vint, la barrette à la main, prendre les comédiens et les conduire à ... logements respectifs. (Th. Gautier) — 5. La pelle à la main, le père et le fils contemplaient … œuvre. (R. Gary) — 6. Mlle Mesureux ne se souvenait pas d'avoir eu besoin, pour ... parler, d'une phrase nouvelle. (J. Kessel) — 7. … silhouettes frustes et savoureuses passent et repassent. (N. Doff)

VOCABULAIRE *Fruste* signifie « non poli, mal dégrossi, rudimentaire », c'est le contraire de « raffiné ». Ne le confondez pas avec *rustre* (grossier, brutal).

284 Mettez l'adjectif possessif convenable ou bien l'article défini (contracté au besoin). [PG § 210]

1. Élisa exprima … reconnaissance à … amie qui lui avait tendu … bras dans les moments difficiles. — 2. Une personne qui a ... bras long a un crédit, un pouvoir qui s'étend loin. — 3. Colbert, dit-on, se frottait ... mains en voyant le matin qu'il avait beaucoup de travail à accomplir. — 4. Des curieux tendent … cou pour apercevoir la vedette malgré la foule. — 5. Mes amis avaient l'habitude de perdre … mémoire quand je leur rappelais … dettes. — 6. L'averse lui avait mouillé … cheveux, … visage et tout … corps ; … beaux vêtements étaient trempés. — 7. J'attends, assise sur … valise, … menton dans … mains. (M. Frère)

285 Remplacez les trois points par l'adjectif possessif convenable (en rapport avec chacun). [PG § 211]

1. Chacun a … qualités et … défauts. — 2. Balzac et Proust avaient chacun … génie. — 3. Il faut que vous apportiez chacun … contribution à l'élaboration de ce projet. — 4. Vous aurez chacun … joies et … peines. — 5. Les électeurs ont pu voter chacun pour … candidat. — 6. Nous parlerons chacun à … tour. — 7. Les diverses saisons ont chacune … plaisirs.

286 Justifiez l'accord des adjectifs possessifs en italique. [PG § 213]

1. Les pirates ont pris *leur or* et *leurs pierreries*, mais ils leur ont laissé la vie. — 2. Les castors construisent *leurs huttes* dans les cours d'eau ; on fait à ces rongeurs une chasse active pour *leurs fourrures*. — 3. Mes enfants, agissez en *votre âme* et conscience. — 4. Cependant les marchands ont rouvert *leurs boutiques*. (V. Hugo) — 5. Ma mère et ma sœur avaient revêtu *leurs costumes*, robe noire et grande coiffe à rubans empesés qui leur donnaient un air de gravité. (J.M.G. Le Clézio)

Adjectifs démonstratifs [PG § 214-215]

La femme battue

À ces cris, Zadig courut se jeter entre elle et ce barbare. Il avait quelque connaissance de la langue égyptienne. Il lui dit en cette langue : « Si vous avez quelque humanité, je vous conjure de respecter la beauté et la faiblesse. Pouvez-vous outrager ainsi un chef-d'œuvre de la nature, qui est à vos pieds, et qui n'a pour sa défense que des larmes ? — Ah ! ah ! lui dit cet emporté, tu l'aimes donc aussi ; et c'est de toi qu'il faut que je me venge. » En disant ces paroles, il laisse la dame qu'il tenait d'une main par les cheveux, et, prenant sa lance, il veut en percer l'étranger.

VOLTAIRE, *Zadig ou la Destinée.*

287 Relevez, dans le texte ci-dessus les adjectifs démonstratifs et analysez chacun d'eux.

Modèle: *Ce* paysage est enchanteur; — *ce* adj. démonstr.; masc. sing.; déterminatif de *paysage*.

288 Analysez les adjectifs démonstratifs.

1. Dans la pirogue qui s'éloigne, il me semble que tous les hommes ressentent cela aussi, ce désir de la haute mer. (J.M.G. Le Clézio) — 2. Après bien des efforts, on parvint à le tirer de l'armoire, ce fameux bocal. (A. Daudet) — 3. Le train courait dans ce jardin, dans ce paradis des roses, dans ce bois d'orangers et de citronniers épanouis qui portent en même temps leurs bouquets blancs et leurs fruits d'or, dans ce royaume des parfums, dans cette patrie des fleurs, sur ce rivage admirable qui va de Marseille à Gênes. (G. de Maupassant) — 4. On nous donnait parfois pour étrennes une de ces boîtes de Nuremberg renfermant une ville allemande en miniature. (Th. Gautier)

[PG § 499] ORTHOGRAPHE *Boîte* peut désormais s'écrire *boite*.

289 Remplacez les trois points par *ce* ou par *cet*.

1. Le pinson, ... bel oiseau, ... oiseau sémillant. — 2. Voici ... témoignage, ... humble témoignage. — 3. ... chef-d'œuvre admirable, ... admirable chef-d'œuvre. — 4. Je connais ... personnage, ... héroïque personnage. — 5. Vois-tu ... haut peuplier? — 6. Faites-moi ... honneur. — 7. J'ai vu ... spectacle étonnant, ... épouvantable spectacle. — 8. Admirons ... héros.

[PG § 207] **290 Remplacez les trois points par *ces* ou par *ses*.**

1. Sa bouche est chaude comme la vie; ... yeux profonds comme la mort. (M. Yourcenar) — 2. On admire ... héros qui ont voué leur vie au soulagement de l'humanité. — 3. Le cœur a ... raisons, que la raison ne connaît point. (B. Pascal) — 4. Chacun doit prendre ... responsabilités. — 5. Il vaudrait mieux, si tu écris ... choses, ne pas les publier. (R.-L. Junod) — 6. Pour qui sont ... serpents qui sifflent sur vos têtes? (J. Racine)

[PG § 499] ORTHOGRAPHE *Connaît* peut désormais s'écrire *connait*, sans accent circonflexe.

291 Inventez deux phrases où vous emploierez des adjectifs démonstratifs prochains, et deux phrases où vous emploierez des adjectifs démonstratifs lointains.

[PG § 217-225]

Adjectifs indéfinis

Promenade en ville

Le lendemain, alors que toutes les usines fumaient encore à l'autre bout de la ville, à l'heure déjà passée où chaque vendredi ils allaient dans ce quartier,
— Viens, dit Anne Desbaresdes à son enfant.

> Ils longèrent le boulevard de la Mer. Déjà des gens s'y promenaient, flânant. Et même il y avait quelques baigneurs.
> L'enfant avait l'habitude de parcourir la ville, chaque jour, en compagnie de sa mère, de telle sorte qu'elle pouvait le mener n'importe où.
>
> Marguerite Duras, *Moderato cantabile.* Paris, Éd. de Minuit, 1958.

292 Relevez, dans le texte ci-dessus, les adjectifs indéfinis et analysez chacun d'eux.

Modèle: *Tout* homme est mortel; — *tout*: adjectif indéfini; masc. sing.; déterminatif de *homme.*

293 Analysez les adjectifs indéfinis.

a) 1. Absorbé par son travail, Julien n'entend aucun bruit, ne répond à aucun appel. — 2. Quand on dit de certaines personnes qu'elles ont plusieurs cordes à leur arc, on veut dire qu'elles ont plusieurs moyens pour parvenir à leur but ou qu'elles ont, pour vivre, diverses ressources. — 3. Tel vendeur de produits d'entretien ou autre négociant en tous genres font du démarchage par téléphone. — 4. Il m'est arrivé plus d'une fois d'avoir à faire à eux. — 5. Les mêmes causes produisent les mêmes effets.

b) 1. Vous trouverez leur maison au bout d'un chemin qui semble ne mener nulle part. — 2. Pour toutes ces raisons déjà, je suis amoureux de chez moi. (Ph. Delerm) — 3. Elle tenta de reprendre la même occupation quelques années plus tard. (R. Gary) — 4. Des lianes de plusieurs centaines de mètres de long amarraient les arbres entre eux. (M. Duras) — 5. Confortablement installée, elle faisait parfois avec sa cigarette, dans l'interminable tissu, on ne sait quelle invisible couture. (H. Bauchau) — 6. Jean Marro était attentif à chaque détail, chaque seconde, c'était une douleur qui faisait résonner toutes ses fibres. (J.M.G. Le Clézio) — 7. Il paraît que certains hommes puisent une grande force dans leur bonheur. (A. Adamek) — 8. Comment Sekou mérita le qualificatif de terrible est une autre histoire et une longue histoire. (A. Kourouma)

294 Dites si, dans les phrases suivantes, les adjectifs indéfinis marquent une idée: 1° de qualité; 2° de quantité; 3° d'identité, de ressemblance ou de différence:

1. Sans aucune difficulté, il a franchi la ligne d'arrivée le premier. — 2. Il a inventé je ne sais quelle excuse pour justifier son retard. — 3. Elle posa sur le comptoir un tiroir qui contenait des bobines de différentes couleurs. (J. Green) — 4. J'ai entendu ma sœur fredonner ce refrain maintes et maintes fois. — 5. J'écoute si d'en haut il tombe quelque bruit. (V. Hugo) — 6. Pas un chat dans les rues du village. (A. Daudet) — 7. Elle prend quelques jours de vacances. — 8. Autres temps, autres mœurs. — 9. Les Frontenac se retrouvèrent tous, dans le même compartiment. (Fr. Mauriac) — 10. Je viendrai vous chercher tel jour, à telle heure.

VOCABULAIRE *Pas un chat* signifie « absolument personne ». Beaucoup d'expressions et de proverbes font référence au chat, parmi eux, citons : *la nuit tous les chats sont gris*, « dans l'obscurité, on confond tout et tout le monde » ; *appeler un chat un chat*, « dire les choses telles qu'elles sont » ; *donner sa langue au chat*, « renoncer à deviner la solution » ; *il n'y a pas de quoi fouetter un chat*, « la faute est insignifiante ».

[PG § 219, 222-223, 225]

295 Dites si les mots en italique sont adjectifs indéfinis ou adjectifs qualificatifs.

1. Le score de ce match est *nul*. — 2. Il avait, dans un *certain* monde, une espèce de célébrité. (G. Flaubert) — 3. *Toute* sa vie est pareille à une journée d'orage. (R. Rolland) — 4. *Toute* vie est un mélange de biens et de maux. — 5. Votre succès est *certain* si vous êtes méthodique et perspicace ; *nulle* difficulté ne vous arrêtera. — 6. L'abeille se pose sur *différentes* fleurs. — 7. Nous avons sur cette question des avis *différents* ; vous avez votre opinion ; la mienne est *autre*. — 8. *Telle* est ma décision. — 9. Revenez un *autre* jour. — 10. *Tel* problème semble difficile à résoudre qui devient simple quand on en analyse les données.

[PG § 219]

296 Expliquez l'emploi ou le sens des adjectifs en italique.

1. Ils l'aimaient moins qu'*aucune* autre génération l'avaient aimée. (G. Bernanos) — 2. Il ne déclenche contre eux *aucunes* représailles. (F. Nourrissier) — 3. *Nuls* pépiements d'oiseaux n'égayaient cette solitude (H. Lavedan) — 4. La vie personnelle de Don Ruggero avait été aussi *nulle* que possible. (M. Yourcenar) — 5. *Aucun* homme n'a reçu de la nature le droit de commander aux autres. (D. Diderot) — 6. Vous ferez ce voyage sans *aucuns* frais.

[PG § 220]

Sur le mot « quelque »

297 Justifiez l'orthographe de *quel que* ou de *quelque*.

a) 1. Il lui restait encore *quelques* obus à examiner. (A. de Vigny) — 2. *Quelle que* puisse être votre opinion, exprimez-la. — 3. Si ce film comporte *quelques* scènes choquantes, il n'en est pas moins excellent. — 4. Le cours du Rhin est long de *quelque* treize cents kilomètres. — 5. *Quelques* beaux pays que vous ayez visités, vous vous émerveillez encore en en découvrant d'autres. — 6. Le fait est vrai, *quelque* extraordinaire qu'il puisse paraître. (H. de Balzac)

b) 1. *Quelle que* soit la destinée de mes travaux, cet exemple, je l'espère, ne sera pas perdu. (A. Thierry) — 2. À *quelque* temps de là, il rentra au pays. — 3. *Quels que* soient les mets, l'appétit et le bonheur leur prêtent une saveur charmante. (Töppfer) — 4. Il y eut *quelques* instants de silence que personne n'osa rompre. (G. Sand) — 5. Je résolus, *quels que* fussent mes périls à venir, de n'avoir plus d'autre arme. (A. de Vigny) — 6. J'ai fait connaissance avec lui il y a *quelque* soixante-dix ans. (Fr. Jammes) — 7. À peine *quelque* lampe au fond des corridors Étoilait l'ombre obscure. (V. Hugo)

ORTHOGRAPHE *Paraître* peut désormais s'écrire *paraitre*. [PG § 499]

298 Inventez trois courtes phrases où vous emploierez *quel que* (deux mots) — et trois phrases où vous emploierez *quelque* (un mot).

299 Dites si *quelque* est adjectif indéfini ou adverbe.

a) 1. Nous nous attendons à *quelque* changement inopiné. — 2. Les frais s'élèvent à *quelque* cinq cent euros. — 3. *Quelque* gentiment qu'on lui parle, elle n'écoute pas. — 4. *Quelque* explication que vous donniez, on ne vous croira pas. — 5. *Quelque* impressionnant qu'il soit, il ne nous fait pas peur. — 6. Félix a toujours quelque bonne blague à raconter. — 7. Nous étions *quelque* peu découragés. — 8. *Quelque* bon comédien qu'il soit, cet acteur n'arrive pas à rendre son personnage crédible.

b) 1. Nous avons attendu *quelque* temps. — 2. *Quelque* délabrée qu'elle soit, cette demeure a du charme. — 3. *Quelque* faux qu'elle chante, Josiane fredonne continuellement. — 4. Il est impossible d'être un bon pianiste sans *quelque* talent. — 5. À *quelque* cent mètres, la nappe bleu-de-paon d'une rivière entraînait avec paresse le mirage des arbres. (Fr. Jammes) — 6. Nous tâchons de rencontrer *quelque* habile homme, *quelque* médecin particulier qui pût donner *quelque* soulagement à la fille de notre maître. (Molière) — 7. Ton témoignage peut présenter *quelque* intérêt pour l'enquête. (H. Bazin)

ORTHOGRAPHE *Maître* et *entraîner* peuvent désormais s'écrire sans accent circonflexe. [PG § 499]

300 Remplacez les trois points par *quel que* ou par *quelque* et faites l'accord quand il y a lieu.

a) 1. Je me tairai … soit mon désir de parler. — 2. Dans ce livre de recettes, on trouve toujours … plats faciles à préparer. — 3. Il faut réduire notre consommation d'énergie, … effort que cela demande. — 4. Il porte un gilet de laine, … soit la saison. — 5. … puisse être le talent d'un artiste, il doit travailler pour être apprécié.

b) 1. Au lieu de villages, on aperçoit les ruines de ... tours. (R. de Chateaubriand) — 2. … puisse être sa chance, je ne l'envie pas. — 3. Elle a … quinze ans en moins que moi. — 4. ... brillants lauriers que promette la guerre, On peut être héros sans ravager la terre. (Boileau) — 5. Ces cartes postales, … jolies qu'elles soient, ne reflètent pas la beauté du paysage. — 6. ... méchants que soient les hommes, ils n'oseraient paraître ennemis de la vertu. (F. de La Rochefoucauld)

ORTHOGRAPHE *Paraître* peut désormais s'écrire *paraitre*, sans accent circonflexe. [PG § 499]

301 Même exercice.

a) 1. … petites attentions que vous lui témoigniez, elle en sera contente. — 2. Le mont Everest s'élève à ... 8 800 mètres. — 3. … puissantes que soient certaines voitures, il faut observer les limitations de vitesse. — 4. … soit la chose qu'on veut dire, il n'y a qu'un mot pour l'exprimer. (G. de Maupassant) — 5. … bonnes résolutions qu'elle ait prises, elle arrive toujours en retard. — 6. J'accomplirai cette tâche, ... en soit la difficulté.

b) 1. Mes pieds ballants pendaient à ... dix mètres au-dessus de la source. (F. Fabre) — 2. Qu'importe au genre humain que ... frelons pillent le miel de ... abeilles? (Voltaire) — 3. ... en soient les dangers, l'eau me tente toujours. (H. Bosco) — 4. ... puissent être vos sentiments pour lui, il est votre ami et celui de votre famille. (Delacroix) — 5. Pour tous les travaux de ... importance, les deux hommes se trouvaient associés. (A. Chamson)

302 Remplacez les trois points par *quelque* et, quand il y a lieu, faites l'accord.

1. ... grandes qualités que vous possédiez, vous ne convenez pas pour ce poste. — 2. ... bonnes nageuses qu'elles soient, elles risquent de se noyer à cet endroit. — 3. ... grands efforts qu'il déploie, je crois qu'il n'atteindra pas son but. — 4. ... puissants antiseptiques que soient ces produits, ils seront inefficaces contre cette infection. — 5. ... grosses tempêtes que vous traversiez, ne perdez pas courage. — 6. Mais il faut bien vivre, et vivre cette vie, ... grands yeux qu'elle vous fasse ouvrir. (J. Laforgue)

[PG § 223]

Sur le mot «tout»

Dans les gouffres

Nous étions, mon compagnon et moi, *tout* comprimés dans un laminoir rocheux où nous étions engagés; *tout* soudain j'entendis un bruit saccadé, rapide, qui faisait vibrer *tout* le sol. *Tout* intrigué, j'invitai mon compagnon, couché à cinq mètres derrière moi, à ne plus remuer et à écouter; mais il n'entendait rien, alors que je percevais des coups précipités dont la nature m'échappait; *tous* pourtant étaient bien résonnants.

Le *tout* finit par s'éclaircir: les coups, c'étaient les battements tumultueux du cœur de mon camarade; je les entendais *tous* à cinq mètres de distance et je les percevais par *tout* le corps. Le plancher creux sur lequel était couché mon compagnon, *tout* incroyable que cela paraisse, me les transmettait comme un amplificateur; nous pouvions même compter *toutes* les pulsations.

D'après Norbert Casteret, *Au fond des gouffres*. Paris, Éd. Perrin.

303 Indiquez, pour chaque cas, dans le texte ci-dessus, la nature du mot *tout*.

304 Analysez le mot tout.

a) 1. Je t'envoie *toute* mon affection. — 2. *Tout* compromis est impossible. — 3. Nous avons marché *toute* une après-midi dans la forêt. — 4. Nous sommes *tout* contents quand nous recevons de bonnes nouvelles. — 5. *Tout* reverdit au printemps. — 6. Chaque salle de cette exposition forme un *tout* harmonieux.

b) 1. Apprenez que *tout* flatteur Vit aux dépens de celui qui l'écoute. (J. de La Fontaine) — 2. Le vacarme des voix me faisait peur ; parfois elles se taisaient *toutes*. (Fr. Mauriac) — 3. Les hommes n'ont plus le temps de rien connaître. Ils achètent des choses *toutes* faites chez les marchands. (A. de Saint-Exupéry) — 4. *Tout* m'afflige et me nuit, et conspire à me nuire. (J. Racine) — 5. Elle demeurait sérieuse et impassible, *toute* à son travail. (H. Bordeaux)

VOCABULAIRE Ne confondez pas un *compromis* qui est un « arrangement dans lequel on se fait des concessions mutuelles » et une *compromission* qui est une « implication dans une affaire douteuse ».

ORTHOGRAPHE *Connaître* peut désormais s'écrire *connaitre*, sans accent circonflexe sur le *i*. [PG § 499]

305 Même exercice.

a) 1. *Tous* cherchent le bonheur, peu le trouvent. — 2. *Tous* ceux qui ont vu ce film ne tarissent pas d'éloges. — 3. *Toutes* désertiques que soient ces contrées, on y rencontre des habitants. — 4. Les hommes sont *tous* mortels. — 5. Devant tant de choix, elles sont *tout* hésitantes. — 6. Une mère est *tout* émue en voyant son enfant faire ses premiers pas. — 7. Elle a consacré des jours *tout* entiers à rédiger ce texte.

b) 1. Ce sont des gens *tout* d'une pièce. (J. Chardonne) — 2. *Tout* dort dans les maisons où regarde la lune. (A. Samain) — 3. Je gagne beaucoup moins que les médecins et les notaires, mais c'est là une infériorité *tout* accidentelle. (J. Romains) — 4. Il monta sur les deux genoux *toutes* les collines ayant une chapelle à leur sommet. (G. Flaubert) — 5. Vieillards, hommes, femmes, enfants, *tous* voulaient me voir. (Montesquieu) — 6. Nous avons *tous* assez de force pour supporter les maux d'autrui. (F. de La Rochefoucauld)

306 Sur le thème de la ville, composez 4 phrases dans lesquelles le mot *tout* sera employé comme *adjectif*, comme *pronom*, comme *nom commun*, comme *adverbe*.

307 Remplacez les trois points par le mot *tout*, que vous orthographierez correctement.

a) 1. ... les hommes doivent s'entraider. — 2. Il y a des phrases ... faites dont on se sert ... les jours sans en peser le sens. — 3. ... Rome est couverte de monuments. — 4. Ma grand-mère est là, immobile, ... à ses souvenirs. — 5. Ces réactions sont diverses, mais ... se justifient. — 6. Après avoir réfléchi ... une journée sur ce problème, j'en ai trouvé la solution.

b) 1. On rencontre ... espèce de gens dans ces pays. (H. Bosco) — 2. Si à choses égales on ajoute choses égales, les ... seront égaux. (B. Pascal) — 3. L'idée de faire parade d'une science ... fraîchement acquise et de tourner en ridicule ses meilleures amies apaisa un peu l'irritation de notre hôtesse. (A. Hermant) — 4. La jeune fille, ... émue, tomba aux genoux de sa mère. (Lamennais) — 5. Une abeille, deux abeilles, ... engourdies encore par leur long sommeil hivernal, remuaient doucement leurs ailes. (M. Genevoix) — 6. Ma première impression fut ... d'étonnement et de dégoût. (P. Loti) — 7. Elle se jeta ... habillée sur son lit. (Th. Gautier) — 8. Il était une fois un homme qui avait une cervelle d'or; oui, madame, une cervelle ... en or. (A. Daudet) — 9. Mes deux frères, et moi, nous étions ... enfants. (V. Hugo) — 10. Les ... petits dormaient, paquets, dans un linge noir accroché au dos des mères. (A. Malraux)

[PG § 499] **ORTHOGRAPHE** 1. *Fraîchement* et *dégoût* peuvent désormais s'écrire *fraichement* et *dégout*.

2. Observez l'orthographe de *s'entraider, entrouvrir, entracte.*

308 Même exercice.

1. J'ai pris votre commande, le ... vous sera livré dans huit jours. — 2. Parmi ces arguments, ... ne sont pas convaincants. — 3. Il y a des caractères ... d'une pièce, qui ignorent ... les finesses d'une situation. — 4. Quand l'orateur parut la salle ... entière applaudit. — 5. ... habile qu'elle peut être à ce jeu, elle a perdu ... les manches. — 6. Les bébés, ... petits qu'ils sont, comprennent déjà beaucoup de choses. — 7. Tu ne peux plus porter cette veste ... usée.

309 Orthographiez correctement *tout* devant *autre.*

1. J'aurais pu avoir une [*tout*] autre place. (J. Romains) — 2. Elle avait du mépris pour [*tout*] autre arme. (P. Mérimée) — 3. Il se sert d'une [*tout*] autre arme. — 4. [*Tout*] autre musique paraît brutale et grossière. (E. Jaloux) — 5. Les armes offensives et défensives étaient [*tout*] autres encore qu'aujourd'hui. (Voltaire) — 6. [*Tout*] autre solution me semblait ridicule. (R. Radiguet) 7. Nous adopterons une [*tout*] autre solution — 8. Le seringat embaume plus que [*tout*] autre fleur de ce jardin. — 9. Les villes et les villages ont ici une [*tout*] autre apparence. (R. de Chateaubriand) — 10. J'ai parlé de [*tout*] autre chose que des livres. (M. Proust) — 11. Une [*tout*] autre idée vint traverser mon esprit. (G de Nerval) — 12. Le Gonzo prit une [*tout*] autre manière avec la pauvre marquise. (Stendhal)

[PG § 499] **ORTHOGRAPHE** *Paraître* peut désormais s'écrire *paraitre*, sans accent circonflexe sur le *i*.

310 Faites entrer dans une phrase chacune des expressions suivantes:

1. Toute autre. — 2. Tout autres. — 3. Tout entière. — 4. Tout entiers. — 5. Tout agréables que sont ... — 6. Tout émues. — 7. Toutes honteuses. — 8. Être tout innocence. — 9. Plusieurs touts.

[PG § 224] Sur le mot « même »

311 Analysez le mot même.

a) 1. Les *mêmes* causes produisent les *mêmes* effets. — 2. Nous sommes responsables de nous-*mêmes*. — 3. Ma mère est la bonté *même*. — 4. Les vitres, les parquets, les meubles, les bibelots *même* étaient recouverts de poussière. — 5. Ses parents, ses amis, ses voisins *même* sont venus l'accueillir. — 6. Certains jazzmen sont le rythme et la musique *mêmes*.

b) 1. Et les nuits qui venaient après, les nuits *mêmes* étaient lumineuses. (P. Loti) — 2. Les rues *même* ont été débaptisées. (H. Bordeaux) — 3. Et les violettes elles-*mêmes*, écloses par magie dans l'herbe, cette nuit, les reconnais-tu ? (Colette) — 4. Nous avions les *mêmes* goûts, le *même* rythme de vie. (A. Maurois) — 5. Ce vieillard était la sérénité *même*. (J. Green) — 6. Soyez hospitalier, *même* à votre ennemi. (V. Hugo)

ORTHOGRAPHE 1. *Goût* peut désormais s'écrire *gout*. [PG § 499]
2. Le pluriel de *jazzman* peut être *jazzmen* ou *jazzmans*. [PG § 502]

312 Distinguez si même marque : 1° l'identité, la ressemblance ; 2° l'extension.

1. Il répète toujours les *mêmes* discours. — 2. J'aime les discussions entre copains, *même* quand les points de vue divergent. — 3. Comment prétendrons-nous qu'un autre garde notre secret, si nous ne pouvons le garder nous-*mêmes*? (F. de La Rochefoucauld) — 4. Souvent les romans n'ont pas besoin d'autres explications que leur lecture *même*. — 5. *Même* les voitures dormaient. (J.M.G. Le Clézio) — 6. Patrick rêve d'acheter une maison, *même* délabrée.

313 Remplacez les trois points par le mot *même*, que vous orthographierez correctement.

a) 1. Les tendresses des mamans se traduisent en tous les pays par les ... gestes. — 2. Quelques simples gestes, quelques regards ... suffisent parfois pour exprimer notre volonté. — 3. Le premier-né ce fut la douceur et la patience ... (J. Supervielle) — 4. Les nuages les plus noirs ... ont comme une bordure d'argent. — 5. Dans cette étude, appuyez-vous sur les textes ... — 6. Ils étaient soucieux d'eux-... et de leur tranquillité. — 7. Tout en ayant confiance en vous-..., mes amis, ne soyez pas téméraires. — 8. Veillez à ce que les paramètres soient toujours les .... — 9. Certains arbres portent aujourd'hui les ... fruits qu'ils portaient il y a deux mille ans.

b) 1. Tout m'importe en Alsace, les cultures, les usines, ... les auberges. (M. Barrès) — 2. Nous méprisons beaucoup de choses pour ne pas nous mépriser nous-... (Vauvenargues) — 3. Le village avait ses devins, ses rebouteux, ses saints ... (H. Bordeaux) — 4. Elles ont jusqu'à deux mille livres de dot et ornent ... leurs oreilles de pendants d'or. (Voltaire) — 5. Une ... vague écumante Nous jetait aux ... récifs. (V. Hugo) — 6. Lisbeth est la gaieté, la gentillesse ... (Curtis) — 7. Les hommes, et ... les siècles passés, doivent entrer en scène dans le récit. (A. Thierry) — 8. Des renards, des loups ... ne lui soufflent-ils pas dans ses doigts, sur sa joue ? (J. Renard)

VOCABULAIRE 1. *Rebouteux* : personne qui fait profession de remettre les membres démis, de réduire, par des moyens empiriques, les luxations, les fractures, etc.

2. *Récif* : rocher ou groupe de rochers à fleur d'eau, dans la mer.

ORTHOGRAPHE On peut écrire *gaieté* ou *gaîté*.

[PG § 225]

Sur le mot « tel »

314 Analysez le mot tel.

a) 1. Je suis vraiment étonné qu'il tienne de *tels* propos. — 2. Nous avons convenu qu'il arriverait *tel* jour, à *telle* heure. — 3. *Tel* qui rit vendredi dimanche pleurera. — 4. La persévérance et la méthode: *telles* sont les meilleures conditions de votre succès. — 5. Ce sont les paroles, *telles* que je les ai entendues.

b) 1. Il faut *tel* métrage de tissu pour confectionner des rideaux. — 2. J'ai eu une *telle* peur que je me suis enfui. — 3. Des teintes *telles* que le bleu de la mer, l'azur du ciel, le blanc de l'écume composent ce tableau. — 4. Veuillez faire arrêter et conduire en prison un *tel* de *tel* endroit. (P.-L. Courier) — 5. Quelques-uns avaient servi dans l'ancienne armée, *tels* que Louis Davout. (J-M. de Heredia)

315 Remplacez les trois points par *tel*, que vous orthographierez correctement.

a) 1. … est votre joie qu'elle fait plaisir à voir. — 2. La cuisinière emploie, pour confectionner ce gâteau, … ingrédients qui le rendent si savoureux. — 3. … aurait pu arriver dans le peloton de tête qui a abandonné la course. — 4. Quelques pépiements, ... qu'un prélude indécis, circulent dans la ramure. — 5. ... est pris qui croyait prendre.

b) 1. Il y avait deux chambres ... quelles. (P. Mérimée) — 2. Leur bonheur immérité les poursuit, ... une vengeance. (P. Morand) — 3. Durtal désigna du doigt des nuages noirs qui fuyaient ... que des fumées d'usines. (J.-K. Huysmans) — 4. Elle m'apparaissait ... qu'une princesse de contes merveilleux. (Fr. Mauriac) — 5. ... ils étaient alors, ... je les vois aujourd'hui. (G. Duhamel) — 6. Vus des avions, les camions semblaient fixés à la route, ... des mouches à un papier collant. (A. Malraux)

[PG § 199-225]

Adjectifs non qualificatifs : récapitulation

316 Relevez les divers adjectifs : numéraux, possessifs, démonstratifs, relatifs, interrogatifs, indéfinis ; analysez-les.

Moment de répit

Angelo passa ces deux heures dans la sérénité la plus absolue. Il n'avait pas voulu fumer un petit cigare pour ne pas donner envie à ceux de la quarantaine qui n'avaient pas de tabac. Avant de s'y résoudre, il avait jeté quelques coups d'œil par-dessus son épaule pour voir s'il y avait des fumeurs; il n'y en avait pas. Après avoir mangé la soupe, les gens s'étaient allongés sur leur litière. Le représentant en machines à coudre ne devait pas être généreux tous les jours. Angelo ne souffrit pas de cette privation plus de cinq minutes. Il compta les fumées qui sortaient des cheminées : il y en avait sept. Sept feux dans ce bourg qui, avant la contagion, devait en allumer plus de huit cents vers les quatre heures de l'après-midi.

Jean GIONO, *Le hussard sur le toit*. Paris, Éd. Gallimard, 1951.

VOCABULAIRE La *quarantaine* fait référence, ici, à l'isolement imposé à des personnes contagieuses d'une durée équivalent plus ou moins à quarante jours.

PRONONCIATION *Hussard* a un *h* aspiré tout comme *Hongrie*, *Hollandais*, *hache*, *hangar*, *hanneton*.

317 Même exercice.

a) 1. Cet artiste, je te l'ai dit maintes fois, est inégalable; j'ai quelques reproductions de ses œuvres chez moi. — 2. Chaque âge a ses plaisirs. — 3. Le bailleur et le preneur ont signé le bail après lecture, lequel bail a été dûment enregistré.

b) 1. « Ah ! Voilà cette dame avec ses belles fourrures », pensais-je. (N. Doff) — 2. Car leurs moyens et leurs désirs s'accorderaient en tous points, en tout temps. (G. Perec) — 3. Le père Mabeuf avait près de quatre-vingt ans. Il considérait ses plantes et entre autres un rhododendron magnifique qui était une de ses consolations. (V. Hugo) — 4. Vous serez peut-être empêché d'assister à la réunion, auquel cas vous me préviendrez. — 5. Maurice, nonchalamment, sortit de sa poche les deux revolvers que Daniel avait cherchés en vain. (L. Marsaux) — 6. Il m'est parfois arrivé d'échanger quelques mots avec les autres clientes de ce coiffeur. — 7. Je ne sais plus à quel saint me vouer. — 8. Quelle est cette langueur Qui pénètre mon cœur ? (P. Verlaine)

ORTHOGRAPHE 1. *Revolver* peut désormais s'écrire *révolver*. [PG § 511]

2. *Dûment* peut désormais s'écrire *dument*. [PG § 499]

Emploi général 107
Pronoms personnels 108
Pronoms possessifs 111
Pronoms démonstratifs 112
Pronoms relatifs 114
Pronoms interrogatifs 116
Pronoms indéfinis 117

Chapitre 6

Le pronom

[PG § 226-281]

Emploi général

[PG § 226-228]

318 Chaque fois que la chose est possible, remplacez par un pronom les mots en italique. (On prendra garde qu'en principe un nom qui n'est pas déterminé ne peut pas être représenté par un pronom.)

1. Les rapaces nocturnes ont le corps couvert d'un fin duvet; *ce duvet* les protège contre le froid. — 2. Il y a des personnes douées d'une énergie extraordinaire; rien ne résiste à *cette énergie*. — 3. Vous avez exprimé votre opinion avec franchise; *cette franchise* vous honore. — 4. À quoi vous servent les conseils de votre médecin si vous ne voulez pas suivre *ces conseils* ? — 5. Vous nous persuadez de ne pas perdre courage; soyez sûr que nous ne perdrons pas *courage*. — 6. Je vous apporte un livre, mais trouverez-vous le temps de lire *ce livre* et de faire la critique *de ce livre* ? — 7. Mon fils part au Mexique, *mon fils* passera un mois *au Mexique*. — 8. C'est un écrivain peu connu; j'apprécie beaucoup le style *de cet écrivain*.

[PG § 229-244]

Pronoms personnels

La flûte

Une main *se* posa sur mon épaule. *Je me* retournai et *je* vis un homme grand de taille, mince, avec une superbe moustache rousse. C'était un étranger, probablement un Français, encore jeune. Mais comment était-*il* arrivé jusqu'au bled ? Personne au village ne *l*'avait invité. *Il* portait un sac à dos et avait l'air perdu. *Il* ne parlait pas un mot de berbère, et *moi*, pas un mot de français. *Je lui* fis signe de *s*'asseoir. *Il* sourit, déposa son sac par terre et *en* sortit une flûte en métal. Je n'*en* avais jamais vu. *Il me la* tendit et *me* demanda d'*en* jouer. *Je l*'examinai, *je* soufflai dedans. Un bruit bizarre *en* sortit. Il sourit puis *me* prit les doigts et *les* plaça sur les trous.

Tahar Ben Jelloun, *Les yeux baissés*. Paris, Éd. du Seuil, 1991.

319 Analysez, dans ce texte, les pronoms personnels (personne, fonction).

[PG § 512] **ORTHOGRAPHE** 1. *Asseoir*, *rasseoir* et *surseoir* peuvent désormais s'écrire *assoir*, *rassoir* et *sursoir* car le *e* ne se prononce plus, à l'instar de *voir* et de *choir* (ancien français *veoir* et *cheoir*).

[PG § 499] 2. Fl**û**te peut désormais s'écrire ***flute***. La nouvelle orthographe supprime l'accent circonflexe sur **–i** et **–u** sauf s'il marque une terminaison verbale (passé simple, imparfait et plus-que-parfait du subjonctif) et dans les cas où il apporte une distinction de sens utile (***mûr/mur***, ***sûr/sur***…)

320 Relevez les pronoms personnels; analysez chacun d'eux.

a) 1. Dis-moi qui tu aimes, et je te dirai qui tu es. — 2. Nous ne le lui dirons pas, nous lui viendrons en aide sans qu'il s'en doute. — 3. J'aime les livres de Le Clézio; je vais vous prêter « Révolutions »; vous me direz si vous l'avez apprécié. — 4. Ces promeneurs se sont perdus; indiquez-leur le chemin.

b) 1. Carmen comprenait qu'on aime le cinéma et lui donnait de l'argent pour qu'elle y aille autant qu'il lui plairait. (M. Duras) — 2. Je leur proposai un café mais ils déclarèrent que nous n'avions pas de temps à perdre. (B. Quiriny) — 3. Hier, en lui expliquant de l'Ovide, je me suis emporté jusqu'à le traiter de petit imbécile et à me donner mal à la tête et à la gorge. (J. Renard) — 4. Elle avait un prénom, on le sut plus tard, dans lequel sommeillait une fleur, Lysia, et ce prénom lui seyait comme une tenue de bal. (Ph. Claudel) — 5. On vous a conté que l'araignée de Pellisson fut mélomane ? Ce n'est pas moi qui m'en ébahirais. (Colette)

321 Mettez en relief: 1° par le gallicisme *c'est … que*; 2° par anticipation d'un pronom personnel; 3° par mise en vedette en tête de la phrase et reprise par un pronom — les mots en italique: «Il faut résoudre *cette difficulté*.»

322 Parmi les pronoms personnels distinguez ceux qui sont toniques et ceux qui sont atones. [PG § 232-234]

1. Dites-moi ce que vous cherchez. — 2. Il importe de se connaître soi-même. — 3. Vous, vous cherchez les ennuis; moi, je les évite. — 4. Je soussigné certifie exacte la copie du présent contrat. — 5. Le sport nous maintient en bonne condition physique; l'inaction, elle, nous affaiblit.

ORTHOGRAPHE *Connaître* peut désormais s'écrire sans accent circonflexe. [PG § 499]

323 Inventez trois courtes phrases où vous emploierez: 1° un pronom personnel de la 1re personne; 2° un pronom personnel de la 2e personne; 3° un pronom personnel de la 3e personne.

324 Inventez trois courtes phrases contenant chacune un pronom personnel réfléchi. [PG § 241]

325 Dites si, dans les phrases suivantes, le pronom en italique a le sens réfléchi, — ou s'il a le sens réciproque, — ou s'il est sans fonction logique. [PG § 241]

1. On *se* donne le temps de réfléchir, on *s'*aperçoit qu'on a tort mais on *se* persuade du contraire. — 2. Après une querelle très vive, ils *se* sont réconciliés. — 3. Elle *se* raconte des histoires à n'en plus finir. — 4. Apeuré, le chat *s'*enfuit à mon approche. — 5. Tu te doutes bien que nous *nous* reverrons. — 6. Vous *vous* entraidez. — 7. Nous *nous* soutenons mutuellement. — 8. Les soldats romains frémissaient, *se* cherchaient dans les ténèbres; ils *s'*appelaient, ils *se* demandaient un peu de pain ou d'eau. (R. de Chateaubriand)

326 Remplacez les trois points par *leur* ou par *leurs*. [PG § 207, 213, 231, 236-237]

a) 1. Les jardiniers pensent à arroser … plantes et … fleurs sans qu'on le … rappelle. — 2. … partenaires … soumirent … conditions. — 3. Mes sœurs ont nettoyé … vêtements tachés avec le produit que … a conseillé Jessica. — 4. Il … paraissait agréable de passer … vacances chez … amis.

b) 1. Ils ont le rire bruyant des provinces lointaines et suspendent … chants à vos échafaudages, comme s'ils recherchaient la douceur de … plaines (…). (F. Delgado) — 2. Oui, se faire reconnaître des Valeureux et … enjoindre de filer sur-le-champ. Il … donnerait beaucoup d'argent. (A. Cohen) — 3. Il y avait des gens autour de moi; j'entendais le bruit de … pas ou, parfois, le petit bourdonnement de … paroles. (J.-P. Sartre) — 4. Ces dames pensaient que j'allais … faire peur, et moi j'étais plus tremblant qu'elles. (Stendhal) — 5. La moto file. Le soleil met un éclat sur … casques. (G. Polet) — 6. Trois meuniers, dans la petite salle, appelaient pour qu'on … apportât de l'eau-de-vie. (G. Flaubert) — 7. Des femmes criaient et riaient; … voix étaient perçantes, animales. (Fr. Mauriac) — 8. … cartables pointaient sous … pèlerines. À cause de gros foulards qui … entouraient le cou, … têtes semblaient vissées directement dans … épaules. (H. Troyat)

VOCABULAIRE 1. *Enjoindre quelqu'un de quelque chose* signifie *lui ordonner quelque chose.*

2. *Sur-le-champ* signifie « immédiatement, sur l'heure, sans délai ». Notez aussi l'expression *à tout bout de champ* qui veut dire « à tout propos, pour un oui pour un non ».

ORTHOGRAPHE 1. Une *pèlerine* (manteau ample, sans manches, couvrant les épaules) porte un accent grave sur le premier *e* tout comme *pèlerin* et *pèlerinage*.

[PG § 499] 2. *Reconnaître* peut désormais s'écrire sans accent circonflexe.

[PG § 234-240] **327 Indiquez ce que représente, dans les phrases suivantes, le pronom *le*:**

1. Je vous offre ce livre ; lisez-*le* en pensant à moi. — 2. Je vous parle en ami, reconnaissez-*le*. — 3. Vous êtes un ingrat, vous *le* fûtes toujours. (J. Racine) — 4. Je vous *le* répète ; vous courez un grand danger. — 5. Jalouse de ma sœur ! Non, je ne *le* suis pas du tout. — 6. Tout cela, je vous *le* promets volontiers. — 7. Vous *le* prenez de bien haut ! — 8. Pour être en retard, oui, ils *le* sont. (P. Loti) — 9. Nous sommes des hommes libres et nous entendons *le* rester. (Ch. de Gaulle) — 10. Nous ne touchons que ceux qui *le* sont déjà. (Fr. Mauriac)

[PG § 239-240] **328 Remplacez les trois points par un des pronoms *le, la, l', les*.**

1. Ses cheveux sont blonds comme … sont ceux de sa mère. — 2. Les prévenus seront libérés, le tribunal a jugé qu'ils … seraient. — 3. Rome voulut être la maîtresse du monde, et elle … devint. — 4. Il y a des gens qui sont très cultivés sans … paraître. — 5. Êtes-vous les personnes dont on m'a parlé ? Nous … sommes. — 6. Aujourd'hui, ils sont encore inexpérimentés, mais ils ne … resteront pas. — 7. Vous n'êtes pas encore journalistes, mais vous … deviendrez sans doute. — 8. Resterez-vous mes amis ? Oui, nous … resterons. — 9. La reine du bal, tu … seras ce soir.

[PG § 499] ORTHOGRAPHE *Maîtresse et paraître* peuvent désormais s'écrire sans accent circonflexe.

[PG § 242] **329 Remplacez les trois points par *soi* ou par un des pronoms *lui, elle, eux, elles*.**

1. Il accomplit son éternelle promenade en tenant droit devant … cette main bandée de blanc. (G. Duhamel) — 2. Un père qu'on voit rarement, auquel on pense rarement, c'est encore quelque chose au-dessus de … (J. Renard) — 3. Ils ne sont bien que chez … — 4. Ceux qui dans le malheur se replient sur …-mêmes, en souffrent davantage. — 5. La guerre traîne après … beaucoup de maux. — 6. La mère, plantée sur la première marche du perron, regardait droit devant … (J.-P. Sartre) — 7. Et quand nous remontons le soir, chacun rentre chez … (Ch.-L. Philippe)

[PG § 499] ORTHOGRAPHE *Traîner* peut désormais s'écrire sans accent circonflexe.

[PG § 243-244] **330 Inventez six courtes phrases où *en* (3 phrases) et *y* (3 phrases) seront, tour à tour, des pronoms personnels, des adverbes de lieu et des éléments de valeur imprécise.**

331 Dites quelle est la fonction des mots en italique: «La Suisse est un pays charmant; j'*y* vais chaque année et j'*en* admire les beautés.»

Pronoms possessifs

[PG § 245-247]

332 Discernez les pronoms possessifs et analysez chacun d'eux.

Modèle : Chacun a son caractère ; nous avons *le nôtre* ; – *le nôtre* : pronom possessif ; masc. sing., 1re pers. ; complément d'objet direct de *avons.*

1. Mes bagages sont faits, les tiens le sont-ils ? — 2. Et c'était lui qui, bêtement, mettait ses pas dans les siens. (J.-B. Pontalis) — 3. Je suis bouleversé par cette vision tellement différente de la mienne. (H. Bauchau) — 4. Vos projets sont intéressants, mais les leurs me séduisent davantage. — 5. Je lui ai donné ma photo, il m'enverra la sienne. — 6. Les maisons qui ne sont pas la nôtre présentent un caractère de nouveauté qui pour moi est charmante et instructive. (Ch.-L. Philippe) — 7. Je me retournai pour voir contre le mien son visage. (A. Gide) — 8. Vous savez ce que c'est que de perdre une mère. Vous avez, je crois, la conscience qu'en bien des choses, c'est la vôtre qui vous a doué ; je sais bien aussi que je dois à la mienne une grande partie de ce qui est en moi. (E. Renan)

333 Conjuguez au présent de l'indicatif

1. Des soucis ? j'ai les miens ; des satisfactions ? j'ai les miennes. — 2. J'aime cette maison parce que c'est la mienne.

334 Remplacez par un pronom possessif les éléments en italique.

1. Mon train est arrivé avant *votre train.* — 2. Tu caresses ce projet, tu y tiens parce que c'est *ton projet.* — 3. Souvent nous ne considérons que les intérêts qui sont nos *intérêts.* — 4. Maman oubliait sa peine pour ne penser qu'à *ma peine.* — 5. Ma sœur a son caractère, *ta sœur* aussi a *son caractère.* — 6. Il ne veut pas de nos bonbons, il préfère *ses bonbons.*

335 Complétez les possessifs par *notre, votre,* — ou par *nôtre(s), vôtre(s),* en mettant bien, là où il le faut, l'accent circonflexe sur l'*o*.

[PG § 207-246]

1. On vous a préparé *v...* commande. — 2. Cette maison est-elle la *v...* ? — 3. Que *V...* Majesté ne se mette pas en colère. (J. de La Fontaine) — 4. *N...* sentiment est conforme au *v...* — 5. *V...* décision, nous la faisons *n...* — 6. Vous et les *v...* nous avez toujours secourus. — 7. Serez-vous des *n...* ce soir ? — 8. Nous ne pouvions déshonorer *n...* nom pour justifier *n...* conduite, n'est-ce pas ? (J. Green)

[PG § 248-255]

Pronoms démonstratifs

La confession publique, tout un art

> Je m'accuse, en long et en large. Ce n'est pas difficile, j'ai maintenant de la mémoire. Mais attention, je ne m'accuse pas grossièrement, à grands coups sur la poitrine. (...) Je mêle ce qui me concerne et ce qui regarde les autres. Je prends les traits communs, les expériences que nous avons ensemble souffertes, les faiblesses que nous partageons, le bon ton, l'homme du jour enfin, tel qu'il sévit en moi et chez les autres. Avec cela, je fabrique un portrait qui est celui de tous et de personne. Un masque, en somme, assez semblable à ceux du carnaval, à la fois fidèles et simplifiés, et devant lesquels on se dit : « Tiens, je l'ai rencontré, celui-là ! » Quand le portrait est terminé, comme ce soir, je le montre, plein de désolation : « Voilà, hélas ! ce que je suis. » Le réquisitoire est achevé. Mais, du même coup, le portrait que je tends à mes contemporains devient un miroir.

Albert CAMUS, *La chute*. Paris, Éd. Gallimard, 1956.

336 Repérez, dans ce texte, les pronoms démonstratifs.

337 Discernez les pronoms démonstratifs et analysez chacun d'eux.

a) 1. Celui qui aura la fève sera le roi. — 2. Mets tes lunettes : cela t'aidera à y voir clair. — 3. L'avenir appartient à celui qui se lève tôt. — 4. De toutes ces robes, celle-ci est la plus jolie. — 5. Retiens-ceci : l'excès nuit en tout. — 6. Sur ce, je vous quitte. — 7. Prends ces deux livres : celui-ci est une biographie; celui-là un récit de voyage.

b) 1. Et s'il n'en reste qu'un, je serai celui-là ! (V. Hugo) — 2. Ce disant, il ramassa le pistolet. (J. Romains) — 3. Partir, c'est mourir un peu. (E. Haraucourt) — 4. Ceci n'est pas un conte à plaisir inventé. (J. de La Fontaine) — 5. Mais je ne parle pas, cela pourrait me réveiller complètement. (N. Sarraute) — 6. Je crois plutôt que la peur naît quand on apprend un jour ce que la veille on ignorait encore. (Ph. Claudel) — 7. Ces vieux, ça n'a qu'une goutte de sang dans les veines. (A. Daudet)

[PG § 499] **ORTHOGRAPHE** *Il naît* peut désormais s'écrire sans accent circonflexe.

[PG § 250]

338 Remplacez les mots en italique par le pronom démonstratif convenable.

1. La marche est de tous les sports *le sport* qui est le plus accessible. — 2. Nos droits finissent là où commencent *les droits* des autres. — 3. Je préfère les recettes que m'a léguées ma grand-mère *aux recettes* des chefs étoilés. — 4. Le plaisir qu'on pourrait avoir ternit *le plaisir* qu'on a. — 5. Le parterre exhale un parfum de pivoines mêlé *au parfum* des roses. — 6. Reconnais tes forces et tes faiblesses; tâche d'atténuer *tes faiblesses* pour amplifier *tes forces*.

VOCABULAIRE Cherchez la signification de *inhaler*, *exhaler*, *inhumer*, *exhumer*, *émerger*, *immerger*. Notez, dans ce cas, le sens des préfixes *in-* = dans, *ex-* = hors de.

339 Mettez en relief au moyen de *c'est ... qui* ou de *c'est ... que* les éléments en italique.

[PG § 252]

1. Nous devons protéger *notre planète.* — 2. *Nous* avons gagné le match. — 3. Nous passerons nos vacances *en Suisse.* — 4. Je préfère *la natation.* — 5. Nous prendrons une décision *aujourd'hui même.* — 6. Je vous dis cela *dans votre intérêt.* — 7. *Tu* seras le capitaine de l'équipe.

340 Inventez 2 phrases dans lesquelles *ceci* représentera quelque chose qui va être exprimé; — et 2 phrases dans lesquelles *cela* représentera quelque chose qui vient d'être exprimé.

[PG § 254]

341 Remplacez les trois points par un pronom démonstratif prochain ou par un pronom démonstratif lointain.

[PG § 254-255]

1. Un gâteau ou une tarte ? .... est au chocolat, ... est aux pommes. — 2. Dites-vous bien ... : nul n'est prophète en son pays. — 3. La comédie diffère de la tragédie : ... peint les passions violentes; ... représente les mœurs dans des situations plaisantes. — 4. Vivez l'instant présent : ... est bon à rappeler. — 5. J'aime le sport, j'aime la lecture : ... me procure une évasion; ... garantit ma santé. — 6. La patience vient à bout de tout : ... est passé en proverbe.

342 Remplacez les trois points par un pronom démonstratif avec *-ci* ou *-là*.

[PG § 254-255]

1. Un souriceau rencontra un coq et un chat : ... lui parut doux; ..., turbulent. — 2. Un « tiens » vaut mieux que deux « tu l'auras » : ... est sûr, ... ne le sont pas. — 3. Vive l'été ! Vive aussi l'hiver ! ... m'apporte les joies du ski; ... les plaisirs nautiques. — 4. Quoi d'étonnant si le renard berna le bouc ? ... ne voyait pas plus loin que son nez; ... était passé maître en fait de tromperie. — 5. Ni la jupe bleue ni la noire ne me conviennent : ... est trop juste, ... beaucoup trop claire. — 6. Un bracelet ? je vous propose ... qui est en argent.

ORTHOGRAPHE *Maître* peut désormais s'écrire sans accent circonflexe. [PG § 499]

343 Remplacez *cela* par un nom précis, précédé de l'adjectif démonstratif: «Il vient de perdre sa mère: *cela* l'afflige.» — «Vous estimez qu'il faut partir; j'approuve *cela.*» — «On apprit que deux maisons avaient été cambriolées; *cela* émut tout le quartier.»

344 Remplacez les trois points par *c'*, ou *ç'*, ou *ça*, ou *çà*.

[PG § 255 R2, 406 d et 453]

1. ... a été pour moi un grand honneur de vous recevoir. — 2. Ah! ..., pour qui me prend-on? — 3. Les choses ne se passeront pas comme ...! — 4. Tout ... ne fait pas

mon affaire. — 5. Oh! les jolis chatons! … joue, … saute; vraiment … m'amuse de les regarder. — 6. Or … sire Grégoire, Que gagnez-vous par an? (J. de La Fontaine) — 7. … aurait été dommage de laisser passer cette occasion. — 8. Ah! … alors, … m'étonnerait! — 9. … était admirable, ce coucher de soleil. — 10. … et là des arbustes chétifs croissent sur cette terre aride. — 11. …, te défendras-tu, poltron!

[PG § 256-265]

Pronoms relatifs

Il naît sans père et porte chapeau

> Mis à part le champignon de couche — dont j'ai fait le juste éloge — et l'insipide pleurote en forme d'huître qu'il est arrivé à élever, l'homme auquel pourtant rien n'est impossible n'arrive pas à produire les champignons les plus prisés. Le cèpe, si vénéré que dans certains endroits le mot champignon le désigne exclusivement. L'oronge des Césars, dont on voit de loin le chapeau d'un orange de potiron, le meilleur de tous les champignons crus. La girolle imputrescible. (…) Les grisets qu'il faut consommer dans les heures qui suivent la cueillette. Le mousseron dont il y a de tels tapis qu'il faut s'armer d'une paire de ciseaux pour couper le chapeau. (…) L'oreillette des Causses qui pousse sous le givre. La coulemelle, ou saint-michel, dont le grand parapluie se réduit à rien dans la poêle, mais dont l'odeur et le goût ont été décuplés.
>
> Marie Rouanet, *Petit traité romanesque de cuisine*. Paris, Éd. Payot et Rivages, 1998.

345 Analysez, dans ce texte, les pronoms relatifs.

Modèle: Un mal *qui* répand la terreur; — *qui*: pronom relatif; antécédent *mal*; masc. sing.; sujet de *répand.*

ORTHOGRAPHE 1. *Pleur**ote**, échal**ote**, papill**ote**, matel**ote**, comp**ote*** ne prennent qu'un *t*, ***botte**, bisc**otte**, car**otte**, gri**otte**, charl**otte*** en prennent deux.

[PG § 514] 2. *Girolle* : la nouvelle orthographe admet aujourd'hui la finale *–**ole*** pour les mots que l'on écrit traditionnellement *–**olle*** (*corolle, girolle, barcarolle…*) à l'exception de *folle, molle, colle* et de leurs composés.

[PG § 499] 3. *Huître, naître* et *goût* peuvent aujourd'hui s'écrire sans accent circonflexe.

346 Dans les phrases suivantes, relevez les pronoms relatifs et leur antécédent:

1. C'est le frère jumeau que j'ai perdu, le père qui me manque. (J. Garcin) — 2. Le film dont tout le monde parle est encore à l'affiche. — 3. Quel est celui de ces tableaux que vous préférez ? — 4. Votre ami est là qui attend. — 5. Qu'ai-je dit qui vous étonne ? — 6. Tel est pris qui croyait prendre. — 7. Je connais le sentier détourné par lequel vous êtes venu. — 8. Nous versons une somme de dix mille euros, laquelle nous sera remboursée

dans cinq ans. — 9. Celui-là a de l'humour qui détend l'atmosphère par un jeu de mots. — 10. J'entends, qui hurle sur le boulevard, la sirène d'une ambulance.

347 Discernez les pronoms relatifs et analysez chacun d'eux.

a) 1. Les fleuves sont des chemins qui marchent. (B. Pascal) — 2. Un loup survient à jeun qui cherchait aventure. (J. de La Fontaine) — 3. La pluie, dans la cour où je la regarde tomber, descend à des allures très diverses. (F. Ponge) — 4. Insensé que je suis ! Que fais-je ici moi-même ? (A. de Musset) — 5. Mon père, de qui je voyais, sous la lampe, le crâne piqueté d'une rosée de sueur, se leva. (Fr. Mauriac) — 6. L'homme que je suis devenu couvait déjà, de très bonne heure, sous l'enfant que j'étais. (P. Loti)

b) 1. Adieu, Meuse endormeuse et douce à mon enfance, Qui demeures aux prés où tu coules tout bas. (Ch. Péguy) — 2. Je vois des objets que tu ranges, d'autres que tu époussettes et des meubles dont tu prends soin. (Ch.-L. Philippe) — 3. Quiconque parvient à dénouer cet imbroglio est perspicace. — 4. Quoi que tu fasses, fais-le avec soin. — 5. Que de choses merveilleuses se sont passées du temps qu'il y avait des fées ! — 6. À qui que ce soit que vous confiiez un secret, assurez-vous de sa discrétion. — 7. Il s'écoulait toujours quelques minutes durant lesquelles le foyer nous éclairait tout seul. (R. Boylesve)

ORTHOGRAPHE *Tu époussettes* peut désormais s'orthographier *tu époussètes*. La nouvelle orthographe des verbes en *–eler* et *–eter* suit celle de *peler* et *d'acheter* **sauf *appeler*** (et ***rappeler***), ***jeter*** (et les verbes de sa famille), dont les formes sont les mieux stabilisées dans l'usage. [PG § 500]

348 Inventez deux courtes phrases où l'antécédent du pronom relatif sera : 1° un nom ; — 2° un pronom.

349 Remplacez les trois points par le pronom relatif convenable, précédé, s'il y a lieu, d'une préposition.

1. Rapporte-moi le livre … je t'ai prêté. — 2. Tous les chiens … aboient ne mordent pas. — 3. Voici les textes … il faudrait se référer. — 4. Préparez d'abord le matériel … vous aurez besoin. — 5. Qu'est-ce que ce projet … tu m'as parlé ? — 6. Malheur à ceux … le scandale arrive. — 7. Il n'y a plus rien … nous pouvons compter. — 8. C'est une aventure … je me rappellerai longtemps.

LANGAGE On dit : « *se souvenir de quelque chose* » mais « *se rappeler quelque chose* ».

350 Remplacez les trois points par *quoique* ou par *quoi que*. [PG § 261, 443]

a) 1. … il arrive, je ne changerai pas. — 2. Ma collègue, … elle soit très occupée, va s'occuper de votre dossier. — 3. Les virus, … microscopiques, peuvent faire de grands ravages. — 4. … vous écriviez, évitez la bassesse. (N. Boileau) — 5. Certains champignons, … très beaux, sont vénéneux. — 6. Xavier décida de rester célibataire … il advienne.

b) 1. … le forsythia soit en fleurs, l'hiver n'est pas fini. — 2. … vous vouliez imposer à votre fille, elle n'en tiendra pas compte. — 3. … le centre commercial soit tout proche, elle commande tout par internet. — 4. … pût dire ou faire son mari, elle tint à son idée. (Stendhal) — 5. Il était, … riche, à la justice enclin. (V. Hugo) — 6. … il en soit, je ne veux pas entraîner mon lecteur à travers le labyrinthe de ces sentiments compliqués. (J. Green)

[PG § 499] ORTHOGRAPHE *Entraîner* peut désormais s'écrire sans accent circonflexe.

[PG § 264] 351 Dites quelle est la fonction de *dont*.

1. C'est une question *dont* je ne vois pas l'intérêt. — 2. Il n'est rien *dont* je sois plus certain. — 3. Je vous remercie pour les cadeaux *dont* vous nous avez comblés. — 4. Elle-même s'aidait d'une canne *dont* elle tâtait le sol devant elle. (H. Bosco) — 5. Voilà un résultat *dont* je suis content. — 6. Je vois là-bas la maison *dont* je pense que vous êtes propriétaire. — 7. Il n'y a point de mal *dont* il ne naisse un bien. (Voltaire)

[PG § 264] 352 Analysez le relatif *dont*.

1. Il n'y a pas de rhume *dont* une bonne tisane ne puisse triompher. — 2. Je ne trouve plus le stylo *dont* je me sers d'habitude. — 3. Les peupliers, *dont* on voit l'image dans le fleuve, frissonnent sous la brise. — 4. On débattait de Spinoza, *dont* les traités écornés par l'usage ne quittaient pas sa table de chevet. (J. Garcin) — 5. La voix *dont* notre mère nous parle est douce à notre oreille. — 6. Ils ramassèrent le héron, qui vivait encore, et *dont* ils coupèrent la gorge. (G. de Nerval) — 7. Souvent ce que nous disons frappe moins que la manière *dont* nous le disons. — 8. C'est une aventure *dont* je me souviendrai longtemps.

ORTHOGRAPHE Observez l'orthographe de : ***rh**ume*, ***rh**umatisme*, ***rh**inocéros*, ***rh**ododendron*, ***rh**étorique*, ***rh**ubarbe*.

[PG § 264] 353 Inventez trois phrases où *dont* sera complément : 1° d'un nom ; 2° d'un adjectif ; 3° d'un verbe.

[PG § 264] 354 Remplacez les trois points par *dont* ou par *d'où*.

1. La famille … je suis issu a de solides racines ardennaises. — 2. Ce jardin … vous sortez a imprégné vos vêtements des senteurs de l'automne. — 3. Que d'esquisses inachevées … pouvaient sortir des chefs-d'œuvre ! — 4. La région … proviennent ces fruits bénéficie de températures clémentes. — 5. Cette pugnacité, Astérix l'a reçue des Gaulois … il est issu. — 6. Bien des gens gardent toujours l'accent de la région … ils viennent. — 7. Il n'aime pas qu'on lui rappelle … il est issu.

[PG § 266-271] Pronoms interrogatifs

355 Distinguez les pronoms interrogatifs d'avec les pronoms relatifs. Analysez chacun de ces pronoms interrogatifs ou relatifs.

Modèle: Que demandez-vous? — *que*: pronom interrogatif; neutre sing.; compl. d'objet direct de *demandez.*

1. Qui connaît l'artiste qui a peint cette toile ? — 2. De quoi demain sera-t-il fait ? — 3. Je ne sais plus que faire. — 4. Quoi de plus changeant que l'opinion publique ? — 5. Pour qui sont ces serpents qui sifflent sur vos têtes ? (J. Racine) — 6. Voilà bien des avis; lesquels suivre ? — 7. Films d'action, comédies sentimentales : dites-moi desquels vous êtes amateur.

ORTHOGRAPHE *Il connaît* peut désormais s'écrire sans accent circonflexe. [PG § 499]

356 Renforcez au moyen de *est-ce qui* ou de *est-ce que* les pronoms interrogatifs. [PG § 267 R]

1. Que me dites-vous là? — 2. Qui vous a appris cette nouvelle? — 3. De quoi parlez-vous? — 4. Par quoi commencerons-nous? — 5. De ces deux livres lequel choisissez-vous? — 6. À qui dois-je m'adresser?

Pronoms indéfinis [PG § 272-281]

Impressions nocturnes

Tous les feux s'étaient éteints à dix heures par ordre des tambours. On n'entendait que la voix des sentinelles placées sur le rempart et s'envoyant et répétant, l'une après l'autre, leur cri long et mélancolique : *sentinelle, prenez garde à vous!* Les corbeaux des tours répondaient plus tristement encore et, ne s'y croyant plus en sûreté, s'envolaient plus haut jusqu'au donjon. Rien ne pouvait plus me troubler, et pourtant quelque chose me troublait, qui n'était ni bruit, ni lumière. Je voulais et ne pouvais pas écrire. Je sentais quelque chose dans ma pensée, comme une tache dans une émeraude; c'était l'idée que quelqu'un auprès de moi veillait aussi, et veillait sans consolation, profondément tourmenté.

Alfred DE VIGNY, *Servitude et grandeur militaires.*

357 Dites quelle est, dans ce texte, la fonction de chaque pronom indéfini.

ORTHOGRAPHE 1. *Sûreté* peut désormais s'écrire sans accent circonflexe ainsi que les mots de sa famille à l'exception de l'adjectif *sûr* qui le conserve au masculin singulier en raison de son homonymie avec la préposition *sur.* [PG § 499]

2. Ne confondez pas la *tache* qui désigne une marque ou une souillure et la *tâche* qui représente un travail, un ouvrage ou un devoir. Ces deux mots diffèrent par la présence ou non de l'accent circonflexe et par la prononciation du *a* bref ou long.

358 Relevez les pronoms indéfinis et donnez la fonction de chacun d'eux.

a) 1. Nous n'excluons personne, tout le monde a droit à la parole. — 2. Nul ne me contredira. — 3. De tous mes amis, aucun n'est invité à cette soirée. — 4. J'ai visité plusieurs pays d'Asie, plus d'un m'a émerveillé. — 5. Notre amitié ne tenait pas à grand-chose. — 6. Cette musique a je ne sais quoi qui m'ensorcelle. — 7. Tout, ici, sent le propre, le miel et la lavande. — 8. Ce qu'il me demandait était en fait peu de chose, quasiment rien.

b) 1. Rien ni personne, pas même ses êtres les plus chers, n'était en mesure de l'en distraire. (Y. Khadra) — 2. (...) tous, ou presque, se dirigeaient d'un pas rapide vers la sortie. (M. Butor) — 3. Chacun peut reconnaître ici quelque chose de son expérience. (A. Comte-Sponville) — 4. Ce fut un bref lâcher prise dont personne ne vit autre chose qu'une embrassade un peu bousculée. (F. Emmanuel) — 5. Au bout d'un quart d'heure, qui fut long, j'entendis sur l'escalier quelqu'un. (P.-L. Courier) — 6. Dans le bonheur d'autrui je cherche mon bonheur. (P. Corneille) — 7. Ma liberté est devenue n'importe quoi. (F. Marceau) — 8. Certains d'entre eux étaient en route depuis minuit. (I. Nemirovsky)

[PG § 499] ORTHOGRAPHE 1. *Reconnaître* peut désormais s'écrire sans accent circonflexe.

[PG § 500] 2. *Il ensorcelle* peut s'écrire aussi *il ensorcèle*.

[PG § 217-272]

359 Distinguez, parmi les mots en italique, les pronoms indéfinis d'avec les adjectifs indéfinis. Analysez chacun d'eux.

1. *Certaines* personnes ont peur de prendre l'avion. — 2. *Certains* imaginent les pires catastrophes. — 3. Nous avons *plusieurs* raisons de vous croire. — 4. *Plusieurs* pensent que notre planète est en danger. — 5. *Plus d'une* femme aime son travail. — 6. *Plus d'une* tente de concilier travail et vie de famille.

360 Composez, sur chacun des thèmes suivants, une phrase où vous ferez entrer un pronom indéfini.

1. Mes projets d'avenir. — 2. La candeur des enfants. — 3. La douceur de l'air. — 4. Le plaisir des retrouvailles.

[PG § 277 R4]

361 Remplacez les trois points par *on* ou par *l'on*.

1. ... peut si ... le veut, prendre ce raccourci. — 2. Il est normal que ... se soigne quand on est malade. — 3. ... revoit avec plaisir les lieux où ... a passé son enfance. — 4. Le vent fait rage; ... l'entend gémir et secouer les grands peupliers. — 5. Lorsque ... arrive en retard, ... s'excuse. — 6. Je voudrais que ... comprenne bien ma pensée. — 7. Que ... longe la route ou que ... prenne par le sentier, ... arrive au village.

[PG § 277 R2, 278-279]

362 Accordez les mots en italique.

1. Personne parmi toutes les actrices, ne fut plus [*heureux*] que Chloé de jouer dans ce film. — 2. On est rarement aussi [*heureux*] qu'on le souhaiterait. — 3. Marie, quand on est [*enjoué*] comme toi, on est [*certain*] de plaire. — 4. On est tous [*égal*] devant la mort. — 5. Personne parmi les fées n'était aussi [*malfaisant*] que la fée Carabosse. — 6. Mesdames, si [*quelqu'un*] parmi vous a une question, qu'elle la pose maintenant.

363 Remplacez les trois points par l'une des expressions *l'un, l'autre,* — *l'un l'autre,* — *l'un et l'autre* ; — s'il y a lieu, faites l'accord ; — là où c'est nécessaire, mettez une préposition.

[PG § 281]

1. À Paris, on voit plus d'un fripon qui se dupent … (Marmontel) — 2. Il n'existe pas une, mais deux histoires de l'alimentation et de la cuisine (…) … assez connue sur certains aspects, … beaucoup moins. (J.-Cl. Kaufmann) — 3. Elle me serrait très fort le poignet et tout à l'heure, à la sortie du car, on nous attacherait … par des menottes. (P. Modiano) — 4. Alors il est allé chercher toutes les clés de la maison, celles de toutes les armoires et de tous les tiroirs, et il les a essayées … (M. Butor) — 5. … des deux blessures n'était grave. (A. Dumas) — 6. Colis et gens se grimpent déjà …, tandis que le tram roule encore. (M. Frère) — 7. Et tandis que l'immobilité nous gagnait …, je l'imaginais couchée mais incapable comme moi de trouver le sommeil. (F. Emmanuel) — 8. En longeant … des cafés de Solissane, il jetait un coup d'œil à l'intérieur. (E. Jaloux)

364 Récapitulation : analysez les mots en italique (nature, fonction).

1. *Certains se* figurent *que* l'esprit humain est illimité : *quelle* erreur ! — 2. Ils *se* sont félicités mutuellement. — 3. *Il* arrive que nous estimions *quelqu'un* sur la seule réputation qu'*il* a. — 4. *Les* renseignements *qu*'il *m*'eût fallu, je ne *les* ai pas trouvés. — 5. *Ce* n'est pas *mon* avis, mais je respecte *le leur.*

Espèces de verbes 122
Verbes pronominaux 123
Verbes impersonnels 125
Formes du verbe 126
Voix du verbe 127
Modes et temps 129
Verbes auxiliaires 130
Emploi des auxiliaires 132
La conjugaison 133
Conjugaison des verbes avoir et être 134
Les finales de chaque personne 134
Remarques sur la conjugaison de certains verbes 136
Conjugaison passive 143
récapitulation 143
Conjugaison pronominale 144
Conjugaison impersonnelle 145
Conjugaison interrogative 145
Verbes irréguliers 146
Syntaxe des modes et des temps 154
Indicatif 154
Conditionnel 156
Impératif 157
Subjonctif 158
Infinitif 160
Participe présent 161
Participe passé 163
Construction du participe et du gérondif 176
Propositions participes 177
Accord du verbe 178

Chapitre 7

Le verbe

L'hôpital d'Oran

Tarrou le regarda et, tout d'un coup, lui sourit.

Ils suivirent un petit couloir dont les murs étaient peints en vert clair et où flottait une lumière d'aquarium. (...)

Ils poussèrent la porte vitrée. C'était une immense salle, aux fenêtres hermétiquement closes, malgré la saison. Dans le haut des murs ronronnaient des appareils qui renouvelaient l'air, et leurs hélices courbes brassaient l'air crémeux et surchauffé, au-dessus de deux rangées de lits gris. De tous les côtés, montaient des gémissements sourds ou aigus qui ne faisaient qu'une plainte monotone. Des hommes, habillés de blanc, se déplaçaient avec lenteur, dans la lumière cruelle que déversaient les hautes baies garnies de barreaux.

Albert Camus, *La peste*. Paris, Éd. Gallimard, 1947.

365 Discernez, dans ce texte, les verbes et leurs sujets. [PG § 282]

[PG § 283] **366 Remplacez par un verbe simple les locutions verbales.**

a) 1. Je *fais venir* un ami. — 2. J'*ai à cœur* de vous remercier. — 3. L'armée *tint tête* à l'ennemi et *fit preuve* d'un grand courage. — 4. *Mettez fin* à toutes ces querelles. — 5. Cette conduite vous *fait honneur*. — 6. On *fait grâce* au condamné.

b) 1. Je vous *sais gré* de votre sollicitude. — 2. Il *fait montre de* ses talents. — 3. J'*ai envie de* partir. — 4. Les bruits lui *font peur*. — 5. Vous *courez le risque* de tout perdre. — 6. Il *y a lieu* de sévir. — 7. Il *prend garde* de tomber. — 8. Je vous *fais savoir* mes instructions.

[PG § 284-286]

Espèces de verbes

[PG § 284] **367 Soulignez les verbes copules.**

1. L'orang-outan est un grand singe. — 2. Chaque saison a ses charmes ; quelle est celle qui vous semble la plus agréable ? — 3. Les Huns parurent effroyables aux barbares eux-mêmes. (R. de Chateaubriand) — 4. Audrey ne se trouve pas belle dans cette robe. — 5. Mon ami m'est resté fidèle quand tout m'accablait. — 6. Mon imagination m'emporte ; je deviens parfois le personnage dont je lis les aventures. — 7. Des artistes ont vécu pauvres et sont morts ignorés. — 8. Ils demeurent inquiets quant à l'avenir.

ORTHOGRAPHE *Orang-outan* peut également s'écrire *orang-outang*, le mot vient du malais où il signifie « homme des bois ». Le pluriel en est *orangs-outans*. Notez que le *g* ne se prononce pas dans ce mot.

368 Inventez de courtes phrases où vous emploierez comme verbes copules :

sembler — paraître — aller — arriver — entrer — partir.

[PG § 499] **ORTHOGRAPHE** *Paraître* peut aujourd'hui s'écrire *paraitre*, sans accent circonflexe sur le *i*.

[PG § 285-286] **369 Distinguez les phrases dont le verbe est transitif de celles dont le verbe est intransitif.**

1. Ce mur penche. — 2. Nous ne manquons pas à nos promesses. — 3. Mon travail avance. — 4. Cette porte ouvre sur la rue. — 5. Ouvrons les yeux sur le monde. — 6. Attention, baisse la tête ! — 7. J'ai avancé mon travail. — 8. Il manquera son train. — 9. Le baromètre baisse. — 10. Consultez un avocat. — 11. Vous lisez un article. — 12. Le feu prend mal. — 13. Mon médecin ne consulte pas le matin. — 14. Vous lisez avec aisance. — 15. Penchez le corps en avant. — 16. Le soir tombe.

VOCABULAIRE *Ouvrir les yeux sur quelque chose* signifie « s'y intéresser ».

[PG § 285-286] **370 Marquez d'une manière distincte les verbes transitifs directs et les verbes transitifs indirects. Dans chaque cas, repérez le complément d'objet, soit direct, soit indirect.**

a) 1. Raphaël lit un roman. — 2. Daphné pense aux vacances. — 3. Martine profite d'un repos bien mérité. — 4. Ne remets pas ton travail au lendemain. — 5. Le chien obéit au dresseur. — 6. Pierre ne trahira pas sa parole. — 7. La neige couvrait le sol. — 8. Le sucre ne convient pas aux diabétiques. — 9. Peut-on recoller l'anse de cette tasse ?

b) 1. Votre persévérance me réjouit. — 2. La chance m'a souri. — 3. Que dites-vous ? — 4. Nous renonçons à partir. — 5. Je doute qu'il réussisse. — 6. Mon frère me ressemble. — 7. Nous y penserons. — 8. Je vous attendais. — 9. Les erreurs que vous avez faites. — 10. L'aigle et le chat-huant leurs querelles cessèrent. (J. de La Fontaine)

PRONONCIATION Ne confondez pas l'*anse* d'une tasse, d'une cruche ou d'un panier avec la *hanse* qui désigne une corporation de marchands et qui a un *h* aspiré interdisant l'élision et la liaison.

371 Distinguez les verbes transitifs (directs ou indirects) des verbes intransitifs.

a) 1. Nicole range son bureau. — 2. Manon s'ennuie à l'école. — 3. Le sage réfléchit avant d'agir. — 4. Les chiens aboient, la caravane passe. — 5. Qui va à la chasse perd sa place. — 6. Le concert commence : le soliste entame le morceau et les violons enchaînent. — 7. Rien ne pèse tant qu'un secret. (J. de La Fontaine) — 8. Nous combattrons le bon combat.

b) 1. Pierre qui roule n'amasse pas mousse. — 2. J'ai raté le train, je prendrai le suivant. — 3. On répondra à vos demandes. — 4. L'oncle protestait pour la forme, ramassait une écorce de pin, lui donnait, en quelques coups de canif, l'aspect d'une barque. (Fr. Mauriac) — 5. Je tournai à gauche et j'entrai dans la foule qui défilait au bord de la mer. (J.-P. Sartre) — 6. La Chatte, au bord d'une flaque, cueille des gouttes d'eau dans le creux de sa petite main de chat et les regarde ruisseler. (Colette) — 7. Je me rappelle que vous êtes déjà venu chez nous.

ORTHOGRAPHE *Enchaîner* peut désormais s'écrire *enchainer*, sans accent circonflexe. [PG § 499]

372 Inventez de courtes phrases où chacun des verbes suivants sera employé d'abord comme transitif, puis comme intransitif :

comprendre — refroidir — remuer — éclairer.

[§ 287]

Verbes pronominaux

Au fil de la conversation

Un labrador noir se précipita devant eux et se jeta à l'eau. Luca détourna son attention pour le regarder plonger dans l'eau verdâtre du lac. L'eau était si grasse qu'à la surface se dessinaient des cercles irisés. La gueule ouverte, le chien haletait en nageant. Son maître lui avait jeté une balle et il pédalait pour l'attraper. Son pelage noir et luisant accrochait des perles liquides, des gerbes d'eau éclaboussaient son sillage ; les canards faisaient de brusques écarts et se posaient un peu plus loin, méfiants.

> – Ces chiens sont incroyables ! s'exclama Luca. Regardez !
>
> L'animal revenait. Il s'ébroua en faisant gicler l'eau et alla déposer la balle aux pieds de son maître. Il agita la queue et aboya pour que le jeu reprenne. Et comment j'enchaîne moi ? se demanda Joséphine, suivant des yeux la balle qui repartait et le chien qui se jetait à l'eau.
>
> – Vous me disiez, Joséphine ?
>
> – Je disais qu'il m'est arrivé deux choses, une violente et l'autre étrange.
>
> Elle se forçait à sourire pour rendre sa narration légère.
>
> Katherine PANCOL, *La valse lente des tortues*. Paris, Éd. Albin Michel, 2008.

373 Repérez, dans le texte ci-dessus, les verbes pronominaux et mettez chacun d'eux à la 2e personne du pluriel du présent de l'indicatif.

[PG § 499] ORTHOGRAPHE *Maître* et *enchaîne* peuvent s'écrire désormais *maitre* et *enchaine*.

374 Distinguez les verbes pronominaux selon qu'ils ont un sens réfléchi, réciproque, passif ou que leur pronom est sans fonction logique.

1. Assoiffés, ils se désaltérèrent en buvant de l'eau fraîche. — 2. Elle se convainc qu'elle en est capable. — 3. Après le tremblement de terre, tous les habitants s'entraident. — 4. Rien ne se perd, certains déchets se recyclent. — 5. Dans plusieurs régions, les patois se meurent. — 6. Ils se sont promis mutuellement assistance. — 7. Parfois, il vaut mieux se taire. — 8. Si un problème se rencontre, vous saurez le résoudre. — 9. On se nuit gravement quand on est trop anxieux. — 10. À l'évocation de ton nom, une douce joie se lit dans ses yeux. — 11. Les enfants, pourquoi vous disputez-vous ? — 12. Je me souviens de cette histoire.

[PG § 499] ORTHOGRAPHE *Fraîche* peut s'écrire aujourd'hui sans accent circonflexe.

375 Relevez les verbes pronominaux ; analysez, dans chaque cas, le pronom conjoint.

N.B. Dans les verbes pronominaux dont le pronom conjoint est « sans fonction logique » et aussi dans les pronominaux passifs, le pronom ne joue aucun rôle de complément ; on se contentera donc de dire alors qu'il est un « élément du verbe pronominal ».

a) 1. Deux pigeons *s'*aimaient d'amour tendre. (J. de La Fontaine) — 2. Je *m'*enfonce dans ce paysage ! je *m'*oblige à le comprendre. (M. Barrès) — 3. Quelque chose comme le bonheur *se* lisait dans ses traits. (J. Green) — 4. Nous *nous* parlions quelquefois, mais pour *nous* quereller. (Marivaux) — 5. Bien des heures chargées d'événements notables en apparence *s'*oublient assez vite. (G. Duhamel) — 6. Jérôme *s'*essuya le front avec le revers de la main. (H. Troyat) — 7. La paix se conclut donc. (J. de La Fontaine) — 8. Les disques se vendent mal depuis qu'on peut télécharger de la musique.

b) 1. Les jours se suivent et ne se ressemblent pas. — 2. Perdus dans l'obscurité, nous nous appelions, nous nous cherchions anxieusement. — 3. Je m'aperçois à l'instant que ce portrait de notre père est le portrait d'un homme jeune. (A. France) — 4. Elle réfléchissait, se disait que chaque être porte en soi un monde. (É. Henriot) — 5. Des oignons que trie le jardinier s'envole un papillon de couleur fauve. (G. Duhamel) — 6. Donne-toi la peine d'analyser cette phrase. — 7. Lorsqu'ils se virent mutuellement, ils marchèrent l'un vers l'autre, se reconnurent pour frères et se donnèrent la main. (A. de Vigny)

ORTHOGRAPHE 1. *Oignon* peut aujourd'hui s'écrire **ognon** selon sa prononciation ; même remarque à propos de *punch*, **ponch** (la boisson). [PG § 512]

2. *Événement* peut désormais s'écrire **évènement**, à l'instar d'*avènement*. Il en est de même pour *céleri*, *crémerie*, *réglementer*, *sécheresse* et quelques autres mots qui troquent l'accent aigu contre un accent grave : **cèleri**, **crèmerie**, **règlementer**, **sècheresse**. [PG § 509]

376 Inventez sur chacun des thèmes suivants une petite phrase où vous emploierez :

a) *Un verbe pronominal réfléchi* : 1. Le coureur. — 2. Le chien.

b) *Un verbe pronominal réciproque* : 1. Les voisins. — 2. Les frères et sœurs.

c) *Un verbe pronominal avec pronom sans fonction logique* : 1. Le cycliste. — 2. La foule.

d) *Un verbe pronominal de sens passif* : 1. La surprise. — 2. Un dessert.

Verbes impersonnels [PG § 288]

377 Discernez les verbes impersonnels et relevez leur sujet apparent et leur sujet réel.

a) 1. Il faut de la persévérance pour réussir. — 2. Il pleut de grosses gouttes. — 3. Il importe que vous agissiez avec méthode. — 4. Est-il venu beaucoup de monde ? — 5. Ne convient-il pas de battre le fer quand il est chaud ? — 6. Il faisait un brouillard à couper au couteau. — 7. Il y a des problèmes difficiles à résoudre. — 8. Il me vient une idée.

b) 1. Il lui fallut à jeun retourner au logis. (J. de La Fontaine) — 2. Il est aux bois des fleurs sauvages. (A. France) — 3. Il traînait par les bois une bruine incolore. (M. Genevoix) — 4. J'écoute si d'en haut il tombe quelque bruit. (V. Hugo) — 5. Il soufflait par là-dessus un air sec, hilarant. (A. Gide) — 6. Il restait çà et là des brins de feuilles et de fleurs qui roulaient. (R. Bazin) — 7. Vous ferez ce qu'il vous plaira. — 8. Je vois ce qu'il me reste à faire. — 9. Je pense aux efforts qu'il a fallu pour percer le tunnel sous le mont Blanc.

ORTHOGRAPHE *Traîner* peut aujourd'hui s'écrire *trainer*, sans accent circonflexe sur le *i*. [PG § 499]

VOCABULAIRE *Un brouillard à couper au couteau* est tellement dense qu'on croirait pouvoir le trancher. En outre, quand on est en conflit ouvert avec quelqu'un, on est *à couteaux tirés*. On peut faire souffrir moralement une personne *en retournant* ou *remuant le couteau dans la plaie* ou encore, on lui impose notre volonté par la menace en lui *mettant le couteau sous la gorge*.

378 Relevez les verbes impersonnels et leur sujet apparent et distinguez leurs sujets réels suivant qu'ils sont : 1° des noms ou des pronoms ; 2° des infinitifs (avec ou sans préposition) **; 3° des subordonnées introduites par *que*.**

1. Il faisait un temps splendide. — 2. Il n'est rien arrivé de grave. — 3. Il faut que l'on protège l'environnement. — 4. Il convient de prendre ce principe en considération. — 5. Il ne sert à rien de fermer les yeux : il faut encore voir la réalité en face. — 6. N'arrive-t-il pas que deux amis se rencontrent à l'improviste ? — 7. Manque-t-il quelque chose à votre bonheur ?

379 Distinguez les verbes impersonnels proprement dits des verbes pris impersonnellement.

1. Il faut savoir par où commencer. — 2. Prends ton parapluie au cas où il pleuvrait. — 3. Il ne convient pas de parler la bouche pleine. — 4. Il monte du sol une rosée qui noie les contours du paysage comme s'il bruinait. — 5. En été, il circule parfois des souffles lourds, annonciateurs d'un orage, puis subitement il vente, il tonne. — 6. Vous plairait-il de faire une promenade ? — 7. Il importe que vous fassiez cette démarche. — 8. Qu'adviendra-t-il de tout cela? — 9. Il me revient que vous avez mené votre équipe à la victoire.

380 Tournez par le passif impersonnel les phrases suivantes :

1. Mille choses inutiles sont vendues. — 2. Des souffles légers circulent dans l'air frais du matin. — 3. Des associations se sont formées. — 4. De la montagne sortent plusieurs ruisseaux. — 5. Une envie me prit d'explorer les pièces de cette maison abandonnée. — 6. Des rafales de neige glacée s'abattaient sur la ville. — 7. On engagea une vive discussion. — 8 Une bonne nouvelle nous arrive.

381 Faites entrer chacun des verbes suivants dans deux phrases en l'employant 1° comme verbe personnel, 2° comme verbe impersonnel.

1. Tomber — 2. Venir — 3. Suffire — 4. Se raconter — 5. S'élever — 6. Se passer.

[PG § 289-292]

Formes du verbe

Grimaces

Le petit Octave, toutefois, *a inventé* un jeu muet pour *passer* le temps : un concours de grimaces. Les joues *se gonflent* ou *se creusent* ; les yeux *clignent, se révulsent, roulent* ; les lèvres *se tirent, découvrant* férocement les dents ; les langues *pointent* obscènement ou *traînent* comme des chiffes ; le coin d'une bouche *pend* comme celui d'un vieillard sans dents, ou, *tiraillé* monstrueusement, *donne* aux jeunes figures un air d'apoplexie. Les fronts *se rident ;* les nez *bougent* comme ceux des lapins qui *broutent.* La Fraulein qui *voit* tout *baisse* la tête sur son tambour et *fait* celle qui... La règle est de *garder* dans ces contorsions le plus grand sérieux.

Marguerite Yourcenar, *Souvenirs pieux.* Paris, Éd. Gallimard, 1974.

382 Pour les verbes en italique dans le texte ci-dessus : 1° séparez du radical la désinence ; 2° indiquez la personne et le nombre.

ORTHOGRAPHE *Traîner* peut désormais s'écrire *trainer*, sans accent circonflexe sur le *i*. [PG § 499]

VOCABULAIRE Une *chiffe* est un chiffon mais, au sens figuré, c'est aussi une personne sans caractère ni énergie, on dit couramment dans ce cas : *une chiffe molle*.

383 Séparez du radical la désinence.

1. Je marche. — 2. Nous marcherions. — 3. Marchant. — 4. Ils ont marché. — 5. Tu marcheras. — 6. Nous marchâmes. — 7. Vous marcheriez. — 8. Je grandis. — 9. Ils grandirent. — 10. Que je punisse. — 11. Il apercevra. — 12. Prenons. — 13. Vous perdrez.

384 En variant les désinences, donnez, pour chacun des radicaux suivants, trois formes verbales :

1. Plant... — 2. Trouv... — 3. Dorm... — 4. Sent... — 5. Suiv...

385 Indiquez, pour chaque forme verbale, la personne et le nombre.

a) 1. Vous parlez. — 2. Je vois. — 3. Il sème. — 4. Que tu lises. — 5. On croirait. — 6. Le soleil brille. — 7. Ô soleil, brille sur les champs ! — 8. Mon ami travaille. — 9. Mon ami, travaille !

b) 1. Qui veut peut. — 2. Toi qui aimes fredonner de vieux airs, te rappelles-tu cette chanson ? — 3. Je t'avertis. — 4. Tous me comprendront. — 5. Corrige-toi.

Voix du verbe

[PG § 293]

Lan-ying fait revivre son jardin

La division du jardin est assurée efficacement par la rangée d'arbres — sophoras, acacias, pins, peupliers — qui bordent le sentier à sa droite et qui, à la belle saison, forment un vert paravent dispensant généreusement ombre et fraîcheur. Sous un des acacias pend toujours la balançoire dont les cordes usées sont noircies par les intempéries. Fréquentée à présent par les seuls enfants, elle tentera sans doute les grandes personnes aussi, lorsqu'elle sera remise à neuf. (...)

Elle fait venir Lao Sun et Zhu le Sixième, leur demande de restaurer l'étang. On draine et débouche la conduite. On remplace la vieille terre par de la fraîche. On y plante de nouveaux lotus. Bientôt, les poissons rouges et les libellules à fleur d'eau animent de concert ce clair espace de leurs mouvements insouciants. Portées par de larges feuilles sur lesquelles roulent des gouttes comme autant de perles, les fleurs de lotus, parvenues à maturité, donnent maintenant toute la mesure de leur magnificence.

François CHENG, *L'éternité n'est pas de trop*. Paris, Éd. Albin Michel, 2002.

386 Dans le texte ci-dessus, discernez les formes actives des verbes et les formes passives.

[PG § 499] ORTHOGRAPHE *Fraîche* et *fraîcheur* peuvent désormais s'écrire *fraiche* et *fraicheur.*

387 Distinguez les formes verbales à la voix passive de celles à la voix active.

a) 1. Je réfléchis avant d'agir. — 2. Je choisis mes amis. — 3. Tu seras encouragé par tes amis. — 4. Nous sommes tombés en panne. — 5. La boussole a été inventée par les Chinois. — 6. D'énormes progrès ont été réalisés en télécommunication. — 7. Le secret se saura bientôt. — 8. Combien de voyageurs sont passés par cet aéroport ! — 9. La nuit étant venue, nous avons été forcés de faire halte. — 10. J'ai été mal compris. — 11. Il se débite mille sottises.

b) 1. L'herbe n'avait pas été coupée depuis longtemps. (P. Modiano) — 2. Nos mémoires sont encombrées. (J.-B. Pontalis) — 3. Catriona était née à Londres dans la fièvre psychédélique des années soixante (F. Weyergans) — 4. Mon enfance avait été nourrie de rumeurs de personnes disparues, d'allées et venues dans les prisons. (L. Trouillot) — 5. Des appels furent sifflés à mi-voix par les pinsons. (C. Lemonnier) — 6. Aucun juge par vous ne sera visité ? (Molière) — 7. Ses premiers tableaux de fleurs se vendirent bien. (H. de Régnier)

388 Tournez par le passif les phrases suivantes et indiquez chaque fois le complément d'agent.

1. Le soleil réchauffe la terre. — 2. Les excès usent la santé. — 3. Le chat attrape la souris. — 4. Qui nous ramènera ? — 5. Quelle équipe a gagné le match ? — 6. Les rayons du soleil baignent le paysage d'une douce clarté. — 7. L'expérience nous instruit. — 8. Le gouvernement mit sur pied un plan d'aide aux sinistrés. — 9. Vous m'attendrez, demande le retardataire. — 10. Les mères détestent les guerres.

389 En prenant comme compléments d'agent les expressions suivantes, inventez de courtes phrases où le verbe sera au passif :

1. Par les journaux. — 2. Par l'orage. — 3. Par nous-mêmes. — 4. De tout le monde.

390 Distinguez parmi les phrases suivantes celles qui admettent le tour passif :

1. L'émotion peut altérer notre sang froid. — 2. Le temps passe à la vitesse de l'éclair. — 3. L'eau de la fontaine coule goutte à goutte. — 4. Un séisme ravagea cette région. — 5. Je me souviens de cette aventure. — 6. Personne n'aime les abus de pouvoir. — 7. Son attitude m'a déplu. — 8. À ce signal chacun se tut. — 9. On vous remerciera.

391 Tournez par le passif les phrases qui sont à l'actif et vice versa.

1. La diversité des opinions produit des discussions. — 2. Les ministres signèrent le décret. — 3. Le chêne fut déraciné par la tempête. — 4. On parlera longtemps de cette aventure. — 5. Jamais il ne se sera vu pareil spectacle. — 6. Il sera perçu une taxe de dix euros. —

7. On refuse le compromis. — 8. Pourquoi cet homme a-t-il été condamné ? — 9. On nous incite à être vigilants.

Modes et temps

[PG § 294-297]

Tout bascule

Mais Colin ne *savait* pas, il *courait*, il *avait* peur, pourquoi ça ne *suffit* pas de toujours *rester* ensemble, il *faut* encore qu'on *ait* peur, peut-être *est*-ce un accident, une auto l'*a écrasée*, elle *serait* sur son lit, je ne *pourrais* pas la *voir*, ils m'*empêcheraient* d'*entrer*, mais vous *croyez* donc peut-être que j'*ai* peur de ma Chloé, je la *verrai* malgré vous, mais non, Colin, n'*entre* pas. Elle *est* peut-être *blessée*, seulement, alors, il n'y *aura* rien du tout, demain, nous *irons* ensemble au Bois, pour *revoir* le banc, j'*avais* sa main dans la mienne et ses cheveux près des miens, son parfum sur l'oreiller. Je *prends* toujours son oreiller, nous nous *battrons* encore le soir, le mien, elle le *trouve* trop bourré, il *reste* tout rond sous sa tête, et moi je le *reprends* après, il *sent* l'odeur de ses cheveux. Jamais plus je ne *sentirai* la douce odeur de ses cheveux.

Boris VIAN, *L'Écume des jours*. Paris, Éd. J.-J. Pauvert, 1963.

392 Prenez, dans le texte ci-dessus, les verbes en italique et indiquez, pour chacun d'eux : le mode, le temps — et quand il y a lieu, la personne.

393 Indiquez pour les formes verbales suivantes : le mode, le temps, et quand il y a lieu, la personne :

1. Je travaille. — 2. Je partirais. — 3. Que je réfléchisse. — 4. Venir. — 5. Prenons. — 6. Que je portasse. — 7. J'ai trouvé. — 8. J'aurais réussi. — 9. Tu auras gagné. — 10. Quand nous eûmes terminé. — 11. Ils eussent mérité. — 12. En forgeant. — 13. Qu'il marchât.

394 Indiquez, le mode, le temps et, quand il y a lieu, la personne des verbes.

a) 1. Nous nous partagerons ce que nous aurons apporté. — 2. On nous avait annoncé que nous rencontrerions des difficultés. — 3. Quand la pluie eut cessé, nous continuâmes la promenade commencée. — 4. Je me réjouissais que vous fussiez revenu sur votre décision. — 5. Comment douterais-je de vos bonnes intentions ? — 6. Il ne faudrait pas que l'on refusât d'être solidaire des plus démunis. — 7. Chassons le naturel, il reviendra au galop. — 8. Regardez le soleil se couchant sur la mer. — 9. Je vous ai dit que je viendrais.

b) 1. Lorsqu'il eut achevé sa dix-septième année, je résolus de l'employer à mon service. (J. Green) — 2. Avant que de sa lèvre il eût touché la coupe, Un cosaque survint. (V. Hugo) — 3. Quand vous commanderez, vous serez obéi. (J. Racine) — 4. Pour qu'on vous obéisse, obéissez aux lois. (Voltaire) — 5. On le lui fit bien voir. (J. de La Fontaine) — 6. Que vouliez-vous qu'il fît contre trois ? (P. Corneille)

395 Mettez aux différents modes, et dans chacun aux divers temps, les expressions suivantes:

1. Tu ouvres la porte. — 2. Nous lisons un livre. — 3. Vous prenez votre temps.

396 Analysez les formes verbales suivantes (mode, temps, personne, nombre, voix)**:**

a) 1. Tu commences. — 2. Vous êtes conduits. — 3. Nous prîmes. — 4. Avançons. — 5. Nous aurions chanté. — 6. Avoir terminé.

b) 1. En travaillant. — 2. J'eusse préféré. — 3. Que nous exercions. — 4. Ayons placé. — 5. Que tu gagnasses. — 6. Vous finiriez.

c) 1. Que vous eussiez été repoussés. — 2. Nous avions été félicités. — 3. Dès qu'il eut remarqué. — 4. Il eût signalé. — 5. Tu avais contrôlé. — 6. Nous serions venus.

397 Distinguez les verbes selon qu'ils sont conjugués à un temps simple, à un temps composé ou a un temps surcomposé.

1. Il comprend. — 2. J'ai vu. — 3. Ils ont montré. — 4. Quand j'ai eu terminé. — 5. Que nous rendions. — 6. Tu auras ouvert. — 7. Tu féliciteras. — 8. Il a été blâmé. — 9. Dès qu'il a eu fini. — 10. Vous planterez. — 11. Quand j'ai eu aperçu. — 12. Quand ils ont eu regardé.

[PG § 299-303]

Verbes auxiliaires

En fuite

> Jeanne Odile a soulevé une trappe, et ils ont commencé à descendre un escalier de fer peint au minium gris, et leurs pas résonnaient dans la cage de l'escalier comme s'ils descendaient d'un très haut phare. En bas, ils ont traversé le hall d'entrée du collège, décoré de panneaux d'affichage, avec toutes les portes peintes couleur chocolat. Jeanne Odile a donné une poussée sur la barre de l'issue de secours, et ils se sont retrouvés dans une rue vide, encombrée d'autos immobiles. Tout semblait fantomatique, poussiéreux. Le ciel gris était strié de martinets. Un chat a filé devant eux, et Jeanne Odile est partie en courant, elle a disparu entre les voitures.
>
> J.M.G. Le Clézio, *Révolutions*. Paris, Éd. Gallimard, 2003.

398 Relevez, dans le texte ci-dessus, les verbes à un temps composé et leur auxiliaire.

ORTHOGRAPHE On écrit *tra**pp**e*, mais *attra**p**er*.

399 Relevez tous les auxiliaires.

a) 1. Nous avons trouvé un abri. — 2. Christophe Colomb a découvert l'Amérique. — 3. Je suis venu, j'ai vu, j'ai vaincu, disait César. — 4. Quand les chats furent partis, les souris dansèrent. — 5. Il avait semé le vent : comment n'aurait-il pas récolté la tempête ? — 6. Nous étions sortis bien avant que vous arriviez.

b) 1. Puis nous étions partis, et Bob avait longuement regardé dans le rétroviseur la silhouette fine et brune de sa mère. (Ph. Labro) — 2. Après avoir suivi ces gamins, je m'engageai dans le bois. (H. Bordeaux) — 3. La petite tante n'aurait pas toléré ce laisser-aller, cette détérioration du patrimoine. Elle eût mis à endiguer les ravages du temps avec la même énergie qu'à éponger les litres d'eau qui avaient transformé un jour sa maisonnette en piscine après la rupture d'un joint de son évier. (J. Rouaud)

ORTHOGRAPHE On écrit le *laisse**r**-aller*, mais le *laisse**z**-passer*.

400 Relevez les formes du verbe être seulement quand elles sont auxiliaires. Signalez les formes passives et les formes pronominales.

[PG § 301]

a) 1. Certains films qui avaient été fort appréciés sont tombés dans l'oubli. — 2. Combien de supporteurs qui étaient venus, enthousiastes, encourager leur équipe ont été déçus par le match ! — 3. L'été, le quartier est calme ; les habitants sont partis en vacances. — 4. Les plaisanteries les plus courtes sont les meilleures. — 5. Oh ! demain c'est la grande chose ! De quoi demain sera-t-il fait ? (V. Hugo) — 6. J'ai été surpris par son physique : il m'a paru vieux. (P. Modiano) — 7. Une porte céda et je fus jeté dans la galerie des machines. (P. Morand)

b) 1. Quand le chanteur est entré en scène, les spectateurs se sont levés pour l'applaudir. — 2. Nous étions restés longtemps sans nouvelles d'un oncle qui était en Amérique. — 3. Si nous sommes tombés dans un piège, nous essayerons d'en sortir. — 4. Chacun fut se coucher. (P. Mérimée) — 5. Des secours ont été acheminés sur le lieu de la catastrophe. — 6. Non, l'avenir n'est à personne (V. Hugo) — 7. Moi aussi je suis allé là où vous avez été. (Alain-Fournier)

ORTHOGRAPHE 1. Un *supporteur* est un partisan d'une équipe sportive. On l'écrit fréquemment *supporter*, c'est un anglicisme.

2. *Match* : désormais, les mots d'origine étrangère peuvent prendre la marque française du pluriel. On écrira donc ***des matchs***.

[PG § 502]

401 Relevez les verbes qui, suivis d'un infinitif, servent d'auxiliaires ; dites quelle nuance de temps ou quel aspect du développement de l'action ils expriment.

[PG § 298]

1. Je vais réfléchir avant de prendre ma décision. — 2. Ce n'est pas quand on est sur le point de partir qu'on fait ses préparatifs. — 3. Le ciel s'assombrit : un orage est près d'éclater. — 4. Nous venons d'échapper à un accident. — 5. Le soleil paraissait répandre sur les feuillages une poussière dorée. — 6. Vous devez avoir fait une erreur. — 7. Tu as manqué de tomber. — 8. Quand nous sommes en train de lire, le bruit nous dérange. — 9. Il vient d'apercevoir un petit bois de chênes verts qui semble lui faire signe. (A. Daudet) — 10. Si une complication vient à se produire, appelez-moi.

Emploi des auxiliaires

[PG § 299-303]

402 Distinguez les verbes conjugués avec *avoir* de ceux conjugués avec *être*.

1. La recherche médicale a mis au point de nouveaux vaccins. — 2. J'espère que vous serez reçu à l'examen. — 3. Nous sommes arrivés à temps. — 4. Mais, après l'entrée, nous avons débouché sur une sorte de plage fluviale au bord de laquelle étaient disposées quelques tables à parasol. Rachman en a choisi une, à l'ombre. Il avait toujours son cigare à la bouche. Nous nous sommes assis. (P. Modiano). — 5. Il y a des bourdons... On ne sait pas s'ils sont nés de ces derniers jours ou s'ils sortent du vieil arbre où l'an dernier ils avaient établi leur nid. (G. Chérau) — 6. Où donc le vieux qui venait de Blandas s'est-il coupé deux doigts sous une pierre? (A. Chamson) — 7. Ce coucher de soleil était un des plus beaux spectacles que nous eussions vus.

403 Mettez à la forme indiquée les verbes en italique.

a) 1. Nous nous félicitons de [*trouver*, infin. passé] un conseiller qui nous [*expliquer*, passé comp.] la procédure à suivre. — 2. Les beaux jours [*revenir*, plus-que-parfait] : les lilas [*gonfler*, plus-que-parf.] leurs bourgeons, les narcisses [*ouvrir*, plus-que-parf.] leurs corolles jaunes. — 3. Souvent les meilleures résolutions [*échouer*, passé comp.] faute de persévérance. — 4. Dès que nous [*apprendre*, passé antér.] la nouvelle, nous [*rentrer*, passé comp.] à la maison. — 5. L'imagination de Jules Verne nous [*représenter*, passé comp.] des inventions que la science moderne [*réaliser*, passé comp.].

b) 1. « Tomber de Charybde en Scylla » : cela se dit de quelqu'un qui [*sortir*, passé comp.] d'un danger et qui [*tomber*, passé comp.] dans un autre. — 2. Jamais l'idée ne nous [*venir*, passé comp.] de vous faire de la peine. — 3. Quelle joie nous [*éprouver*, passé comp.] quand nous [*revoir*, passé comp.] notre famille!

[PG § 514] **ORTHOGRAPHE** *Corolle* peut également s'écrire *corole*.

404 Inventez deux courtes phrases où le verbe, au passé composé, sera employé avec l'auxiliaire *avoir*, — et deux phrases où il sera employé avec l'auxiliaire *être*.

[PG § 303]

405 Mettez à la forme indiquée les verbes en italique [Attention ! Si le verbe exprime l'action : auxiliaire *avoir*; — s'il exprime l'état : auxiliaire *être*].

a) 1. À ton appel, j'[*monter*, passé comp.] les marches quatre à quatre. — 2. [*Monter*, passé comp.]-tu déjà en haut de la tour Eiffel ? — 3. Que de martyrs, condamnés pour diverses causes, [*expirer*, passé comp.] dans les supplices ! — 4. La date de ce médicament [*expirer*, passé comp.] depuis un mois. — 5. Ce n'est pas quand le danger [*passer*, passé comp.] depuis plusieurs heures qu'il faut chercher à s'en garder. — 6. Des bonheurs qu'on croyait durables [*passer*, passé comp.] comme des éclairs. — 7. Depuis ce matin, l'aspect du ciel [*changer*, passé comp.] trois ou quatre fois. — 8. Notre ami, après une absence de

quelques années, est revenu; comme il [*changer*, passé comp.] à présent! Lui aussi se dit sans doute que nous [*changer*, passé comp.] pendant son absence.

La conjugaison

[PG § 304-349]

Instinct paternel

Étrange maladie que celle de la paternité. On se refuse à voir grandir et vieillir ses enfants, car on les voudrait, tant on les aime pour soi, toujours sous sa tutelle. Comment oser qualifier d'amour aimer ainsi, vouloir ceci ou cela pour eux, jusqu'à prétendre les conduire au sacerdoce ou à la faculté de médecine ? Il n'y a pas de pire viol que celui-là. On devrait accepter au départ les enfants comme des singes, et s'étonner qu'ils deviennent des hommes, en se contentant de leur donner l'exemple, au lieu de toujours défendre, de toujours interdire, ou de brandir le péché à toutes les occasions. Tenez, à dix-neuf ans, dans l'indépendance où était ma famille, je n'avais pas le droit de prendre un fruit, une sucrerie ou autre chose, sans demander l'auguste permission à ma sainte mère. Étrange !

Marcel GODIN, *Une dent contre Dieu*. Paris, Laffont, 1969.

406 Prenez, dans le texte ci-dessus, tous les verbes; mettez-les: 1° à l'infinitif; 2° au présent de l'indicatif (1re personne), **— et répartissez-les en 4 groupes: verbes en *-er*; en *-ir*; en *-oir*; en *-re*.**

Modèle: planter, je plante | finir, je finis | voir, je vois | rendre, je rends.

407 Rangez les verbes suivants en deux groupes suivant qu'ils allongent ou non leur radical à certains temps par *-iss-*; — mettez chacun d'eux à la 1re personne du pluriel de l'indicatif présent.

Modèle: sentir, nous sentons | guérir, nous guérissons.

a) 1. Vêtir. — 2. Durcir. — 3. Fléchir. — 4. Courir. — 5. Cueillir. — 6. Acquérir. — 7. Grossir. — 8. Dormir. — 9. Punir. — 10. Vieillir.

b) 1. Unir. — 2. Éblouir. — 3. Fuir. — 4. Assortir. — 5. Venir. — 6. Sortir. — 7. Ouvrir. — 8. Gémir. — 9. Tenir. — 10. Atterrir.

408 Rangez les verbes suivants en deux groupes: 1° conjugaison vivante (en *-er* ou en *-ir* avec *-iss-*); **— 2° conjugaison morte** (autres verbes).

[PG § 305]

a) 1. Chanter. — 2. Finir. — 3. Répandre. — 4. Visiter. — 5. Croître. — 6. Circonvenir. — 7. Vendre. — 8. Oublier. — 9. Valoir. — 10. Bannir. — 11. Alunir. — 12. Étendre. — 13. Téléphoner.

b) 1. Attacher. — 2. Orner. — 3. Défaillir. — 4. Savoir. — 5. Plaire. — 6. Sonner. — 7. Bâtir. — 8. Attendrir. — 9. Cuire. — 10. Convaincre. — 11. Maigrir. — 12. Tressaillir. — 13. Mettre.

[PG § 306-307]

Conjugaison des verbes avoir et être

409 Mettez le verbe *avoir* au mode et au temps indiqués.

1. [*Ind. prés. ; subj. prés.*] J' … peur que tu n' … pas assez de temps pour réaliser tes projets. — 2. [*Passé comp.*] Cet enthousiasme que vous … au début, gardez-le. — 3. [*Subj. imparf.*] Moi, que j'… si peu de courage! — 4. [*Indic. prés. ; impér. prés.*] Quand tu … tort, … le courage de le reconnaître. — 5. [*Subj. imparf.*] L'empereur Caligula souhaitait que le peuple n'… qu'une tête afin de pouvoir l'abattre d'un coup. — 6. [*Impér. prés.*] N'… crainte, je ne vous veux aucun mal. — 7. [*Indic. plus que parf. ; condit. passé*] Si tu … un maillot, tu … l'occasion de nager avec les autres. — 8. [*Partic. passé ; passé comp.*] … plus de vaccins, ils… moins de maladies.

[PG § 499] **ORTHOGRAPHE** *Reconnaître* peut désormais s'écrire *reconnaitre*, sans accent circonflexe sur le *i*.

410 Mettez le verbe *être* au mode et au temps indiqués.

1. [*Subj. prés.*] Il convient qu'une porte … ouverte ou fermée. — 2. [*Indic. imparf. ; passé comp.*] Votre mère … inquiète quand vous … malade. — 3. [*Passé simple*] Quand il … hors de danger, on lui permit de sortir de l'hôpital. — 4. [*Infin. prés. ; infin. passé*] On ne peut pas … et … — 5. [*Subj. imparf.*] Il ne faudrait pas que le service d'ordre … dans l'obligation d'intervenir. — 6. [*Passé simple*] De tout temps les Bretons … de bons marins. — 7. [*Condit. Prés. ; indic. imparf.*] Vous … plus expérimentés si vous … plus assidus. — 8. [*Fut. Antér. ; fut. simple*] Quand vous … en butte à toutes sortes de difficultés, vous … plus aptes à les affronter.

[PG § 314-326]

Les finales de chaque personne

411 Écrivez la 1re personne du singulier des verbes suivants: 1° à l'indicatif présent; 2° à l'indicatif imparfait; 3° au passé simple; 4° au futur simple; 5° au conditionnel présent; 6° au subjonctif présent; 7° au subjonctif imparfait:

a) 1. Planter. — 3. Couvrir. — 3. Punir. — 4. Prendre.

b) 1. Bêcher. — 2. Bâtir. — 3. Venir. — 4. Dire.

[PG § 315]

412 Relevez les impératifs (2e pers. du sing.) et, dans ces impératifs, repérez la finale *-e*.

Conseils

Marche deux heures tous les jours; dors sept heures toutes les nuits; couche-toi dès que tu as envie de dormir; lève-toi lorsque tu t'éveilles; travaille dès que tu es levé. Ne mange qu'à ta faim, ne bois qu'à ta soif. Ne parle que lorsqu'il le faut; n'écris que ce que tu peux signer; ne fais que ce que tu peux dire. N'oublie jamais que les autres doivent pouvoir compter sur toi. N'estime l'argent ni plus ni moins qu'il ne vaut; ne crée pas sans bien savoir à quoi tu t'engages, et détruis le moins possible. Pardonne d'avance à tout le monde; ne méprise pas les hommes; ne les hais pas et ne les raille pas.

D'après Alexandre DUMAS fils.

413 Mettez à la 2e personne du singulier de l'impératif présent les verbes en italique.

1. [*Soigner*] tes plantes ; [*arroser*]-les régulièrement. — 2. [*Articuler*] bien quand tu parles. — 3. [*Préférer*] la qualité à la quantité. — 4. [*Fermer*] les yeux et tu verras. — 5. En toutes choses, [*considérer*] la fin. —6. [*Ne pas couper*] les cheveux en quatre. — 7. [*S'aider*], le ciel t'aidera. — 8. [*Savoir*] discerner le vrai du faux.

VOCABULAIRE *Couper les cheveux en quatre*, c'est « subtiliser à l'excès, rechercher la complication ».

414 Mettez à la 2e personne du singulier les phrases suivantes:

1. Voilà de beaux fruits: mangeons-en quelques-uns. — 2. Sachons être prudents, quand nous sommes au volant de notre voiture. — 3. Ne vous imaginez pas que tout sera facile. — 4. Vous aimez les châteaux? Nommez-en un que vous aimez particulièrement. — 5. Procurons-nous des avocats ; coupons-les en deux ; ôtons-en les noyaux et ajoutons-y du jus de citron. — 6. Allez-vous-en !

415 Dans les verbes en italique, remplacez les trois points par l'une des finales *-e* ou *-es*.

1. Tu *admir...* le lever du soleil. — 2. Chérie, *admir...* ce chef-d'œuvre ! — 3. *Frapp...*, et l'on t'ouvrira. — 4. Pourquoi *cherch...*-tu midi à quatorze heures? — 5. C'est toi qui *commenc...* la partie. — 6. *Commenc...* par le commencement ! — 7. Te voilà encore qui *pleur...* — 8. Allons ! ne *pleur...* plus. — 9. Toi qui *chant...* juste, *entonn...* donc le refrain.

VOCABULAIRE *Chercher midi à quatorze heures*, c'est « chercher des difficultés où il n'y en a pas, compliquer les choses », l'idée est proche de *couper les cheveux en quatre*.

416 Mettez à la 2e personne du singulier de l'impératif présent les verbes en italique.

a) 1 N'[*avancer*] pas plus loin, [*se garer*] ici, le long du trottoir. — 2. [*Aller*] toujours tout droit. — 3. [*Vouloir*] bien m'envoyer les documents dont je t'ai parlé. — 4. [*Mesurer*] tes forces avant de te lancer dans cette entreprise. — 5. [*Payer*] pour moi, je te rembourserai. — 6. Ne [*jouer*] pas avec le feu.

b) 1. [*Presser*] une orange et [*recueillir*]-en le jus. — 2. Le supermarché est ouvert ; [*aller*] y acheter des provisions. — 3. Barcelone est une ville fabuleuse, [*aller*]-y aux prochaines vacances. — 4. J'arriverai à temps; [*compter*]-y. — 5. [*S'exercer*] au violon et [*consacrer*]-y plusieurs heures par jour. — 6. Le temps, c'est de l'argent : [*penser*]-y bien. — 7. L'affaire n'est pas simple : [*juger*]-en par ce que je vais te dire et [*examiner*] en toute objectivité les renseignements que voici.

[PG § 316] **417 Donnez, pour les verbes suivants, la 3e personne du singulier : 1° de l'indicatif présent ; 2° du subjonctif présent ; 3° du passé simple ; 4° du futur simple.**

a) 1. Chanter. — 2. Grandir. — 3. Assaillir. — 4. Résoudre. — 5. Vaincre.

b) 1. Fleurir. — 2. Avoir. — 3. Peindre. — 4. Définir. — 5. Corrompre.

[PG § 317-319] **418 Donnez, pour les verbes suivants, les trois personnes du pluriel : 1° de l'indicatif présent ; 2° du passé simple ; 3° du conditionnel présent :**

a) 1. Présenter. — 2. Venir. — 3. Dire. — 4. Faire. — 5. Plaindre.

b) 1. Aller. — 2. Contredire. — 3. Conclure. — 4. Déplaire. — 5. Absoudre.

[PG § 325] **419 Pour chacun des verbes suivants, donnez la 2e personne du singulier du passé simple et la 1re personne du singulier du subjonctif imparfait** (addition de *-se*) **:**

Modèle : Tu voulus | Que je voulusse.

a) 1. Mesurer. — 2. Être. — 3. Prendre. — 4. Avoir. — 5. Cueillir.

b) 1. Parler. — 2. Ouvrir. — 3. Voir. — 4. Mettre. — 5. Tendre.

[PG § 320] **420 Remplacez les trois points par l'une des finales *-a* ou *-ât* ; *-it* ou *ît* ; *-ut* ou *ût*.**

1. Il est entré sans qu'on le *remarqu*... — 2. On *remarqu*... qu'il était étrangement accoutré. — 3. Ainsi *fin*... la comédie. — 4. On craignait que l'aventure ne *fin*... tragiquement. — 5. On nous *reç*... avec joie. — 6. Il fallait qu'on le *reç*... dignement.

[PG § 327-341] Remarques sur la conjugaison de certains verbes

[PG § 327-332] 1. Verbes en *-er*

[PG § 327-328] **421 Mettez à la 1re personne du pluriel de l'indicatif présent les expressions suivantes :**

a) 1. Lancer un navire. — 2. Rincer un verre. — 3. Amorcer la conversation. — 4. Déplacer un meuble. — 5. Percer un trou. — 6. Renoncer à partir. — 7. Bien placer le ballon.

b) 1. Changer d'opinion. — 2. Ranger ses livres. — 3. Allonger une robe. — 4. Ne pas négliger ses amis. — 5. Interroger un accusé. — 6. Songer à l'avenir. — 7. Plonger dans la piscine.

422 Mettez à la 1re personne du singulier de l'indicatif imparfait:

a) 1. Nuancer sa pensée. — 2. Se bercer d'illusions. — 3. Exercer sa mémoire. — 4. Prononcer clairement. — 5. Acquiescer à une demande. — 6. Remplacer son collègue. — 7. Enfoncer un clou.

b) 1. Rédiger un rapport. — 2. Prolonger son voyage. — 3. Ne pas ménager ses efforts. — 4. Ériger un monument. — 5. Voyager en avion. — 6. Se décharger d'un souci.

423 Mettez à la forme indiquée les verbes en italique (verbes en *-cer* ou en *-ger*).

1. Nous [*remplacer*, ind. prés.] les pièces défectueuses. — 2. [*Ne pas forcer*, impér. prés., 1re pers. du pluriel] notre talent. — 3. Laure [*nager*, ind. imparf.] tous les jours, elle [*plonger*, ind. imparf.] comme un dauphin. — 4. Elle [*grimacer*, ind. imparf] et [*froncer*, ind. imparf.] les sourcils chaque fois que l'enfant se [*balancer*, ind. imparf.] sur sa chaise. — 5. Quand nous [*rédiger*, ind. prés.] un rapport [*ne pas l'allonger*, impér. prés.] inutilement, [*abréger*, impér. prés.] ! — 6. Tout à coup, la lune [*émerger*, passé simple] des nuages et [*glacer*, passé simple] les toits d'une lueur bleuâtre. — 7. En nous [*exercer*, part. prés.] à la batterie ici, nous [*déranger*, ind. prés.] le voisinage.

PRONONCIATION Contrairement à *cil*, le **-l final** de *sourcil* ne se prononce pas.

424 Mettez à la 1re personne du singulier de l'indicatif présent les expressions suivantes:

[PG § 329]

1. Mener sa barque. — 2. Semer le blé. — 3. Achever sa tâche. — 4. Peser ses mots. — 5. Égrener des épis. — 6. Élever des poulets. — 7. Promener son petit frère. — 8. Relever la tête.

425 Mettez à la forme indiquée les verbes en italique (verbes ayant un *e* muet à l'avant-dernière syllabe).

1. Qui [*semer*, indic. prés.] le vent récolte la tempête. — 2. Le sentier [*mener*, condit. prés.] tout droit au refuge. — 3. [*Soulever*, fut. simple]-tu bien ce fardeau ? — 4. Aimeriez-vous faire un voyage qui vous [*emmener*, condit. prés.] dans l'espace ? — 5. Voilà une évidence qui [*crever*, indic. prés.] les yeux. — 6. Allons ! Que l'on [*achever*, subj. prés.] vite cette vaisselle ! — 7 [*Promener*, impér. prés., 2e pers. sing.] le chien dans le parc et [*ramener*, impér. prés., 2e pers. sing.]-le à cinq heures.

426 Mettez aux 3 personnes du singulier de l'indicatif présent les verbes suivants (verbes en *-eler*, *-eter*) :

[PG § 329 et 500]

1. Appeler. — 2. Renouveler. — 3. Feuilleter. — 4. Jeter.

ORTHOGRAPHE Les rectifications de l'orthographe concernent les verbes en **-eler** et **-eter** : ceux-ci peuvent désormais se conjuguer sur le modèle de ***peler*** et ***d'acheter***, c'est-à-dire en utilisant l'accent grave pour noter le son [ɛ] plutôt que le redoublement de consonne : *il ruissèle, il étiquètera.* Font exception à cette règle les verbes ***appeler*** (et ***rappeler***) et ***jeter***

[PG § 500]

(et les verbes de sa famille) dont les formes sont les mieux stabilisées dans l'usage. Les noms en -**ement** dérivés de ces verbes suivront la même orthographe : *ruissèlement*.

427 Écrivez à la 1re personne du singulier et à la 1re personne du pluriel de l'indicatif présent les expressions suivantes:

1. Épousseter une commode. — 2. Carreler une cuisine. — 3. Rappeler un ami. — 4. Projeter un film. — 5. Haleter d'émotion. — 6. Ciseler ses phrases. — 7. Déceler un défaut. — 8. Crocheter une serrure.

428 Mettez à la forme indiquée les verbes en italique (verbes en *-eler*, *-eter*).

1. Je vous [*rappeler*, fut. simple] les promesses que vous m'avez faites. — 2. [*Décacheter*, condit. prés.]-vous une lettre adressée à quelqu'un d'autre ? — 3. Tu ne [*fureter*, fut. simple] plus dans cette armoire. — 4. Revoici mars, il ne [*geler*, indic. prés.] plus. — 5. Modérez votre allure ; autrement vous [*haleter*, fut. simple]. — 6. Ne [*jeter*, impér. prés., 1re pers. plur.] pas ces fruits, [*congeler*, impér. prés., 1re pers. plur.]-les. — 7. Quand le soleil est à son levant ou à son couchant, l'ombre [*se projeter*, ind. prés.] au loin.

[PG § 330 et 498]

429 Mettez à la forme indiquée les verbes en italique (verbes ayant un *é* fermé à l'avant-dernière syllabe).

1. J'[*espérer*, ind. prés.] que le film [*recréer*, ind. prés.] bien l'atmosphère du roman dont il s'inspire. — 2. Ne [*révéler*, impér. prés., 2e pers. sing.] pas ce secret, ne le [*répéter*, impér. prés., 2e pers. sing.] à personne : je [*sécher*, ind. prés.] parfois les cours. — 3. Si je [*persévérer*, ind. prés.], dans cette attitude, je ne [*créer*, fut. simple] jamais rien. — 4. Zorro [*pénétrer*, passé simple] dans la citadelle et [*libérer*, passé simple] les otages. — 5. Mon patron [*exagérer*, ind. prés.], il [*maugréer*, ind. prés.] et [*rouspéter*, ind. prés.] tout le temps. — 6. Mon oncle [*léguer*, fut. simple] son corps à la science. — 7. J'[*accélérer*, condit. prés.] si je le pouvais.

[PG § 498]

ORTHOGRAPHE Les rectifications de l'orthographe concernent les verbes ayant un **é fermé** à l'avant-dernière syllabe du type ***céder*** : ceux-ci sont accentués au futur et au conditionnel sur le modèle de ***semer*** : *je cèderai*, *je cèderais*, l'accent grave correspondant mieux que l'accent aigu à la prononciation de ces formes.

VOCABULAIRE *Sécher les cours*, c'est familièrement « ne pas assister à un cours, une classe volontairement et sans être excusé », en Belgique, on dit aussi *brosser les cours*, cela permet de *faire l'école buissonnière*, c'est-à-dire « jouer, se promener au lieu d'aller à l'école ou au travail ».

[PG § 331]

430 Mettez à la 1re personne du singulier de l'indicatif présent et du futur simple les expressions suivantes (verbes en *-yer*) :

1. Appuyer une requête. — 2. Octroyer un avantage. — 3. Nettoyer ses chaussures. — 4. Employer le mot propre. — 5. Essuyer les vitres. — 6. Ne rudoyer personne. — 7. Ne pas grasseyer. — 8. Essayer une voiture. — 9. Déblayer le terrain. — 10. Balayer la cuisine.

431 Mettez à la forme indiquée les verbes en italique (verbes en -yer).

a) 1. La vendeuse [*déployer*, ind. prés.] devant nous des tissus qui [*chatoyer*, ind. prés.] dans la lumière et [*égayer*, ind. prés.] toute la boutique. — 2. Ne [*s'effrayer*, impér. prés., 2e pers. sing.] pas, je ne [*se noyer*, fut. simple] pas. — 3. Il faut que tu [*broyer*, subj. prés.] les grains de coriandre et que tu [*délayer*, subj. prés.] la levure dans l'eau tiède. — 4. La lumière que le soleil nous [*envoyer*, ind. prés.] nous arrive en huit minutes. — 5. Des arbres [*ondoyer*, ind. prés.] doucement dans le vent, d'autres [*ployer*, ind. prés.] sous le poids de leurs fruits. — 6. Si tu [*essayer*, ind. prés.] de le rabrouer, il te [*rayer*, fut. simple] de la liste de ses amis.

b) 1. Les couleurs des solennels palais bolonais [*rougeoyer*, indic. prés.] comme de la braise. (J.-L. Vaudoyer) — 2. Des chaises sont brandies, la police [*se frayer*, indic. prés.] un chemin. (A. Camus) — 3. Oh! ne vous mettez pas en peine, il vous [*payer*, fut. simple] le mieux du monde. (Molière) — 4. Puis il [*envoyer*, indic. prés.] les administrés au diable, et la muse des comices agricoles n'a plus qu'à se voiler la face. (A. Daudet) — 5. M. Seguin était ravi. « Enfin, pensait le pauvre homme, en voilà une qui ne [*s'ennuyer*, fut. simple] pas chez moi! » (Id.) — 6. S'il te venait une maladie, Monsieur te [*payer*, condit. prés.] quand même. (A. Chamson) — 7. Elle [*essuyer*, indic. prés.] aux roseaux ses pieds que l'étang mouille. (V. Hugo) — 8. Ses yeux injectés de sang [*flamboyer*, indic. prés.] comme des rubis. (L. Pergaud)

LANGAGE La *coriandre*, appelée parfois *persil arabe*, est du genre féminin.

432 Mettez à la forme indiquée les verbes en italique.

[PG § 332]

1. Il faut que nous [*plier*, subj. prés.] nos serviettes. — 2. Du vaisseau qui nous emportait, nous [*voir*, ind. impar.] fuir le rivage. — 3. Bien que nous [*voir*, subj. prés.] la difficulté de l'entreprise, il ne faut pas que vous [*craindre*, subj. prés.] un échec. — 4. Si vous [*travailler*, ind. imparf.] d'arrache-pied, vous réussiriez. — 5. Si vous [*gagner*, ind. imparf.] le gros lot, qu'en feriez-vous ? — 6. Il est bon parfois que nous [*oublier*, subj. prés.] nos soucis pour penser aux autres. — 7. Je serais heureux si vous m'[*envoyer*, ind. imparf.] un message. — 8. Nous [*croire*, indic. imparf.] tout ce que vous [*dire*, ind. imparf.] et vous [*rire*, ind. imparf.] sous cape. — 9. Avant, quand nous [*étudier*, ind. imparf.], nous [*employer*, ind. imparf.] mal notre temps, nous le [*gaspiller*, ind. imparf.].

VOCABULAIRE *Sous cape*, c'est « secrètement, à la dérobée, en cachette » ; *rire sous cape*, « se réjouir malicieusement à part soi ».

ORTHOGRAPHE Selon les rectifications orthographiques, on peut désormais souder certains mots qui s'écrivent traditionnellement avec des traits d'union. Parmi eux, ceux-ci : (*d'*) *arrachepied*, (*à*) *clochepied*, *couvrepied*, *crochepied*, *poucepied*, *vanupied*. [PG § 503]

433 Écrivez à la 1re personne du pluriel de l'indicatif imparfait et du subjonctif présent les expressions suivantes :

1. Défier un adversaire. — 2. Peigner ses cheveux. — 3. Crier à l'aide. — 4. Confier un secret. — 5. Étudier sa leçon. — 6. Soigner son style. — 7. S'habiller chic.

434 Exercice récapitulatif sur les remarques concernant les verbes en *-er*: mettez à la forme indiquée les verbes en italique.

a) 1. Il [*essayer*, ind. prés.] sans cesse de me joindre : il m'[*appeler*, ind. prés.] sur mon GSM et il m'[*envoyer*, ind. prés.] des courriels toute la journée, il [*employer*, cond. prés.] mieux son temps à autre chose ! — 2. Leurs muscles, ils ne les [*exercer*, ind. imparf.] jamais. — 3. Le soleil [*percer*, partic. prés.] les nuages, [*jeter*, indic. imparf.] des rayons obliques et l'ombre des peupliers [*s'allonger*, indic. imparf.] sur la plaine.

b) 1. Et ces flammes dansaient, [*changer*, *s'élancer*, indic. imparf.] toujours plus hautes et plus gaies. (P. Loti) — 2. L'avion avait gagné d'un seul coup, à la seconde même où il [*émerger*, indic. imparf.], un calme qui semblait extraordinaire. (A. de Saint-Exupéry) — 3. Il rassembla ses forces, [*se lancer*, passé simple] et [*s'allonger*, passé simple] par terre. (R. Rolland) — 4. Alors ils [*amener*, indic. prés.] l'agneau sans mère à la brebis sans petit. (J. de Pesquidoux) — 5. De temps en temps, ce gros homme enlevait sa casquette et [*s'éponger*, indic. imparf.] le front. (H. Bosco) — 6. Je me disais que nous [*atteindre*, indic. imparf.] aux jours les plus longs de l'année. (M. Barrès) — 7. Les habitants de ces lieux, nous ne les [*envier*, indic. imparf.] pas. (P. Vialar)

VOCABULAIRE 1. Le terme *GSM* désigne, notamment en Belgique, le téléphone mobile, le portable. Il s'agit d'un acronyme (c'est-à-dire un sigle prononcé comme un mot ordinaire) qui vient de l'anglais *Global System for Mobile Communication* (système mondial de télécommunication mobile). On peut y écrire des messages appelés ici, des *SMS* (sigle anglais : *Short Message Service* : service de messagerie succincte) et là, des *textos*.

2. Le *courriel* est un « message échangé entre ordinateurs connectés à un réseau informatique » ; le terme est d'origine québécoise et est formé à partir de *courrier* et *électronique*. L'*e-mail* ou le *mail*, ses synonymes, sont des anglicismes.

[PG § 333-335]

2. Verbes en *-ir*

435 Remplacez les trois points par la finale convenable (*béni* ou *bénit*) et faites l'accord.

a) 1. De l'eau *bén*... — 2. Des cierges *bén*... — 3. Des nations *bén*... de Dieu. — 4. C'est pain *bén*... — 5. L'heure *bén*... du crépuscule. — 6. Le mariage sera *bén*... — 7. Un rameau *bén*...

b) 1. Après que le prêtre eut *bén*... les cierges, la procession défila dans l'église. — 2. Je me rappelle les jours *bén*... de ma première enfance. — 3. C'est l'évêque qui a *bén*... le mariage. — 4. Au mur blanchi à la chaux, sous un rameau de buis *bén*..., un coffre-fort était scellé. (A. France) — 5. C'est une famille *bén*... de Dieu. (La Varende) — 6. Une petite fille de deux ans et demi avait au cou une médaille *bén*... (H. Taine) — 7. « Soyez donc en paix, ma fille » lui dis-je. Et je l'ai *bén*... (G. Bernanos) — 8. Elle a un chapelet *bén*... accroché à son étagère. (A. de Musset) — 9. Oh, Soleil que tu fus *bén*... et remercié, ces semaines-là ! (G. Compère).

436 Mettez à la forme indiquée les verbes en italique (verbes en *-ir*).

1. Quel beau spectacle que celui des cerisiers [*fleurir*, partic. prés.] au printemps! — 2. [*Haïr*, impér. prés. 2e pers. du sing.] toujours l'injustice. — 3. L'art roman [*fleurir*, indic. imparf.] encore au douzième siècle. — 4. Partout les bruyères [*fleurir*, indic. imparf.] sur les collines. — 5. Tu [*haïr*, indic. prés.] ce tyran autant que nous le [*haïr*, indic. prés.] tous. — 6. Quand on jouit d'une santé [*fleurir*, adj. verbal], on possède un véritable trésor.

3. Verbes en *-oir* et en *-re*

[PG § 336-341]

437 Remplacez les trois points par la finale convenable: *-u* ou *-û*, et faites l'accord. [PG § 336]

1. Ils ont *d...* travailler le soir pour rembourser la somme *d...* — 2. Grâce à ces transactions, ton capital s'est *accr...* de mille euros. — 3. Ariane pâlit, elle était *ém...* — 4. Toujours *m...* par le sens des affaires, il nous réclamait un montant *ind...* pour les frais de transport. — 5. Dans cette région la population a *cr...* rapidement. — 6. Nous fêtons papa, qui a été *prom...* au grade de colonel. — 7. Il y a des gens qui sont persuadés que tout leur est d... — 8. La rivière a *cr...* rapidement ; elle n'a *décr...* que lentement.

ORTHOGRAPHE Selon les rectifications orthographiques, l'accent circonflexe sur les ***u*** des participes passés ne subsiste désormais que sur ***dû*** et ***crû*** (de croître) pour les distinguer de leurs homonymes. [PG § 499]

438 Écrivez aux 3 personnes du singulier de l'indicatif présent les expressions suivantes: [PG § 337]

Modèle: Je crains, tu crains, il craint le pire.

1. Atteindre le but. — 2. Éteindre le feu. — 3. Absoudre l'accusé. — 4. Résoudre de partir. — 5. Plaindre les malheureux. — 6. Dissoudre l'assemblée. — 7. Teindre ses cheveux.

439 Mettez à la forme indiquée les verbes en italique (verbes en *-indre* et en *-soudre*).

1. On n'[*enfreindre*, indic. prés.] pas impunément les lois. — 2. Voici l'aube: la lumière [*poindre*, indic. prés.] là-bas et réveille la colline. — Tu [*se plaindre*, ind. prés.] de ta vie, tu [*craindre*, ind. prés.] toujours le pire, as-tu peur du bonheur ? — 4. Pendant que la bouche [*accuser*, ind. prés.], le cœur [*absoudre*, ind. prés.]. (A. de Musset) — 5. La majeure partie des grands écrivains de France ont [*peindre*, part. passé] les mœurs de leur temps. (G. Duhamel) — 6. La puissante lumière de l'été s'empare, pour de tels jeux, du moindre objet, l'exhume, le glorifie ou le [*dissoudre*, indic. prés.]. (Colette) — 7. Alors le grand caïd [*se résoudre*, indic. prés.] à céder. (P. Loti) — 8. L'histoire ne [*résoudre*, indic. prés.] pas les questions, elle nous apprend à les examiner. (Fustel de Coulanges)

ORTHOGRAPHE Observer le ***h*** dans *ex**h**umer, ex**h**aler, ex**h**ausser, ex**h**iber, ex**h**orter* mais pas dans *exorbitant, exalter, exécrer, exonérer, exorciser.*

[PG § 338-339] **440 Mettez à la forme indiquée les verbes en italique** (*battre, mettre,* verbes en *-dre, vaincre, rompre*).

1. Ne [*remettre*, impér. prés., 2e pers. sing.] plus ce choix en question, ne m'en [*rebattre*, impér. prés., 2e pers. sing.] plus les oreilles. — 2. Ce bosquet [*rompre*, indic. prés.] l'uniformité du paysage. — 3. Votre argument ne me [*convaincre*, indic. prés.] guère. — 4. Si tu [*prétendre*, indic. prés.] être objectif, [*prendre*, impér. prés.] une connaissance exacte des faits. — 5. Ne [*vendre*, impér. prés. 2e pers. du sing.] pas la peau de l'ours avant d'avoir tué l'animal. — 6. Celui qui [*vaincre*, indic. prés.] sans péril triomphe sans gloire.

VOCABULAIRE 1. *Ne … guère* signifie « pas beaucoup, pas très ».

2. *Rebattre les oreilles* à quelqu'un de quelque chose signifie « le lui répéter à satiété ».

[PG § 340 et 499] **441 Mettez les verbes suivants** (en *-aître, -oître*) **à la forme demandée [attention à l'accent circonflexe !].**

a) À l'*indicatif présent*: 1. Il [*naître*]. — 2. Tu [*connaître*]. — 3. Je [*paraître*]. — 4. J'[*accroître*]. — 5. Il [*accroître*]. — 6. Tu [*croître*] en sagesse. — 7. Il [*croître*]. — 8. Ils [*apparaître*]. — 9. Tu [*reparaître*]. — 10. Il [*croître*] en vertu.

b) Au *futur simple*: 1. Je [*paraître*]. — 2. Nous [*reconnaître*]. — 3. Il [*croître*]. — 4. Je [*disparaître*].

[PG § 499] **ORTHOGRAPHE** Les rectifications de l'orthographe comprenant la suppression de l'accent circonflexe sur les ***-i*** excepté sur les terminaisons du passé simple (1re et 2e pers. plur.), de l'imparfait du subjonctif (3e pers. sing.) et du plus-que-parfait du subjonctif (3e pers. sing.) concernent donc la conjugaison des verbes en **-aître** et **oître** (devenant **-aitre** et **-oitre**) sauf **croître** (mais pas ses composés) que l'on pourrait confondre avec **croire**.

442 Conjuguez au passé simple :

1. *Croître* comme un champignon. — 2. *Accroître* sa fortune.

443 Mettez à la forme indiquée les verbes en italique (verbes en *-aître, -oître, -ire*).

1. César [*réduire*, passé simple] la Gaule après huit années de luttes. — 2. Au XVIe siècle, notre vocabulaire [*s'accroître*, passé simple] d'un grand nombre de termes italiens. — 3. Caton demandait sans cesse qu'on [*détruire*, subj. imparf.] Carthage. — 4. Il [*croître*, indic. plus-que-parf.] en beauté et en sagesse dans une île où [croître, ind. prés.] orchidées et bananiers, il nous la [*décrire*, ind. imparf.] souvent. — 5. Le cœur a ses raisons, que la raison ne [*connaître*, indic. prés.] point. (B. Pascal) — 6. On ne [*naître*, ind. prés.] pas femme, on le devient. (S. de Beauvoir) — 7. La civilisation moderne, par les inventions et les machines, [*accroître*, indic. prés.] le temps des loisirs. (A. Maurois) — 8. Un éléphant [*reconnaître*, indic. prés.] son maître au bout de dix ans. (Voltaire)

[PG § 499] **ORTHOGRAPHE** *Île* et *maître* peuvent désormais s'écrire sans accent circonflexe sur le *i*.

RÉCAPITULATION

444 Conjugaison de certains verbes.

Recherche un toit

Comme il (*envisager*, ind. imparf.) d'acquérir un logement, Jean (*songer*, passé simple) d'abord à s'installer à la campagne. Il (*acheter*, cond. prés.) une vieille ferme. Il (*procéder*, cond. prés.) à des travaux de rénovation. Il y (*mener*, cond. prés.) une vie calme et paisible. Il (*se bercer*, ind. imparf.) d'illusions, il oubliait la longueur des trajets et les embarras de circulation pour se rendre à son lieu de travail. Il (*changer*, passé simple) d'avis.

Aujourd'hui, il (*projeter*, ind. prés.) de vivre en ville. Il (*considérer*, ind. prés.) l'aspect pratique de l'habitat urbain : proximité des commerces, facilité des transports en commun … Chaque jour, il (*feuilleter*, ind. prés.) le journal de l'immobilier (*regorger*, part. prés.) d'annonces. Il (*repérer*, ind. prés.) les meilleures annonces. Tout à ses recherches, il (*déployer*, ind. prés.) beaucoup d'énergie. Les semaines (*se succéder*, ind. prés.), sa connaissance du marché (*croître*, passé composé). Il (*attendre*, ind. prés.) la bonne occasion. Une agence lui (*envoyer*, ind. prés) un courriel : « particulier (*vendre*, ind. prés.) bel appartement dans quartier aéré ». Ça y est, il (*atteindre*, ind. prés.) presque son but. Il (*essayer*, ind. prés.) de réfléchir posément. Il (*peser*, ind. prés.) le pour et le contre. Finalement, ce logement (*correspondre*, ind. prés.) à ses critères. Il (*interrompre*, ind. prés.) ses tergiversations et se (*résoudre*, ind. prés.) à devenir propriétaire.

Conjugaison passive

[PG § 342]

445 Analysez les formes passives (mode, temps, personne, nombre).

a) 1. Ils sont protégés. — 2. Tu étais blâmé. — 3. Que nous soyons aidés. — 4. Tu aurais été admis. — 5. Qu'il eût été accompagné. — 6. J'eus été conduit. — 7. Que tu fusses ramené. — 8. Que tu aies été instruit. — 9. Avoir été trompé.

b) 1. Il fut pris en flagrant délit. — 2. Nos efforts ont été couronnés de succès. — 3. Nous sommes partis plus tôt qu'il n'avait été prévu, afin de ne pas être empêchés par le mauvais temps. — 4. Le refrain a été repris en chœur. — 5. Dès que le signal eut été donné, nous sommes entrés. — 6. Quand la phrase aura été bien comprise, on pourra mieux l'analyser. — 7. Après avoir été séduit par les apparences, tu serais amené à prendre le faux pour le vrai.

446 Mettez au passif et à la forme indiquée les expressions suivantes:

a) 1. [*Indic. imparf., 1re p. s.*] Féliciter solennellement. — 2. [*Condit. prés., 3e p. s.*] Choisir pour arbitre. — 3. [*Subj. prés., 2e p. pl.*] Rappeler au devoir. — 4. [*Impér. prés., 2e p. pl.*]

Remercier chaleureusement. — 5. [*Partic. passé sing.*] Trouver innocent. — 6. [*Passé simple, 3e p. s.*] Porter aux nues. — 7. [*Subj. imparf., 3e p. pl.*] Contraindre de partir.

b) 1. [*Indic. p.-q.-parf., 2e p. pl.*] Obéir ponctuellement. — 2. [*Subj. passé, 3e p. pl.*] Soumettre à une épreuve. — 3. [*Part. passé pl.*] Déclarer innocent. — 4. [*Subj. p.-q.-parf., 2e p. s.*] Juger avec bienveillance. — 5. [*Cond. passé, 1re p. s.*] Proposer pour un emploi. — 6. [*Passé antér., 1re p. pl.*] Délivrer de l'oppression. — 7. [*Subj. passé, 2e p. s.*] Récompenser largement.

VOCABULAIRE *Porter aux nues,* c'est « louer avec enthousiasme » ; les nues désignant le ciel. *Tomber des nues* c'est « être décontenancé par un événement inopiné ».

[PG § 343]

Conjugaison pronominale

Un passager aux idées larges

— Promenons-nous, pauvres que nous sommes.

Ils s'en furent en catimini voir ce que faisaient les riches dans le grand salon des premières. Massés dans l'ombre, ils guettaient et ils admiraient. L'orchestre joua le God Save The King. Deux Anglais se levèrent, ce qui fit battre double le cœur de Salomon. Très ému et pudique représentant de son Angleterre chérie, Mangeclous se découvrit et se tint immobile, digne, discret, sérieux, noble, distingué.

Puis ce fut la Marseillaise qui éclata et Mangeclous se sentit fortement français et féru de Danton. Il se promena sur le pont en faisant des saluts militaires à d'innombrables régiments dont il se sentait terriblement généralissime.

Albert Cohen, *Mangeclous.* Paris, Éd. Gallimard, 1938.

447 Relevez, dans ce texte, les verbes pronominaux.

448 Analysez les formes de la conjugaison pronominale (mode, temps, personne, nombre).

a) 1. Gardons-nous. — 2. Il s'évanouira. — 3. Nous nous repentirons. — 4. Qu'ils s'emparent. — 5. Tu te reposas. — 6. En s'enorgueillissant. — 7. Vous vous êtes plaints. — 8. Qu'il se fût persuadé. — 9. Je me serai trompé. — 10. Il se serait consolé.

b) 1. Je voudrais que chacun de vous s'appliquât à comprendre. — 2. En se distrayant, on se repose. — 3. À peine se furent-ils aperçus de leur méprise qu'ils s'excusèrent. — 4. Que tu te sois mis dans l'embarras, c'est évident. — 5. J'aurais souhaité qu'ils se fussent abstenus de toute critique.

449 Employez à la forme indiquée les expressions suivantes:

a) 1. [*Indic. pr., 2e p. s.*] Ne pas se moquer du qu'en dira-t-on. — 2. [*Subj. pr., 3e p. s.*] Se dévouer sans compter. — 3. [*Subj. pr., 3e p. s.*] Ne pas s'arroger des droits excessifs. —

4. [*Indic. p.-q.-parf.*, *1re p. pl.*] S'acquitter de son devoir. — 5. [*Fut. ant.*, *2e p. pl.*] S'exercer à la patience. — 6. [*Cond. passé, 2e p. pl.*] Se rappeler une histoire.

b) 1. [*Passé simple, 1re p. pl.*] S'en aller promptement. — 2. [*Subj. imparf.*, *3e p. s.*] Se détourner de son chemin. — 3. [*Infin. passé*] Se permettre d'intervenir. — 4. [*Indic. imparf.*, *1re p. pl.*] S'exagérer la difficulté. — 5. [*Passé simple, 3e p. pl.*] Se cantonner dans l'expectative. — 6. [*Passé comp.*, *3e p. s.*] S'adonner à la peinture.

ORTHOGRAPHE *Le qu'en-dira-t-on* : la phrase interrogative est devenue un substantif qui signifie « l'opinion d'autrui », notez ses traits d'union.

Conjugaison impersonnelle

[PG § 344]

450 Donnez, dans la conjugaison impersonnelle, tous les temps des verbes suivants :

1. Pleuvoir. — 2. Falloir. — 3. Geler. — 4. Arriver. — 5. Se rencontrer.

451 Mettez à la forme indiquée les verbes en italique.

1. Il [*falloir*, condit. prés.] que chacun comprît. — 2. Il [*convenir*, indic. prés.] de garder son calme. — 3. Il [*se faire*, passé simple] alors un grand silence. — 5. Il [*ne pas dire*, fut. simple, passif impers.] que je vous refuserai ce service. — 4. Quand même il [*pleuvoir*, condit. prés.] des hallebardes, je partirai ! — 5. À certaines époques troublées, il [*surgir*, passé comp.] des personnages clairvoyants.

VOCABULAIRE *La hallebarde* (h aspiré) est une lance munie d'une pique et de deux lames tranchantes. *Pleuvoir des hallebardes* signifie « pleuvoir très fort ». On dit aussi *pleuvoir des cordes*.

Conjugaison interrogative

[PG § 345]

452 Mettez à la forme interrogative, de deux manières quand c'est possible, les formes verbales suivantes :

Modèle : J'aime : *aimé-je ? — est-ce que j'aime ?*

a) 1. Je travaille. — 2. Je rêve. — 3. Il parlera. — 4. Tu mettrais. — 5. On commence.

b) 1. Je dis. — 2. On verra. — 3. Je cours. — 4. Je m'endors. — 5. Il avance. — 6. Elle écouta.

ORTHOGRAPHE Selon les rectifications orthographiques, dans les inversions interrogatives, la première personne du singulier en **-e** suivie du pronom sujet ***je*** peut désormais porter un accent grave plutôt qu'un accent aigu, on pourra donc écrire *aimè-je* ?

[PG § 498]

453 Mettez les phrases suivantes à la forme interrogative positive (2 manières):

Modèle: Tu avances: *Avances-tu? — Est-ce que tu avances?*

1. Tu marches posément. — 2. Je sais ce que l'avenir me réserve. — 3. Je dois croire ce que vous avancez. — 4. Vous oserez dire toute la vérité. — 5. On devra se conformer à votre avis. — 6. La peur se corrige. — 7. Nous avons contemplé le ciel étoilé. — 8. J'aurais pu croire une telle affirmation.

454 Mettez les phrases suivantes à la forme interrogative négative (2 manières):

Modèle: L'homme est mortel; *L'homme n'est-il pas mortel? Est-ce que l'homme n'est pas mortel?*

1. Le chien est semblable au loup. — 2. Les hommes sont tous frères. — 3. Tu dois te connaître toi-même. — 4. Quiconque a des droits a aussi des devoirs. — 5. Prévenir vaut mieux que guérir. — 6. Nos connaissances sont une vraie richesse.

[PG § 499] ORTHOGRAPHE *Connaître* peut désormais s'écrire *connaitre*, sans accent circonflexe.

Verbes irréguliers

[PG § 349: de abattre à attraire.]

455 Mettez à la forme demandée les verbes suivants:

a) 1. *Aller*, subj. prés., 3e p. s. — 2. *Asseoir*, fut. s., 3e p. pl. — 3. *S'abstenir*, passé s., 3e p. s. — 4. *Acquérir*, fut. s., 1re p. s. — 5. *Apparaître*, cond. pr., 3e p. s. — 6. *Absoudre*, subj. pr., 3e p. s.

b) 1. *Attendre*, passé comp., 3e p. pl. — 2. *S'en aller*, impér. pr., 2e p. s. — 3. *Accueillir*, fut. s., 1re p. pl. — 4. *Accroître*, indic. pr., 3e p. s. — 5. *Asseoir*, subj. pr., 1re p. pl. — 6. *Acquérir*, subj. pr., 1re p. s.

ORTHOGRAPHE Les rectifications orthographiques permettent aujourd'hui de

[PG § 512] 1. Calquer *absous*, le participe passé masculin de *absoudre*, sur son féminin : **absout**, **absoute**. Il en va de même pour le participe passé de *dissoudre*.

[PG § 499 b] 2. Supprimer l'accent circonflexe sur les **i**, *apparaître* et *accroître* peuvent donc aujourd'hui s'écrire *apparaitre* et *accroitre* ; par contre, *croître* le conserve pour éviter la confusion de certaines de ses formes avec celles du verbe *croire*.

[PG § 512] 3. Supprimer le **e** muet de *asseoir* (de *rasseoir* et de *surseoir*) sur le modèle de *voir* et de *choir* qui s'écrivaient anciennement *veoir* et *cheoir*.

[PG § 349: de abattre à attraire.]

456 Mettez à la forme indiquée les verbes en italique.

1. Dans le doute, tu [*s'abstenir*, fut. simple]. — 2. Nous [*ne pas asseoir*, fut. simple] les enfants sans leur ceinture de sécurité. — 3. Dans peu d'années, ce terrain [*acquérir*, fut.

simple] de la valeur. — 4. Il faut que tu [*acquérir*, subj. prés.] la certitude d'avoir fait le bon choix. — 5. À l'issue de la réunion, plusieurs journalistes [*assaillir*, fut. simple] les ministres. — 6. Si tu viens, nous t'[*accueillir*, fut. simple] avec joie. — 7. Il convient que nous [*aller*, subj. prés.] lui rendre visite. — 8. Si tu [s'*astreindre*, ind. imparf.] à prendre ce remède, tu [*aller*, cond. prés.] mieux.

457 Mettez à la forme indiquée les verbes en italique.

[PG § 349 : de battre à coudre.]

a) 1. [*Battre*, impér. prés., 2e pers. sing.] le fer quand il est chaud et [*ne pas compromettre*, impér. prés., 2e pers. sing.] tes chances. — 2. Ses yeux lancent des éclairs, il [*bouillir*, ind. prés.] de colère. — 3. Il importe que l'on [*combattre*, subj. prés.] les préjugés. — 4. Il se trouvera toujours des ânes qui [*braire*, fut. simple] contre la science. — 5. Ce film [*conquérir*, passé comp.] le public, [*conquérir*, fut. simple] aussi le jury du festival ? — 6. Nous [*connaître*, indic. prés.]-nous bien nous-mêmes ? — 7. Je ne [*conclure*, fut. s.] pas sans avoir mûrement réfléchi.

b) 1. C'est un anticonformiste : peu lui [*chaloir*, ind. prés.] l'opinion d'autrui. — 2. [*Circonscrire*, impér. prés., 2e pers. plur.] votre sujet pour mieux le traiter. — 3. [*Conduire*, impér. prés., 2e pers. plur.] avec prudence. — 4. Je ne suis pas certain que vous le [*connaître*, subj. prés.]. — 5. Le vent [*bruire*, ind. imparf.] dans les peupliers.

ORTHOGRAPHE *Connaître* et *mûrement* peuvent désormais s'écrire *connaitre* et *murement*, sans accent circonflexe. [PG § 499]

VOCABULAIRE *Chaloir* est un verbe impersonnel signifiant « importer ».

458 Mettez à la forme demandée les expressions suivantes :

1. *Bouillir* d'impatience [indic. imparf., 1re p. pl.]. — 2. *Clore* le débat [indic. pr., 3e p. s.]. — 3. *Acquérir* des connaissances [subj. prés., 3e p. s.]. — 4. *Conclure* sans délai [condit. pr., 1re p. s.]. — 5. *Coudre* à la machine [passé simple, 1re p. s.]. — 6. *Contredire* ce témoignage [indic. prés., 2e p. pl.]. — 7. *Connaître* le bonheur [fut. simple, 2e p. pl.]. — 8. *Se complaire* en soi-même [indic. prés., 3e p. s.]. — 9. *Convaincre* un sceptique [indic. prés., 3e p. s.]. — 10. *Boire* le calice jusqu'à la lie [subj. prés., 1re p. pl.].

VOCABULAIRE *Boire le calice jusqu'à la lie* c'est « subir une épreuve pénible jusqu'à son terme » ; *la lie du vin* étant le dépôt qui se forme au fond de la bouteille.

ORTHOGRAPHE *Connaître* peut désormais s'écrire *connaitre*, sans accent circonflexe. [PG § 499]

459 Mettez à la forme indiquée les verbes en italique.

[PG § 349 : de courir à dormir.]

a) 1. Corentin ne [*se départir*, ind. prés.] jamais de son sourire. — 2. Vous m'avez promis de venir, ne vous [*dédire*, impér. prés.] pas ; je compte sur vous. — 3. L'ombre qui [*croître*, ind. prés.] remplit peu à peu la vallée. — 4. Nous ne [*courir*, fut. s.] pas deux lièvres à la fois. — 5. Il faudrait que l'on [*dormir*, subj. prés.] au moins huit heures par nuit. — 6. Pour sa fête, je [*cueillir*, fut. simple] des fleurs pour maman et je la [*couvrir*, fut. simple] de baisers, se [*dire*, ind. prés.] la fillette. — 7. Je [*déchoir*, cond. prés.] si je manquais à ma parole.

b) 1. Nous [*craindre*, indic. imparf.] d'être surpris par l'orage. — 2. Qu'il fût en retard, Gilles n'en [*disconvenir*, passé simple] pas. — 3. Arrange-toi pour qu'on ne [*devoir*, subj.

prés.] pas t'attendre. — 4. Si vous ne [*dire*, ind. prés.] pas la vérité, vous ne [*devoir*, fut. simple] pas vous étonner que l'on en [*déduire*, subj. prés.] que vous êtes un menteur. — 5. En avril, si nous en [*croire*, indic. imparf.] le dicton, nous ne nous [*découvrir*, condit. prés.] pas d'un fil. — 6. On [*dissoudre*, passé comp.] l'assemblée ; elle n'a été [*dissoudre*, part. passé] qu'après une longue délibération.

VOCABULAIRE 1. *Courir deux lièvres à la fois* signifie « poursuivre deux objectifs en même temps ».

2. *Déchoir* signifie ici « s'abaisser ».

[PG § 349 : de courir à dormir.]

460 Mettez à la forme demandée les expressions suivantes :

1. *Conquérir* l'espace [fut. s., 3e p. pl.]. — 2. *Croire* à la chance [indic. imparf., 1re p. pl.]. — 3. *Dire* la vérité [subj. prés., 3e p. s.]. — 4. *Devenir* sage [passé s., 1re p. pl.]. — 5. *Déchoir* de son rang [indic. prés., 1re p. pl.]. — 6. *Croître* en sagesse [passé s., 3e p. pl.]. — 7. *Défaillir* de terreur [indic. imparf., 1re p. pl.]. — 8. *Se départir* de son sang-froid [indic. prés., 3e p. s.].

VOCABULAIRE Le *sang-froid* c'est « la capacité à dominer ses émotions pour rester maître de soi ».

[PG § 349 : de s'ébattre à fuir.]

461 Mettez à la forme indiquée les verbes en italique.

a) 1. Il attend que nous lui [*écrire*, subj. prés.] et que nous ne [*fuir*, subj. prés.] pas nos responsabilités. — 2. [*Faire*, impér. prés. 2e pers. plur.] ce que vous avez dit, ainsi vous ne [*faillir*, fut. simple] pas à votre promesse. — 3. Il serait dommage que Max [*s'endormir*, subj. prés.] sur ses lauriers. — 4. Les internautes [*envoyer*, ind. prés.] des milliers de messages électroniques. — 5. Vous [*émouvoir*, cond. prés.] si vous étiez vous-même [*émouvoir*, part. passé].

b) 1. Si la chance m'[*échoir*, ind. prés.] maintenant, pourquoi ne m'[*échoir*, cond. prés.]-elle pas plus tard ? — 2. Le temps [*fuir*, ind. prés.], je ne crois pas qu'il [*falloir*, subj. prés.] s'en convaincre. — 3. Quand m'[*envoyer*, fut. simple] ce courriel ?

VOCABULAIRE 1. *S'endormir sur ses lauriers* signifie « ne plus agir après un succès, une réussite » ; le laurier étant le symbole de la gloire et de la victoire dans l'Antiquité.

2. *Échoir* signifie « être attribué par le hasard ».

[PG § 349 : de s'ébattre à fuir.]

462 Mettez à la forme demandée les expressions suivantes :

1. Ne pas *faillir* à sa promesse [fut. s., 1re p. s.]. — 2. *Éconduire* un importun [indic. imparf., 1re p. s.]. — 3. *Entrevoir* la vérité [indic. imparf., 1re p. pl.]. — 4. *S'enfuir* au plus vite [passé s., 3e p. pl.]. — 5. *Élire* un président [passé s., 3e p. pl.]. — 6. *S'enquérir* de la vérité d'un fait [fut. s., 1re p. s.]. — 7. *Entrouvrir* la porte [passé s., 1re p. s.]. — 8. *Feindre* l'étonnement [indic. imparf., 1re p. pl.]. — 9. *Encourir* le mépris public [condit. prés., 1re p. pl.]. — 10. *Fleurir* sa boutonnière [indic. imparf., 1re p. s.].

463 Mettez à la forme indiquée les verbes en italique.

[PG § 349: de geindre à paître.]

a) 1. Vous ne [*médire*, indic. prés.] de personne. — 2. Nous ne [*haïr*, indic. prés.] rien tant que l'injustice. — 3. Les fortunes et les renommées [*naître*, indic. prés.] d'un instant et [*mourir*, indic. prés.] d'un instant. (A. Maurois) — 4. Que de trésors [*gésir*, indic. prés.] au fond des mers ! — 5. Ces accusations lui [*nuire*, passé simple] beaucoup. — 6. D'un bout du monde à l'autre on [*mentir*, indic. prés.] et l'on [*mentir*, passé s.] ; nos neveux [*mentir*, fut. s.] comme ont fait nos ancêtres. (Voltaire) — 7. Épris de liberté, Julien [*haïr*, ind. prés.] toute contrainte.

b) 1. Cette couleur ne [*messeoir*, cond. prés.] pas à votre teint. — 2. Existe-t-il encore des gens qui [*moudre*, ind. prés.] leur café eux-mêmes ? — 3. Vous avez peur que je ne [*mourir*, subj. prés.] de joie. (Mme de Sévigné) — 4. Nous nous [*mouvoir*, indic. prés.] dans des sphères familières. — 5. Les envieux [*mourir*, fut. s.], mais non jamais l'envie. (Molière) — 6. J'aperçois les troupeaux [*paître*, part. pr.] sur la colline.

ORTHOGRAPHE *Naître* et *paître* peuvent désormais s'écrire *naitre* et *paitre*, sans accent circonflexe. [PG § 499]

464 Mettez à la forme demandée les expressions suivantes :

[PG § 349: de geindre à paître.]

1. *Interdire* le passage [indic. prés., 2e p. pl.]. — 2. *Luire* dans l'obscurité [passé s., 3e p. pl.]. — 3. *Maintenir* la paix [subj. prés., 3e p. s.]. — 4. Ne pas *méconnaître* le mérite [fut. s., 1re p. s.]. — 5. *Maudire* la guerre [indic. prés., 1re p. pl.]. — 6. *Lire* le journal [passé s., 1re p. s.].

ORTHOGRAPHE *Méconnaître* peut désormais s'écrire *méconnaitre*, sans accent circonflexe. [PG § 499]

465 Mettez à la forme indiquée les verbes en italique.

[PG § 349: de paraître à reparaître.]

a) 1. Dès que le jour [*poindre*, ind. prés.], les oiseaux commencent leurs concerts. — 2. Marie est réaliste, elle ne se [*repaître*, ind. prés.] pas d'illusions. — 3. Il est préférable que les opinions personnelles [*prévaloir*, subj. prés.] sur les idées toutes faites. — 4. Venise me [*plaire*, ind. prés.] beaucoup ; je [*prévoir*, fut. simple] d'y séjourner prochainement. — 5. Nous [*recourir*, fut. simple] à une agence pour vendre notre maison. — 6. Vous [*prédire*, ind. prés.] l'avenir mais [*prendre*, ind. prés.]-vous garde au moment présent ?

b) 1. Le chien [*percevoir*, indic. prés.] des odeurs que nous ne [*pouvoir*, indic. prés.] percevoir. — 2. Il faut que tu [*reconquérir*, subj. prés.] ta propre estime. — 3. [*Plaire*, subj. imparf.] à Dieu que l'histoire parlât davantage des hommes de génie ! (D'Alembert) — 4. J'aimerais qu'il [*pleuvoir*, subj. prés.].

466 Mettez à la forme demandée les verbes suivants :

[PG § 349: de paraître à reparaître.]

a) *À la 3e pers. du sing. de l'indic. prés.* : 1. Prévaloir. — 2. Renvoyer. — 3. Recueillir. — 4. Se rasseoir.

b) *À la 3e pers. du sing. du passé simple* : 1. Reparaître. — 2. Reluire. — 3. Proscrire. — 4. Recoudre. — 5. Recourir. — 6. Prévoir.

c) *À la 3e pers. du futur simple* : 1. Parcourir. — 2. Pourvoir. — 3. Prévaloir. — 4. Recoudre.

[PG § 499] ORTHOGRAPHE 1. *Se repaître* et *reparaître* peuvent désormais s'écrire *se repaitre* et *reparaitre*.

[PG § 512] 2. *Se rasseoir* peut désormais s'écrire *se rassoir*.

[PG § 349: de repartir à subvenir.]

467 Mettez à la forme indiquée les verbes en italique.

a) 1. Le nez de Cyrano [*saillir*, ind. prés.] au milieu de sa figure, tel un roc. — 2. Le bleu de ces volets [*ressortir*, ind. prés.] bien sur le blanc des murs. — 3. Les questions qui [*ressortir*, ind. prés.] à l'environnement nous interpellent. — 4. La science ne [*résoudre*, indic. prés.] pas tous les problèmes. — 5. Des eaux vives [*saillir*, indic. prés.] de la fente de ce rocher. — 6. Mon séjour au Québec, je m'en [*ressouvenir*, ind. prés.] avec plaisir.

b) 1. Je ne [*savoir*, subj. prés.] que la grammaire soit facile. — 2. Il vaut mieux que l'on se [répartir, subj. prés.] équitablement les tâches. — 3. Cette compagnie aérienne [*requérir*, ind. prés.] que vous [*restreindre*, subj. prés.] le volume de vos bagages, [*savoir*, impér. prés., 2e pers. plur.]-le ! — 4. Il faudra que nous [*repeindre*, subj. prés.] les portes et que nous [*revêtir*, subj. prés.] les murs de papier peint. — 5. Ces boucles d'oreille lui [seoir, ind. prés.] à ravir.

[PG § 515] ORTHOGRAPHE Les rectifications orthographiques proposent de supprimer le redoublement de consonnes dans *interpeller*. On écrira donc plutôt *interpeler* selon sa prononciation ; de même *dentelière* (au lieu de *dentellière*), *lunetier* (au lieu de *lunettier*), *prunelier* (au lieu de *prunellier*).

[PG § 349: de repartir à subvenir.]

468 Mettez à la forme demandée les expressions suivantes:

1. *Secourir* les rescapés [fut. s., 1re p. pl.]. — 2. *Se souvenir* de se méfier [impér. prés., 2e p. s.]. — 3. *Ressentir* une grande joie [indic. prés., 2e p. s.]. — 4. *Résoudre* le problème [indic. prés., 3e p. s.]. — 5. *Se servir* d'une équerre [subj. prés., 3e p. s.]. — 6. *Rire* sous cape [indic. imparf., 1re p. pl.].

LANGAGE On dit *se souvenir de quelque chose*, mais *se rappeler quelque chose*.

[PG § 349: de suffire à vouloir.]

469 Mettez à la forme indiquée les verbes en italique.

1. Il faut que tout le monde [*se taire*, subj. prés.] si l'on [*vouloir*, ind. prés.] entendre le conférencier. — 2. Peu de déportés [*survivre*, passé simple] aux camps de concentration. — 3. Un travail acharné [*vaincre*, ind. prés.] les plus grandes difficultés. — 4. S'il [*suffire*, ind. imparf.] de parcourir votre texte, je n'y [*voir*, cond. prés.] pas d'inconvénient, mais il faut encore le corriger et je ne suis pas sûr de pouvoir vous aider ; ne m'en [*vouloir*, imp. prés., 2e pers. plur.] pas. — 5. Ce chien nous [*suivre*, fut. simple] que nous le [*vouloir*, subj. prés.] ou non. — 6. Des voitures roulaient sur le quai à leurs pieds sans qu'il les [*voir*, subj. imparf.]. (G. de Maupassant) — 7. Les parents de Pierrot [*venir*, ind. imparf.] de rentrer des champs ; la femme [*traire*, ind. imparf.] les vaches, l'homme rangeait les outils dans la grange. (J. Lemaitre). — 8. Nous [*tressaillir*, fut. simple] de joie si tu nous annonces ton retour.

[PG § 349: de suffire à vouloir.]

470 Mettez à la forme demandée les expressions suivantes:

1. *Suivre* le bon chemin [impér. prés., 1re p. pl.]. — 2. *Valoir* quelque chose [subj. prés., 1re p. pl.]. — 3. *Se vêtir* chaudement [indic. imparf., 3e p. s.]. — 4. *Vivre* des jours

tranquilles [passé s., 3e p. pl.]. — 5. *Voir* bien clair [subj. prés., 1re p. pl.]. — 6. *Surseoir* à l'exécution [fut. s., 1re p. pl.]. — 7. *Tressaillir* de bonheur [condit. prés., 2e p. s.]. — 8. *Vaincre* sa timidité [indic. prés., 3e p. s.].

ORTHOGRAPHE *Surseoir* peut désormais s'écrire *sursoir*. [PG § 512]

Verbes irréguliers : récapitulation [PG § 349]

471 Mettez à la forme indiquée les verbes en italique.

a) 1. Certains airs m'[*émouvoir*, fut. simple] toujours. — 2. Dans l'air du soir, les marronniers [*bruire*, indic. imparf.] doucement. — 3. Si nous [*voir*, ind. imparf.] le terme de notre travail, nous [*prévoir*, cond. prés.) de prendre des vacances. — 4. Catherine [*vaincre*, ind. prés.] difficilement sa peur de prendre l'avion. — 5. Que vous le [*vouloir*, subj. prés.] ou non, je [*faire*, fut. simple] ce que j'ai dit.

b) 1. Quelque bien qu'on nous [*dire*, subj. prés.] de nous, on ne nous apprend rien de nouveau. (F. de La Rochefoucauld) — 2. Vers cinquante ou soixante ans, vous [*acquérir*, fut. s.] cet aspect vigoureux et fruste des vieux rochers [*battre*, part. passé] par la tempête. (A. Maurois) — 3. Le bois de la porte [*se dissoudre*, indic. prés.] en poussière. (Th. Gautier) — 4. Nous [*s'asseoir*, passé s.] dans la pièce qu'un crucifix, une Vierge coloriée, deux lits, deux couchettes et un portrait de Louis-Philippe meublaient seuls. (Fr. Jammes) — 5. [*Permettre*, impér. prés., 2e p. s.]-moi d'attendre ici ; je ne [*s'asseoir*, fut. s.] même pas.

ORTHOGRAPHE *Asseoir* peut désormais s'écrire *assoir*. [PG § 512]

472 Employez dans de petites phrases les expressions suivantes :

1. *Rompre* ses engagements [passé s., 3e p. pl.]. — 2. *Refaire* une promenade [subj. prés., 2e p. pl.]. — 3. *Bouillir* de colère [indic. imparf., 1re p. pl.]. — 4. *Acquérir* de l'expérience [subj. prés., 2e p. s.]. — 5. Ne pas *en vouloir* à tout le monde [impér. prés., 2e p. pl.]. — 6. *Prévoir* un pique-nique [condit. prés., 1re p. pl.].

ORTHOGRAPHE *Pique-nique* : certains mots composés d'un élément verbal, ici *piquer*, et d'une forme nominale, *nique* au sens ancien de « petite chose », peuvent maintenant être soudés. On pourra donc écrire un *piquenique* et *piqueniquer* ; de même, *chaussetrappe*, *coupecoupe*, *passepasse*, *poussepousse*, *tapecul*, *tirebouchon* et *tirebouchonner*. [PG § 503]

473 Mettez à la forme indiquée les verbes en italique.

a) 1. Il [*suffire*, cond. prés.] que tu le demandes pour que nous [*accourir*, subj. prés.] et, qu'ensemble, nous [*résoudre*, subj. prés.] ton problème. — 2. Certaines couleurs [*ressortir*, ind. prés.] mieux quand on les associe. — 3. Les rythmes de jazz [*ressortir*, ind. prés.] à la musique afro-américaine. — 4. Voyez si vous [*rompre*, fut. s.] ces dards liés ensemble. (J. de La Fontaine) — 5. Je ne saurais voir d'honnêtes pères chagrinés par leurs enfants que cela ne m'[*émouvoir*, subj. prés.]. (Molière) — 6. Je [*résoudre*, passé s.] d'écrire la relation de tout ce qui m'était arrivé dans le courant de mon enfance. (J. Green) — 7. Pour le repas du soir, de grandes marmites de soupe [*cuire*, indic. imparf.] à petit feu devant la porte. (A. Chamson) — 8. Entre eux, la conversation [*se réduire*, indic. imparf.] ordinairement à peu de chose. (H. de Balzac) — 9. Il [*s'endormir*, indic. imparf.] tout aussitôt, sombrait dans un sommeil velouteux et profond. (M. Genevoix)

474 Mettez à la forme indiquée les verbes en italique.

1. On ne [*savoir*, cond. prés.] pas bien écrire si on ne [*se servir*, ind. imparf.] pas d'une grammaire. — 2. Le pince-sans-rire ne [*se départir*, ind. prés.] jamais de son humour, il ne [*s'abstenir*, ind. prés.] pas de manier l'ironie. — 3. Ils [*vivre*, passé s.] seuls, l'un devant l'autre, dans la maison. (A. Chamson) — 4. Le jour [*naître*, indic. imparf.], les étoiles s'éteignaient. (G. de Maupassant) — 5. Entre Chalifour et le dur métal, il semblait qu'un pacte eût été [*conclure*, part. passé]. (G. Duhamel) — 6. Les fermes basses, accroupies comme des poules couveuses et largement adhérentes à la terre de leurs clos, [*ouvrir*, passé s.] tous les volets de leurs petites fenêtres. (R. Martin du Gard) — 7. Le chef ne doit pas tolérer que chaque service [*acquérir*, subj. prés.] un esprit de caste. (A. Maurois) — 8. Avant de sortir, on avait [*éteindre*, part. passé] le feu dans la cheminée de la salle à manger. (J.-P. Sartre)

VOCABULAIRE Le *pince-sans-rire* était d'abord un jeu consistant à pincer malicieusement quelqu'un en gardant son sérieux ; ce nom désigne aujourd'hui une « personne qui manie l'humour, l'ironie en restant impassible ».

[PG § 499] **ORTHOGRAPHE** *Naître* peut désormais s'écrire *naitre*, sans accent circonflexe.

475 Mettez à la forme indiquée les verbes en italique.

a) 1. Elle [*recoudre*, ind. prés.] un bouton à son manteau. — 2. Ceux qui [*ne pas craindre*, passé comp.] de commettre des actes violents, ce n'est pas étonnant que la société les [*exclure*, subj. prés.]. — 4. Il faut que je [*recourir*, subj. prés.] au dictionnaire lorsque je rédige. — 5. Dans dix ans, Vial, on [*cueillir*, fut. simple] de belles mandarines sur ce petit arbre. (Colette) — 6. Pourquoi le [*renvoyer*, cond. prés.]-vous après l'avoir fait venir ?

b) 1. Il n'est pas d'absurdité ni de contradiction auxquelles la passion ne [*pouvoir*, subj. prés.] conduire un homme. (A. Maurois) — 2. Vers midi, les gendarmes [*paraître*, passé s.] et [*ouvrir*, passé s.] la porte avec précaution. (G. de Maupassant) — 3. Nous [*sortir*, passé s.] ; tout le village était dans les rues; un grand coup de bise avait balayé le ciel, et le soleil [*reluire*, indic. imparf.] joyeusement sur les toits rouges mouillés de pluie. (A. Daudet) — 4. N'y a-t-il personne qui [*vouloir*, subj. prés.] me ressusciter en me [*rendre*, part. prés.] mon cher argent? (Molière)

[PG § 499] **ORTHOGRAPHE** *Paraître* peut désormais s'écrire *paraitre*, sans accent circonflexe.

476 Mettez à la forme indiquée les verbes en italique.

a) 1. Les Nerviens [*envoyer*, passé simple] des députés à César ; celui-ci [*pourvoir*, passé simple] aux besoins des vaincus. — 2. On [*rompre*, ind. prés.] un accord et on [*dissoudre*, ind. prés.] un parti politique. — 3. Quelques-uns [*rire*, passé simple] de la manière dont le journaliste avait [*conduire*, part. passé] le débat. — 4. Un homme avisé [prévoir, fut. simple] de partir à l'heure. — 5. Le nouvel élu [*ceindre*, passé simple] l'écharpe municipale. — 6. Pourvu que le repli sur soi ne [*prévaloir*, subj. prés.] sur la solidarité !

b) 1. Durant les huit ans qu'il resta à Paris, du vivant de son père, ces six louis lui [*suffire*, passé s.]. — 2. Christiane, son ennui [*dissoudre*, part. passé], reprenait doucement confiance. (E. Jaloux) — 3. À chaque demi-heure on [*tressaillir*, indic. prés.] en entendant la cloche qui vibre. (P. Loti) — 4. Un si juste intérêt [*s'accroître*, passé s.] avec le temps. (Voltaire) — 5. Que veux-tu donc m'offrir qui [*valoir*, subj. prés.] ma montagne? (V. Hugo) — 6. Nous descendons vers Nazareth, à la recherche d'un menuisier qui [*savoir*, subj. prés.] nous faire une caisse. (P. Loti)

ORTHOGRAPHE *S'accroître* peut désormais s'écrire *s'accroitre*, sans accent circonflexe. [PG § 499]

477 Mettez à la forme indiquée les verbes en italique.

a) 1. Il se peut que je [*devoir*, subj. prés.] t'appeler, pourvu que tu [*pouvoir*, subj. prés.] venir ! — 2. Vous [*encourir*, fut. simple] la critique si vous [*médire*, ind. prés.]. — 3. Les jardiniers [*maudire*, ind. prés.] les parasites qui [*nuire*, ind. prés.] aux plantes, il [*convenir*, cond. prés.] qu'ils n'utilisent pas de pesticides dans les plates-bandes. — 4. Il n'est aucune tache qu'un bon produit ne [*dissoudre*, subj. prés.]. — 5. Un héritage m'[*échoir*, ind. prés.] à point nommé. (L. Veuillot).

b) 1. Il [*vêtir*, passé s.] alors, chaussa, nourrit la pauvre fille. (H. de Balzac) — 2. Ce préjugé [*gésir*, indic. imparf.] chez ces filles de petits bourgeois aussi profondément que chez d'authentiques duchesses! (R. Boylesve) — 3. Nous formions un petit groupe dans l'ombre au milieu de la foule qui parlait, marchait et [*bruire*, indic. imparf.] doucement. (A. de Vigny) — 4. Il semble que mon cœur [*vouloir*, subj. prés.] se fendre par la moitié. (Mme de Sévigné) — 5. Nous [*se taire*, passé s.] un long instant, car j'étais saisi par l'émouvante simplicité du paysage. (M. Barrès)

VOCABULAIRE *À point nommé* signifie « au moment opportun ».

ORTHOGRAPHE Selon les rectifications orthographiques, certains mots composés d'éléments nominaux et adjectivaux peuvent désormais être soudés. On pourra donc écrire platebande ; de même autostop, bassecour, branlebas, chauvesouris, hautparleur, prudhomme, sagefemme… [PG § 504]

478 Faites entrer dans de courtes phrases les expressions suivantes:

1. *Découvrir* [passé comp., 1re p. s.] un nouveau pays. — 2. *Pourvoir* [condit. prés., 3e p. s.] à tout. — 3. *Émouvoir* [fut. s., 3e p. s.] les cœurs. — 4. *Envoyer* [indic. prés., 1re p. s.] la balle.

479 Mettez à la forme indiquée les verbes en italique.

Le jardin après la pluie

Il [*pleuvoir*, passé comp.] en grosses averses sur le jardin. Les feuillages [*luire*, ind. prés.] joyeusement, maintenant que l'eau [*dissoudre*, passé comp.] toutes les poussières et [*empreindre*, part. passé] sur la verdure une fraîcheur qui la [*revêtir*, ind. prés.] d'une éclatante lumière.

Que le jardin est beau à voir et à respirer! Tout y [*tressaillir*, ind. prés.] d'une joie qui [*se résoudre*, ind. pr.] en une sorte de volupté végétale. Tout [*sourire*, ind. pr.], tout [*renaître*, ind. pr.]. Tant d'exhalaisons parfumées [*se répandre*, passé comp.] qu'elles [*bruire*, ind. pr.] comme de vaporeux murmures.

L'herbe [*atteindre*, passé comp.] une magnificence incomparable; elle [*croître*, passé comp.] curieusement et [*vêtir*, ind. pr.] à présent les pelouses d'un velours vert qui est pour les yeux une douce caresse. Les fleurs qui, tout à l'heure encore, [*défaillir*, ind. imparf.] sous la chaleur [*revivre*, ind. pr.] toutes joyeuses et [*se teindre*, ind. pr.] de couleurs délicieusement ravivées.

[PG § 499] **ORTHOGRAPHE** *Fraîcheur* et *renaître* peuvent désormais s'écrire *fraicheur* et *renaitre*, sans accent circonflexe.

[PG § 350-392]

Syntaxe des modes et des temps

[PG § 350-359]

Indicatif

Un sauvetage

Avant-hier, me promenant au bord du fleuve, je suivais de l'œil un batelet qui voulait passer sous la dernière arche du pont. Tout à coup ce batelet *chavire*: le batelier essayait de nager, mais il s'y prenait mal; encore quelques maladresses, pensai-je, et il se *noie*. L'idée me vint de me jeter à l'eau, mais il faisait un froid piquant; j'*ai* des rhumatismes, objectai-je intérieurement.

Soudain j'*entends* un cri du batelier: «Au secours, je *péris*!» Je *redouble* le pas. Tout à coup je m'*arrête*: Si tu ne *portes* secours à cet homme, pensai-je, dans un quart d'heure, il *est* noyé. J'hésitais. Mais une voix cria en moi-même: «Tu *es* un lâche!» Aussitôt je me *jette* à l'eau et je *sauve* l'homme.

D'après STENDHAL.

[PG § 350-351]

480 Dites quelle est, dans le texte ci-dessus, la valeur des présents en italique.

481 Inventez, pour chaque cas, une phrase où le présent de l'indicatif marquera: 1° un fait habituel; 2° un fait situé dans un passé récent; 3° un fait situé dans un futur proche; 4° un fait futur, conséquence infaillible d'un autre; 5° un «présent historique»; 6° un futur après «si».

482 Expliquez la valeur du présent.

1. L'Argentine *exporte* beaucoup de viande bovine. — 2. Patience ! dans une heure, on *révèle* le nom du lauréat ! — 3. Le gérant ne pourra vous recevoir : il *sort* à l'instant. — 4. De la discussion *jaillit* la lumière. — 5. Mais hier il m'*aborde* et, me serrant la main: Ah! Monsieur, m'a-t-il dit, je vous *attends* demain. (Boileau) — 6. Si vous *mangez* mal, vous prendrez du poids. — 7. Un seul faux pas, et tu *tombes* dans le précipice!

483 Sur une ligne horizontale figurant l'écoulement du temps, marquez par P le moment présent; puis situez graphiquement par un trait ondulé le fait exprimé par le présent en italique des phrases suivantes:

1. Les îles grecques *attirent* beaucoup de touristes. — 2. Attendez-moi ici: je *reviens* dans deux minutes. — 3. Je *descends* au prochain arrêt. — 4. Les bons comptes *font* les bons amis. — 5. Si tu *apportes* ta console, nous pourrons jouer ensemble à ce jeu. — 6 Quel homme ! hier, il me *promet* de venir, et aujourd'hui le voilà au bout du monde ! — 7 Nous étions déjà couchés ; tout à coup, on *frappe* à la porte : c'était le voisin.

ORTHOGRAPHE *Île* peut désormais s'écrire *ile*, sans accent circonflexe sur le *i*. [PG § 499]

484 Expliquez la valeur de l'imparfait de l'indicatif. [PG § 352]

1. La chorale *répétait* quand tout à coup un gros orage l'interrompit. — 2. Nous *achevions* à peine notre promenade qu'il se mit à pleuvoir. — 3. Je *venais* vous demander un petit service. — 4. Ils pressèrent le pas, le spectacle *commençait* dans cinq minutes. — 5. Si vous aviez ajouté un mot, il vous *renvoyait*. — 6. Deux heures après la mort de son grand-père, l'enfant *naissait*. — 7. Quand son fils *était* là, elle *s'habillait* avec recherche. (A. Chamson)

485 Inventez, pour chaque cas, une phrase où l'imparfait de l'indicatif marquera: 1° un fait habituel dans le passé; 2° un futur proche; 3° la conséquence infaillible d'un fait; 4° une action présente qu'on semble rejeter dans le passé; 5° un fait présent après *si*.

486 Justifiez l'emploi du passé simple et du passé composé. [PG § 353-354]

1. Quand l'été *arriva*, ils *partirent* en vacances en Italie. — 2. Attendez-moi : dans quelques minutes, j'*ai fini* mon travail. — 3. C'est après plusieurs tentatives infructueuses que des chercheurs *ont trouvé* un vaccin contre cette maladie. — 4. De tout temps, les éruptions volcaniques *ont effrayé* les hommes. — 5. Quand j'*ai fait* une erreur, je le reconnais. — 6. Si, dans huit jours, vous *avez pris* une décision, veuillez m'en informer. — 8. Souvenez-vous bien Qu'un dîner réchauffé ne *valut* jamais rien. (Boileau)

ORTHOGRAPHE *Dîner* peut désormais s'écrire *diner*, sans accent circonflexe sur le *i*. [PG § 499]

487 Justifiez l'emploi du passé antérieur et du plus-que-parfait de l'indicatif. [PG § 355-356]

1. Quand le conférencier *eut obtenu* le silence, il commença son exposé. — 2. Quand ils *eurent fini* de souper, ils montèrent se coucher. — 3. Bonjour, j'*étais venu* pour vous demander votre aide. — 5. Ah! si vous m'*aviez averti*, j'aurais pris mes précautions. — 6. Son jardin était petit, il *eut* vite *fait* de le bêcher. — 7. Quand il *avait fini* son tour d'horizon, chaque fois il haussait les épaules et se remettait en marche. (A. Chamson)

488 Expliquez la valeur des divers temps futurs. [PG § 357-359]

1. Ton père *reviendra* de voyage en mai. — 2. En commençant cette causerie, je *réclamerai* votre indulgence. — 3. Tu *mesureras* tous les gestes et tu *retiendras* beaucoup

de tes élans. (G. Duhamel) — 4. On *sera* ridicule, et je n'*oserai* rire! (Boileau) — 5. On frappe: ce *sera* sans doute la voisine. — 6. Je t'avais dit que je *partirais* de bonne heure ; j'arrive un peu en retard : tu me *pardonneras*. — 7. En te quittant ce matin, je me suis dit que tu *aurais terminé* le travail avant midi. — 8. On a volé mon ordinateur : en une heure j'*aurai perdu* le fruit de plusieurs mois de travail. — 9. J'*aurai laissé* mes lunettes en haut. Courez vite me les chercher. (R. Boylesve) — 10. Tu ne *toucheras* à rien.

[PG § 350-359] **489 Pour chaque phrase, situez graphiquement le temps des verbes en italique.**

Modèle: Je *savais* que tu *aurais pris* une décision avant mon retour.

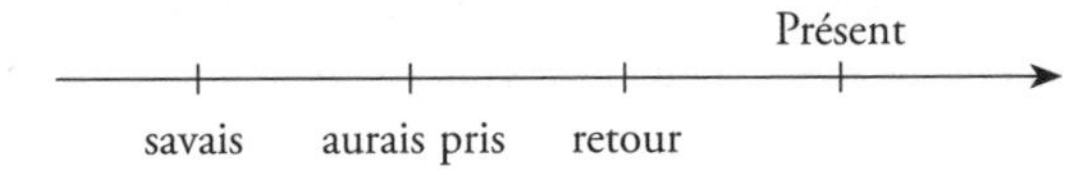

1. Quand vous *aurez déclaré* vos intentions, je vous *donnerai* quelques avis. — 2. Il *est* midi: hier pourtant, vous m'*avez promis* que vous *arriveriez* à onze heures. — 3. Ah! je *suis* content de vous voir; votre frère m'*a dit* ce matin que vous *partirez* demain quand vous *aurez obtenu* votre passeport.

[PG § 360] Conditionnel

Vivre à la campagne

Ils rêvaient de vivre à la campagne, à l'abri de toute tentation. Leur vie serait frugale et limpide. Ils auraient une maison de pierres blanches, à l'entrée d'un village, de chauds pantalons de velours côtelé, des gros souliers, un anorak, une canne à bout ferré, un chapeau, et ils feraient chaque jour de longues promenades dans les forêts. Puis ils rentreraient, ils se prépareraient du thé et des toasts, comme les Anglais, ils mettraient de grosses bûches dans la cheminée ; ils poseraient sur le plateau de l'électrophone un quatuor qu'ils ne se lasseraient jamais d'entendre, ils liraient les grands romans qu'ils n'avaient jamais eu le temps de lire, ils recevraient leurs amis.

Georges Perec, *Les choses*. Paris, René Julliard, 1965.

490 Dites de quelle condition dépendent les faits exprimés par les verbes au conditionnel de ce texte. — Si nous situons les faits dans la réalité, comment le modifierons-nous ? — Comment aurait-on exprimé l'irréel de la situation, en envisageant que la condition ne se soit pas réalisée (3 premières phrases) ?

[PG § 499] **ORTHOGRAPHE** *Bûche* peut désormais s'écrire *buche*, sans accent circonflexe sur le *u*.

PRONONCIATION La séquence *qua-* se prononce [kwa] dans *quatuor*, *quarto*, *quater*, *quaternaire*, mais [ka] dans *quadrille*, *quadrillé*, *quasi*, *quatrain*.

491 Dites si le conditionnel marque le potentiel ou l'irréel.

1. Si vous trouviez sur le trottoir un portefeuille, qu'en *feriez*-vous? — 2. Si ces pierres parlaient, elles nous *raconteraient* des choses étonnantes. — 3. Si j'étais hirondelle, je *volerais* vers vous à tire-d'aile. — 4. Si vous articuliez plus nettement, on vous *comprendrait* mieux. — 5. Si vous veniez en Suisse à la saison d'hiver, nous *skierions* ensemble

ORTHOGRAPHE Les rectifications de l'orthographe proposent d'écrire soudés, comme c'est déjà le cas pour *portefeuille, portefaix, portemanteau* cinq autres noms composés sur ***porte-***, il s'agit de *porte-clés, porte-crayon, porte-mine, porte-monnaie* et *porte-voix* qui peuvent désormais s'orthographier ***porteclé***, ***portecrayon***, ***portemine***, ***portemonnaie*** et ***portevoix***. [PG § 503]

492 Expliquez la valeur du conditionnel.

1. Ne roulons pas plus vite; nous *risquerions* l'accident. — 2. Mes amis, écoutez-moi: je *voudrais* vous raconter une belle histoire. — 3. Comment! vous *renieriez* votre promesse? — 4. *Auriez*-vous la bonté de m'accompagner? — 5. On voit sur la forêt comme de longs voiles qui *flotteraient*. — 6. Des marins phéniciens, entraînés par les tempêtes, *auraient abordé* en Amérique.

ORTHOGRAPHE *Entraîner* peut s'écrire aujourd'hui sans accent circonflexe. [PG § 499]

493 Remplacez le conditionnel passé 1re forme par le conditionnel passé 2e forme, et vice versa.

1. Je n'*aurais* jamais *cru* qu'une telle aventure pût m'arriver. — 2. Si vous fussiez tombé, on s'en *serait pris* à moi. — 3. Qui *eût imaginé* un si beau résultat? — 4. Si tu avais présenté ta requête dans les délais prescrits, on l'*aurait examinée*. — 5. Cet homme avait semé le vent: comment n'*aurait*-il pas *récolté* la tempête? — 6. Une souris tomba du bec d'un chat-huant: Je ne l'*eusse* pas *ramassée*. (J. de La Fontaine)

Impératif

[PG § 361]

Andouillon des îles au porto musqué

> Prenez un andouillon que vous écorcherez, malgré ses cris. Gardez soigneusement la peau. Lardez l'andouillon de pattes de homards émincées et revenues à toute bride dans du beurre assez chaud. Faites tomber sur glace dans une cocotte légère. Poussez le feu, et, sur l'espace ainsi gagné, disposez avec goût des rondelles de ris mitonné. Lorsque l'andouillon émet un son grave, retirez prestement du feu et nappez de porto de qualité. Touillez avec spatule de platine. Graissez un moule et rangez-le pour qu'il ne rouille pas. Au moment de servir, faites un coulis avec un sachet de lithinés et un quart de lait frais. Garnissez avec les ris, servez et allez-vous-en.
>
> Boris VIAN, *L'Écume des jours*. Paris, Éd. J.-J. Pauvert, 1963.

494 Mettez à la 2e personne du singulier le texte ci-dessus (en supposant qu'on parle à un seul personnage, qu'on tutoie).

VOCABULAIRE *Andouillon* est un terme fantaisiste inventé par l'auteur à partir du mot *andouille* qui est le nom d'une charcuterie mais qui désigne aussi, familièrement, quelqu'un de niais.

[PG § 499] **ORTHOGRAPHE** 1. *Île* peut désormais s'écrire *ile*, sans accent circonflexe sur le *i*.

[PG § 499] 2. *Goût* peut désormais s'écrire *gout*, sans accent circonflexe sur le *u*.

3. Ne confondez pas le *ris* de veau ou d'agneau, c'est-à-dire leur « thymus », une de leurs glandes très appréciée en gastronomie, avec le *riz*, la céréale. Les *ris* désignent aussi les « rires ».

495 Justifiez l'emploi de l'impératif.

1. Vingt fois sur le métier *remettez* votre ouvrage. (Boileau) — 2. *Frappe*, mais *écoute*, disait Thémistocle à Eurybiade. — 3. *Dis*-moi qui tu hantes, je te dirai qui tu es. — 4. *Donne*-lui tout de même à boire, dit mon père. (V. Hugo) — 5. *Parlez* au diable, *employez* la magie, Vous ne détournerez nul être de sa fin. (J. de La Fontaine) — 6. *Ferme* les yeux, et tu verras. (Joubert) — 7. Vous qui pleurez, *venez* à ce Dieu, car il pleure. (V. Hugo) — 8. Le héron eût pu faire un excellent repas: carpes, brochets, tanches s'offraient à lui. *Attendons*, se dit-il.

[PG § 362-364]

Subjonctif

[PG § 363] **496 Dites ce que le subjonctif exprime dans chacune des phrases suivantes** (subjonctif indépendant)**:**

1. Gardes, qu'on *obéisse* aux ordres de ma mère. (J. Racine) — 2. Que tout s'*épanouisse* en sourire vermeil! Que l'homme *ait* le repos et le bœuf le sommeil! (V. Hugo) — 3. Moi, héron, que je *fasse* Une si pauvre chère! Et pour qui me prend-on? (J. de La Fontaine) — 4. Personne, que je *sache*, n'a téléphoné ce matin — 5. Que le passant *consente* à s'arrêter et M. Krauset poursuit son discours sur le même ton lamentable. (G. Duhamel) — 6. Que la science moderne *ait fait* des progrès considérables, elle n'en est pas moins limitée dans ses moyens. — 7. Je ne *sache* pas qu'on puisse apprendre aisément les choses difficiles. — 8. Je dirai à celui qui éternue: Dieu vous *bénisse*! (Beaumarchais)

[PG § 364] **497 Justifiez l'emploi du subjonctif dans la proposition subordonnée.**

a) 1. Il importe que chacun *fasse* un effort. — 2. Il est impossible que Mathieu *réussisse* son examen dans ces conditions. — 3. Est-il certain que le temps *soit* de l'argent ? — 4. Il n'est pas sûr que nous *soyons* drôles lorsque nous croyons l'être.

b) 1. Je désire que vous *attendiez* mon signal. — 2. Croyez-vous qu'on *puisse* toujours être à l'heure pendant les grèves ? — 3. Nous ne doutons pas qu'il ne *faille* se méfier des apparences. — 4. Respecte les autres si tu veux qu'ils te *respectent*.

498 Même exercice.

a) 1. La prudence exige que nous *respections* les limitations de vitesse. — 2. Certains sont prêts à tout sacrifier, pourvu qu'ils *satisfassent* leur ambition. — 3. Quelque savant que l'on *soit*, on a toujours quelque chose à apprendre. — 4. Il est entré sans que personne ne le *sache*. — 5. Je cherche une maison qui *ait* un grand jardin. — 6. Il n'y a pas de nuage si noir qu'on n'y *aperçoive* une bordure d'argent.

b) 1. Ce qui n'empêche pas que, par la force des choses, une hiérarchie nouvelle *se soit créée*. (P. Vialar) — 2. Écoutez ce récit avant que je *réponde*. (J.de La Fontaine) — 3. Que le vent lui *manquât*, il risquait de tomber dans le gouffre. (L. Martin-Chauffier) — 4. Le seul visiteur qui *prenne* jamais la peine d'aller à Ferrière, c'est moi. (J. Green) — 5. Il ne douta pas que ce ne *fût* une cigogne. (G. Flaubert) — 6. Que de tels bienfaits *pussent* être méconnus, cela est difficile à croire. (V. Hugo)

ORTHOGRAPHE Notez qu'*apercevoir*, *apaiser*, *apeurer*, *apitoyer*, *aplanir*, *aplatir*, *apostasier*, *apostropher*, *apostiller*, *apurer* n'on qu'un ***p***.

499 Mettez au mode convenable (indicatif ou subjonctif) les verbes en italique.

a) 1. J'espère que vous [*être*, fut.] toujours heureux. — 2. Je n'ignore pas que le caviar se [*vendre*, prés.] cher. — 3. Il faut manger plus maigre, non pas qu'il [*falloir*, prés.] s'abstenir de toute graisse, mais néanmoins en réduire la consommation. — 4. Je souhaite que tu [*faire*, prés.] la paix avec ton ami. — 5. Je prétends que tu [*agir*, prés.] à la légère. — 6. Si ton frère fait la vaisselle, je prétends que tu la [*faire*, prés.] aussi.

b) 1. Cédric entretient le feu de peur qu'il ne s'[*éteindre*, prés.]. — 2. Il est indubitable que ce poisson ne [*être*, prés.] pas frais. — 3. L'homme sincère mérite qu'on le [*croire*, prés]. — 4. Nous voulons que vous [*reprendre*, prés.] cette marchandise défectueuse et que vous nous [*rembourser*, prés.]. — 5. N'est-il pas certain que le tout [*être*, prés.] plus grand que chacune de ses parties ?

500 Même exercice.

a) 1. Il est rare que le muguet [*fleurir*, prés.] en même temps que les pivoines. — 2. Son jeune âge n'empêche pas qu'il [*voir*, prés.] ce spectacle. — 3. Il est clair que cet auteur [*être*, prés] engagé ; s'ensuit-il qu'il ne [*falloir*, prés.] pas le lire ? — 4. Il faut persuader Jérémie qu'il [*être*, prés.] capable de nager. — 5. Que la vie ne [*être*, prés] pas un rêve nous le savons. — 6. C'est une dure loi, mais une loi suprême Qu'il nous [*falloir*, prés.] du malheur recevoir le baptême. (A. de Musset)

b) 1. Puisque tu te doutes qu'il y [*avoir*, futur] des bouchons sur la route, il convient que tu [*partir*, prés.] tôt. — 2. Quoi que vous [*écrire*, prés.], évitez la bassesse. (Boileau) — 3. Cherchez un homme qui [*être*, prés.] vraiment content de son sort: vous ne le découvrirez pas. — 4. Prenez garde, en traduisant un auteur, que vous [*saisir*, prés.] bien le sens de sa pensée. — 5. Prenez garde que vous n'[*être*, prés.], comme dit Pascal, ni ange ni bête.

Infinitif

Un avenir tout tracé

Maria restait appuyée à la porte, une main sur le loquet, détournant les yeux. C'était cela tout ce qu'Eutrope Gagnon avait à lui offrir ; attendre un an, et puis devenir sa femme et continuer la vie d'à présent, dans une autre maison de bois, sur une autre terre mi-défrichée ... Faire le ménage et l'ordinaire, tirer les vaches, nettoyer l'étable quand l'homme serait absent, travailler dans les champs peut-être, parce qu'ils ne seraient que deux et qu'elle était forte. Passer les veillées au rouet ou à radouber de vieux vêtements ... Prendre une demi-heure de repos parfois l'été, assise sur le seuil, en face des quelques champs enserrés par l'énorme bois sombre ; ou bien, l'hiver, faire fondre avec son haleine un peu de givre opaque sur la vitre et regarder la neige tomber sur la campagne déjà blanche et sur le bois ...

Louis Hémon, *Maria Chapdelaine.*

501 Dans ce texte, relevez les infinitifs et, chaque fois que c'est possible, mettez-les au futur du passé : « ... elle *attendrait* un an, et puis *deviendrait* sa femme ... »

VOCABULAIRE 1. *Tirer les vaches,* c'est « les traire » (régionalisme).

2. Le *rouet* est une « machine à filer comportant une roue, mue par une pédale ou une manivelle, et une broche à ailette ». Le *rouet* a succédé au *fuseau.*

3. *Radouber,* c'est « raccommoder », le plus souvent les filets de pêche.

502 Dites quelle est la valeur des infinitifs en italique et remplacez chacun d'eux par une forme personnelle.

1. Que *faire* dans une tente quand il pleut ? — 2. Moi, *trahir* un secret ! comment avez-vous pu le penser ? — 3. Ne pas se *pencher* au-dehors. — 4. Comment *remercier* mon collègue de l'aide qu'il m'a apportée quand j'étais souffrant ? — 5. Le magicien fit apparaître des oiseaux et les spectateurs d'*applaudir.*

[PG § 499] **ORTHOGRAPHE** *Apparaître* peut désormais s'écrire *apparaitre,* sans accent circonflexe sur le *i.*

503 Changez, par l'emploi de l'infinitif, la tournure des phrases suivantes:

1. Moi, j'*oublierais* ton anniversaire ! — 2. Pourquoi *désirons*-nous vivre dans les îles ? La-bàs, nous *aurions* le mal du pays. — 3. Ah ! mon Dieu ! où *irai-je*? où *courrai-je*? disait l'avare à qui l'on avait dérobé sa cassette. — 4. À midi, nous nous arrêtons dans une clairière. Et chacun s'*assied* sur le gazon et *déballe* son pique-nique. — 5. Il m'a fait cette recommandation : ne *lâche* pas la proie pour l'ombre.

VOCABULAIRE *Lâcher la proie pour l'ombre* signifie « abandonner un avantage certain pour une vaine espérance ».

ORTHOGRAPHE 1. Les rectifications orthographiques proposent d'écrire soudés certains mots composés sur la base d'un élément verbal généralement suivi d'une forme nominale parmi lesquels *pique-nique*, *croque-monsieur*, *croque-madame*, *croque-mitaine*, *croque-mort*, *tire-fond* ... Le pluriel de ces mots s'en trouvant simplifié par l'adjonction d'un -s final. Nous pourrons donc trouver maintenant des ***piqueniques***, des ***croquemonsieurs***, des ***croquemadames***, des ***croquemitaines***, des ***croquemorts***, des ***tirefonds*** ... [PG § 503]

2. *Île* peut désormais s'écrire *ile*, sans accent circonflexe sur le *i*. [PG § 499]

504 Indiquez la fonction des infinitifs en italique.

1. *Demander* des conseils est une façon de *plaire*. — 2. *Aimer* lire permet de *multiplier* sa vie. — 3. Il est judicieux de *relire* un contrat avant de le *signer*. — 4. *Cessez* de *chahuter* ! — 5. *Partir*, c'est *mourir* un peu. — 6. Nous sommes heureux de vous *rendre* ce service.

Participe présent

[PG § 369-376]

Préparatifs

> En face des Hubert, l'orfèvre tendait sa boutique de draperies bleu ciel, bordées d'une frange d'argent ; tandis que le cirier, à côté, utilisait les rideaux de son alcôve, des rideaux de cotonnade rouge, saignant au plein jour. Et c'était, à chaque maison, d'autres couleurs, une prodigalité d'étoffes, tout ce qu'on avait, jusqu'à des descentes de lit, battant dans les souffles las de la chaude journée. La rue en était vêtue, d'une gaieté éclatante et frissonnante, changée en une galerie de gala, ouverte sous le ciel. Tous les habitants s'y bousculaient, parlant haut, comme chez eux, les uns promenant des objets à plein bras, les autres grimpant, clouant, criant.
>
> Émile Zola, *Le rêve*.

505 Relevez dans ce texte 1° les participes présents ; 2° les adjectifs verbaux. Dites à quels noms ou pronoms ils se rapportent.

ORTHOGRAPHE *Gaieté* s'écrit aussi *gaîté*.

VOCABULAIRE Un *cirier* est « quelqu'un qui travaille la cire ou qui vend des cierges et des bougies ».

506 Dites si les formes en -ant sont des participes présents ou des adjectifs verbaux; à quel signe les reconnaissez-vous?

[PG § 376]

a) 1. Un caractère *changeant* est souvent *déconcertant*. — 2. Déjà le premier coq, *lançant* un *vibrant* cocorico, salue le jour *naissant*. — 3. Hadrien rentra en *claudiquant*, ne *répondant* que par bribes aux questions qu'on lui posait. — 4. L'invité, *dégustant* tous les mets qu'on lui servait, s'extasiait sur les talents du cuisinier. — 5. Un silence *apaisant* descend sur la vallée, *enveloppant* toutes choses d'un voile de douceur.

b) 1. Ce chanteur au regard *pénétrant* et au sourire *éclatant* me semble vraiment *charmant.* — 2. L'espoir *aidant*, nous nous sommes sortis de ce mauvais pas. — 3. Je vais te raconter l'histoire de la Belle au bois *dormant.* — 4. Michel, *s'apercevant* de sa bévue, s'excusa en *bégayant.* — 5. Il marche entre deux lignes de peupliers encore sans feuilles, mais *verdissant* déjà. (J. Romains).

[PG § 375]

507 Faites entrer chacun dans une petite phrase le participe présent et l'adjectif verbal correspondant aux verbes suivants :

a) 1. Adhérer. — 2. Communiquer. — 3. Convaincre. — 4. Différer. — 5. Équivaloir.
b) 1. Exceller. — 2. Fatiguer. — 3. Intriguer. — 4. Provoquer. — 5. Négliger.

508 Employez, selon le sens, le participe présent ou l'adjectif verbal correspondant aux verbes en italique.

a) 1. Dans le paysage chargé de neige, tout est ouaté ; les bruits même sont [*différer*] des bruits ordinaires. — 2. En vous [*communiquer*] ces renseignements, j'espère vous être utile, car en [*différer*] sans cesse cette démarche, tout votre projet aurait pu prendre du retard. — 3. Dans des vases [*communiquer*], toutes les surfaces libres d'un liquide sont dans un même plan horizontal. — 4. Le personnel [*naviguer*] vous souhaite la bienvenue à bord. — 5. C'est en [*naviguer*] sur Internet que Pierre a appris le décès du pape. — 6. Ces gens [*influer*], [*violer*] impunément les accords conclus mettent notre entreprise en péril.

b) 1. Les accords tacites entre les entreprises [*influer*] sur le marché, les prix ont augmenté. — 2. J'aime cette série, mais j'ai raté l'épisode [*précéder*]. — 3. Les alertes à la bombe [*précéder*] les événements [*violer*] qui ont eu lieu ce matin n'avaient pas été prises au sérieux par les autorités. — 4. Ces entraînement était vraiment [*fatiguer*], [*épuiser*] même, je me suis senti [*somnoler*] tout l'après-midi. — 5. Votre professeur de danse est [*exiger*], mais en [*exiger*] de vous beaucoup de travail, il n'a en vue que vos progrès.

[PG § 499] **ORTHOGRAPHE** 1. *Entraînement* peut désormais s'écrire *entrainement*, sans accent circonflexe sur le *i*.

[PG § 497] 2. *Après-midi* est un nom masculin ou féminin. Traditionnellement, il est invariable, mais les rectifications de l'orthographe proposent d'uniformiser la formation du pluriel des noms composés d'une préposition et d'un nom et l'on peut donc écrire ***des après-midis*** (et également ***des après-skis***, ***des sans-abris*** ...)

509 Complétez, en faisant l'accord quand il y a lieu, les participes présents et les adjectifs verbaux.

a) 1. Le soleil descend entre les nuages *flott*... à l'horizon ; bientôt l'ombre *s'épaississ*... étend sur la vallée ses plis *mouv*... — 2. Que les bénéfices soient équitablement répartis entre les *ay*... droit. — 3. Les circonstances *aid*..., nous sortirons *gagn*... de ce tournoi. — 4. Dans la région se propagea une nuée d'insectes *bruy*..., *surgiss*... de la colline et *détruis*... tout sur leur passage. — 5. Ils avancent en *zigzag*... sur la route *gliss*..., *espér*... rentrer au plus vite chez eux.

b) 1. Le rose de la journée *finiss*... colora le ciel tout entier. (M. Duras). — 2. Ses cheveux étaient blonds et souples, jetés en arrière, *brill*... soyeusement sous la lumière du lustre. (Vercors) — 3. Les prés étaient devenus si *brill*... qu'on eût dit qu'il était tombé de la neige. (R. Bazin) — 4. [...] mon frère et moi, *jou*... aux dominos, avions coutume d'appeler le double-six « Juliette », le double-blanc « Oncle Léon ». (M. Leiris) — 5. Alors, retentit le bruit saccadé des voitures *saut*... sur les plaques *tourn*... (J.-K. Huysmans)

510 Complétez les participes présents et les adjectifs verbaux; faites l'accord quand il y a lieu.

a) 1. Des faits *précéd*... d'autres faits n'en sont pas nécessairement les causes. — 2. Ces soi-*dis*... amies qui m'avaient accablée de leurs paroles *tranch*... et de leurs railleries *mord*..., je n'avais plus envie de les revoir. — 3. On a renforcé beaucoup de cathédrales gothiques d'arc-*bout*... qui annulent la poussée des ogives. — 4. La pleine lumière de juillet, *tomb*... à midi sur les campagnes, répand une chaleur *accabl*... — 5. Voici la pluie *frapp*... mes vitres à petits coups rapides et *ruissel*... sur les tuiles.

b) 1. Sur l'instant, la proposition me parut amus... (...) (J.-P. Dubois). — 2. Voici maintenant les cimetières *s'étage*... au flanc de la montagne. (P. Loti) — 3. Il est de clairs matins, de roses se *coiff*... (A. Samain) — 4. Nous avancions par habitude, *patin*... dans la glaise, *gliss*... dans les ornières. (R. Dorgelès) — 5. Un cercle de petites vieilles *médis*... tricotaient à l'aise sur la pierre froide du foyer. (H. Troyat) — 6. Depuis le matin ma vie se pare d'une soie somptueuse, *cach*... sous ses plis, la nuit de ma vraie vie. (M. Frère).

ORTHOGRAPHE Les rectifications de l'orthographe proposent d'écrire soudés une liste de mots composés d'éléments nominaux et adjectivaux. Parmi ceux-ci : *arc-boutant, jean-foutre, lieu-dit, mille-pattes, pot-pourri, prud'homme, quote-part, sauf-conduit, vélo-pousse* ... devenant ***arcboutant***, ***jeanfoutre***, ***lieudit***, ***millepattes***, ***potpourri***, ***prudhomme***, ***quotepart***, ***saufconduit***, ***vélopousse*** ... Le pluriel de ces mots soudés s'opérant par l'adjonction d'un ***-s***.

[PG § 504]

Participe passé

[PG § 377-390]

Participe sans auxiliaire

[PG § 378]

La cour du vieux château

La voiture entra dans une grande cour presque carrée et *fermée* par les rives abruptes des étangs. Ces berges sauvages, *baignées* par des eaux *couvertes* de grandes taches vertes, avaient pour tout ornement des arbres aquatiques *dépouillés* de feuilles, dont les troncs *rabougris*, les têtes énormes et chenues, *élevées* au-dessus des roseaux et des broussailles, ressemblaient à des marmousets grotesques. Ces haies disgracieuses parurent s'animer et parler quand les grenouilles les désertèrent en coassant, et que des poules d'eau, *réveillées* par le bruit de la voiture, volèrent en barbotant sur la surface des étangs. La cour *entourée* d'herbes hautes et *flétries*, d'ajoncs, d'arbustes nains ou parasites, excluait toute idée d'ordre et de splendeur.

Honoré de BALZAC, *Les Chouans*.

511 Dites avec quel mot s'accorde, dans ce texte, chacun des participes passés en italique.

VOCABULAIRE 1. L'adjectif *chenu* signifie « blanchi par la vieillesse ».

2. Un *marmouset* peut désigner une « figurine grotesque ou bizarre » ou encore un « petit homme contrefait ».

512 Accordez, s'il y a lieu, les participes passés en italique.

a) 1. Je me rappelle la cabane [*tapi*] au fond des bois, [*accroché*] aux rives du lac et [*imprégné*] de l'odeur des conifères [*mêlé*] à celle des graminées. — 2. La terre, [*abandonné*] à sa fertilité naturelle et [*couvert*] de forêts immenses offre, dans certaines régions peu [*fréquenté*], de vastes territoires [*inexploré*]. — 3. Certaines personnes, [*absorbé*] par leurs affaires ou [*entraîné*] par les plaisirs, ne se connaissent pas elles-mêmes. — 4. Y a-t-il des gens si [*instruit*] que rien n'échappe à leur intelligence ? — 5. Un jour, une heure, une minute même, [*consacré*] à la méditation, peut apaiser l'esprit.

b) 1. Toutes les voiles [*ouvert*] tombaient [*collé*] aux mâts comme des ballons vides. (A. de Vigny) — 2. Vaguement [*ensommeillé*] et, du coup, [*convaincu*] d'être profonds puisque nous nous trouvions, dans cet état, naturellement [attiré] par notre intérieur, nous flottions, [porté] par cette parole liquide. (J.-B. Pontalis) — 3. [*Muré*] dans son chagrin, maman ne se rendait compte de rien. (J. Rouaud) — 4. On avait, suivant la couleur et la forme [consacré], apporté à Aziyadé son café turc dans une tasse bleue [posé] sur un pied de cuivre. (P. Loti) — 5. C'est ici, dans cette pièce, puisant parmi ces ouvrages [*rangé*] au petit bonheur, que j'ai vraiment appris à lire. (E. Fottorino)

VOCABULAIRE *Au petit bonheur* signifie « sans ordre prémédité », « au hasard ».

[PG § 499] ORTHOGRAPHE *Entraîner* peut désormais s'écrire *entrainer*, sans accent circonflexe.

513 Inventez, sur le thème des moyens de locomotion, trois phrases contenant un participe passé sans auxiliaire.

514 Faites l'accord des participes passés en italique.

L'hiver et le printemps

L'hiver, saison [*engourdi*], est le temps où la nature, comme [*frappé*] de paralysie, s'enferme dans la mélancolie. Les insectes [*caché*] dans le sol, les végétaux [*dépouillé*] de leur verdure, les oiseaux [*réduit*] à un régime de famine ou [*relégué*] dans des régions lointaines, les habitants des eaux [*renfermé*] dans des prisons de glace : tout présente les images de la langueur.

Mais voici avril et ses brises [*attiédi*] ; les eaux vives courent, [*mêlé*] de lumière et de frissons ; les oiseaux [*réjoui*] poussent à l'envi des appels et des roulades cent fois [*répété*] ; partout les branches, [*couvert*] d'une verdure nouvelle, s'agitent doucement sous les effluves [*embaumé*] de la jeune saison.

VOCABULAIRE 1. La locution adverbiale *à l'envi* signifie « à qui mieux mieux », « en rivalisant ».
2. *Effluve* s'apparente par le sens à *odeur, exhalaison, parfum, senteur.*

Participe avec *être*

[PG § 379]

Un héros de son temps

Agenor était de ces jeunes gens qui étaient *entrés* dans l'âge adulte avec l'idée morne et accablante qu'ils étaient *nés* trop tard, qu'ils appartenaient à une race d'éternels rejetons. Leurs grands-pères avaient connu les guerres napoléoniennes, s'y étaient illustrés ; eux étaient *nés* après le congrès de Vienne. Leurs pères, tout jeunes encore, s'étaient sacrifiés avec vaillance à la cause de la liberté — les Russes en se révoltant vainement contre un tsar despotique, les Français en renversant le dernier roi de la Restauration, les Polonais eux-mêmes en se lançant dans une lutte d'indépendance qui avait été férocement *écrasée* ; eux, à l'époque, étaient dans les langes ou jouaient au cerceau. Ils n'avaient été que spectateurs, et cette posture était *devenue* la clé de leur vie.

Diane MEUR, *Les vivants et les ombres*. Paris, Sabine Wespieser Éditeur, 2007.

515 Dites avec quel sujet s'accorde chacun des participes passés en italique dans le texte ci-dessus.

VOCABULAIRE *La clé de leur vie*. Le mot *clé* ou *clef* signifie ici « explication », comme dans les expressions *la clé des songes* ou *la clé du mystère*.

516 Justifiez l'accord des participes passés.

1. Ne sommes-nous pas *remplis* de bonheur quand nous revoyons, après une longue absence les lieux où sont *restés* ceux que nous aimons ? — 2. Ceux qui cherchent un refuge seront *accueillis*. — 3. Quand ils sont *arrivés* au terme de leur escalade, bien des alpinistes sont *tentés* de grimper plus haut encore. — 4. Notre expérience étant *limitée*, il convient que nous soyons *conseillés* par d'autres. — 5. Quand les chats sont *partis*, les souris dansent.

517 Accordez, quand il y a lieu, les participes passés.

1. Bien des conflits seraient [*résolu*] si nous étions plus tolérants. — 2. Beaucoup de souvenirs s'attachent aux lieux où nous sommes [*né*]. — 3. Après que les sauveteurs furent [*descendu*] dans le puits, ils remontèrent les rescapés. — 4. Une expression extraordinaire d'acquiescement et de bonheur était [*répandu*] sur son visage mongol perlé de sueur. (N. Bouvier) — 5. La galerie où Angelo se tenait était [*tourné*] vers le nord. (J. Giono) — 6. Ce pas et cette voix me sont bien [*connu*]. (A. Daudet) — 7. Craignant d'être

[*submergé*], nous nous hâtâmes de gagner le bord du fleuve. (R. de Chateaubriand) — 8. Le café et les liqueurs furent [*servi*] au grand salon. (J. Romains)

[PG § 499] **ORTHOGRAPHE** *Paraître* peut désormais s'écrire *paraitre*, sans accent circonflexe.

Participe avec *avoir*

[PG § 380]

Règle générale

La première épouse

> C'est bien après qu'elle m'a *avoué* ses craintes, que j'avais, sans le savoir, *apaisées*, sinon *dissipées*. Mon père et elle, cousins promis l'un à l'autre depuis l'enfance, mariés pendant quatre ans sans qu'elle tombe enceinte, avaient *senti* monter autour d'eux, dès la seconde année, le bourdonnement d'une rumeur infamante. Si bien que Mohamed était revenu un jour avec une belle chrétienne aux cheveux noirs tressés, achetée à un soldat qui l'avait *capturée* lors d'une razzia aux environs de Murcie. Il l'avait *appelée* Warda, l'avait *installée* dans une petite pièce donnant sur le patio, parlant même de l'envoyer chez Ismaël l'Égyptien pour qu'il lui enseigne le luth, la danse et l'écriture comme aux favorites des sultans.
>
> Amin Maalouf, *Léon l'Africain*. Paris, J.C. Lattès, 1986.

518 Dans ce texte, notez les compléments d'objet directs des participes passés employés avec l'auxiliaire *avoir* et observez comment ces derniers s'accordent.

VOCABULAIRE *Tomber enceinte* signifie « être enceinte » avec une nuance de changement brusque d'état comme dans *tomber malade* ou *tomber amoureux*.

519 Justifiez l'accord des participes passés [3 formules possibles: 1° ... a pour objet direct ... (genre et nombre) **placé avant lui; donc s'accorde avec ce mot; — 2° ... a pour objet direct ..., placé après lui; donc invariable; — 3° ... n'a pas d'objet direct; donc invariable].**

a) 1. Ils reviennent fourbus après qu'ils ont *fait* de longues randonnées en montagne. — 2. Des bons romans que nous avons *lus* nous avons *retiré* un grand plaisir. — 3. Je n'ai jamais *divulgué* les secrets que tu m'as *confiés*. — 4. Les indications que tu m'as *données*, je les ai *suivies* à la lettre. — 5. Vous avez *progressé* à grands pas. — 6. Chers amis, on vous a *avertis* des problèmes que vous n'aviez pas *perçus*. Ces problèmes, les avez-vous *résolus* ? — 7. Quelle tâche mon père m'a *imposée* si je veux jamais mériter les hommages qu'on rend à sa mémoire ! (D. Diderot).

b) 1. As-tu *aimé* les livres que je t'ai *prêtés* ? — 2. Après qu'ils eurent bien *réfléchi*, ils ont *décidé* d'agir. — 3. Ne prends pas pour argent comptant toutes les choses qu'on t'a *racontées.* — 4. Les bons moments que nous avons *partagés*, je ne les ai pas *oubliés*. — 5. À force de jouer avec les rochers, la terrible mer les a *réduits* en poudre légère. (L. Veuillot). — 6. Je te répète les propos que m'a *tenus* la vendeuse.

VOCABULAIRE *Prendre pour argent comptant* signifie « croire naïvement ce qui est dit ou promis ».

520 Accordez, quand il y a lieu, les participes passés en italique.

a) 1. Les chocolats que vous avez [*apporté*] nous les avons [*trouvé*] délicieux. — 2. Des associations ont [*ouvert*] des abris pour les sans-logis, elles les ont, à coup sûr, [*aidé*] ; et des bénévoles leur ont [*servi*] des repas chauds qui les ont [*rassasié*]. — 3. Je dois faire un tri parmi toutes les informations que j'ai [*récolté*]. — 4. Avez-vous [*conservé*] les documents que je vous avais [*donné*] ? — 5. De toutes les photos que j'ai [*pris*], ces vues du désert m'ont [*paru*] les plus réussies. — 6. La sagesse qu'elle a [*acquis*] résulte, pour une part, des enseignements qu'elle a [*tiré*] de son expérience.

b) 1. J'aurais [*brassé*] les papiers, comme un jeu de cartes, et je les aurais [*étalé*] sur la table. (P. Modiano) — 2. Cette ville m'attache, et comme j'ai Stendhal en tête, j'en profite pour me dire qu'il l'aurait [*aimé*] aussi. (N. Bouvier) — 3. Pour monter sur le trône, il avait [*renversé*] et [*emprisonné*] son propre père. (A. Maalouf) — 4. Une odeur de gazon écrasé traîne sur la pelouse, non fauchée, épaisse, que les jeux, comme une lourde grêle, ont [*versé*] en tous sens. (Colette) — 5. L'averse ayant [*cessé*], nous nous séparâmes. (H. Bosco) — 6. Les choses que l'on sait le mieux sont celles qu'on n'a pas [*appris*]. (Vauvenargues)

ORTHOGRAPHE *Traîner* peut désormais s'écrire *trainer*, sans accent circonflexe. [PG § 499]

521 Composez sur chacun des thèmes suivants, une phrase contenant un participe passé avec *avoir*.

1. Les plaisirs de l'hiver. — 2. Une promenade. — 3. Les fleurs.

Règles particulières

[PG § 381-390]

522 Accordez, s'il y a lieu, les participes passés en italique. (Attendu, non compris, etc. ; ci-annexé, ci-joint, ci-inclus.)

a) 1. Il ne reste rien de sa tarte, quelques miettes [*excepté*]. — 2. Patrick ne s'octroie pas beaucoup de loisirs, [*excepté*] la lecture et le jardinage. — 3. Nous avons dû renoncer à l'achat de cette maison, [*attendu*] nos difficultés financières. — 4. [*Vu*] les bons antécédents de l'accusé, on lui a pardonné sa faute. — 5. [*Passé*] ces délais, aucune réclamation ne sera admise. — 6. Lisez la lettre [*ci-inclus*] et les pièces [*ci-annexé*].

b) 1. La devanture, à cause de son manque de largeur, ne pouvait admettre que deux fenêtres de front et une chambre par étage, [*y compris*] la cage de l'escalier. (Th. Gautier) — 2. Tout dormait dans la maison, [*excepté*] ma grand-mère. (R. de Chateaubriand) — 3. Veuillez me retourner les documents [*ci-joint*]. — 4. Vous trouverez [*ci-joint*] copie du jugement. — 5. [*Ci-inclus*] les pièces que vous m'avez demandées.

[PG § 382] **523 Même exercice.** (Attendu, non compris, etc.; ci-annexé, ci-joint, ci-inclus.)

a) 1. Ce logement possède cinq pièces, [*non compris*] la cave. — 2. [*Entendu*] toutes les parties, le tribunal a décidé que l'affaire serait jugée séance tenante. — 3. [*Ci-inclus*] les factures relatives à votre dernière commande; [*étant donné*] la tendance à la hausse, il serait prudent, croyons-nous, de constituer un stock. — 4. [*Vu*] les rigueurs du climat, il importe de bien se couvrir.

b) 1. [*Étant donné*] l'urgence, je vous envoie par courriel le texte de mon discours. — 2. [*Supposé*] une brusque rupture des négociations, que ferons-nous? — 3. Je vous envoie [*ci-inclus*] une lettre de votre père. — 4. [*Passé*] cette date, ces denrées seront périmées. — 5. J'ai tout prévu pour le repas, les boissons [*excepté*]. — 6. [*Non compris*] au compte précédent, ces sommes ont dû figurer dans les relevés que vous trouverez [*ci-joint*].

[PG § 383-384] **524 Accordez, quand il y a lieu, les participes passés en italique.** (Coûté, valu, etc.; P.P. des verbes impersonnels.)

1. Cette maison ne vaut pas les huit cent mille euros qu'elle a [*coûté*]. — 2. Je me rends compte des efforts que ce travail t'a [*coûté*]. — 3. Elle repense aux critiques que son attitude lui a [*valu*]. — 4. Que d'années de travail il a [*fallu*] à certains savants, pour voir aboutir leurs recherches ! — 5. Ce tremblement de terre est une des plus grandes catastrophes qu'il y ait jamais [*eu*] dans cette région. — 6. Mes manuscrits raturés, barbouillés, et même indéchiffrables attestent la peine qu'ils m'ont [*coûté*]. (J.-J. Rousseau) — 7. Ces raisons, les avez-vous bien [*pesé*] ? — 8. Que de soins m'eût [*coûté*] cette tête charmante ! (J. Racine). — 9. Pendant les heures qu'a [*duré*] ce voyage, nous avons dormi.

[PG § 499] **ORTHOGRAPHE** *Coûter* peut désormais s'écrire *couter*, sans accent circonflexe.

525 Même exercice. (Coûté, valu, etc.; P.P. des verbes impersonnels.)

a) 1. Chacun de nous se vantait des dangers qu'il avait [*couru*]. (Erckmann-Chatrian) — 2. Dante est un des plus grands poètes qu'il y ait jamais [*eu*]. — 3. Après les trois heures que nous avions [*marché*], nous nous sentions un peu fatigués. — 4. Que de guerres durant les cinquante-quatre ans que Louis XIV a [*régné*] ! — 5. Depuis sa maladie, cette personne ne pèse plus les quatre-vingts kilos qu'elle a [*pesé*].

b) 1. Combien de voyages ont rempli les soixante années que mon père a [*vécu*] ! — 2. Les huit heures que nous avons [*dormi*] ont réparé nos forces épuisées par une longue marche et par la chaleur torride qu'il a [*fait*] toute la journée. — 3. Ces caisses, les a-t-on bien [*pesé*] ? — 4. C'était énorme pour ton père qui n'avait pas encore la situation que son travail lui a [*valu*] plus tard. (J. Green) — 5. Cette journée du 9 juin, je l'ai [*vécu*] dans la détresse. (H. Bordeaux)

[PG § 385-387] **526 Justifiez l'accord ou l'invariabilité des participes passés en italique.** (Dit, dû, etc.; P.P. précédé de l', ou d'un collectif, ou d'un adverbe de quantité.)

1. L'entreprise n'a pas été aussi difficile qu'on l'avait *dit*; elle a été pourtant moins facile que nous ne l'avions *pensé*. — 2. Nous avons fait tous les efforts que nous avons *pu*, mais nous

n'avons pas obtenu les résultats qu'on aurait *cru.* — 3. Combien de tentatives n'avons-nous pas *faites* et combien de refus n'avons-nous pas *essuyés* ! — 4. Combien les archéologues ont-ils *découvert* de sites anciens dont on n'avait jamais *soupçonné* l'existence ! — 5. La géométrie est-elle aussi rebutante que quelques élèves l'ont *prétendu*? — 6. Je vis s'abattre une bande d'étourneaux que l'orage eut bientôt *dispersée.* — Margot m'offrit un ravier de fraises qu'elle avait *cueillies* le matin.

VOCABULAIRE *Archéologie* est formé de deux éléments grecs : *arkhaios* (ancien) et *logos* (science, étude). C'est donc la « science des choses anciennes ». De même, le champ d'étude de la *biologie* est la « description des êtres vivants » (*bios* = vie), celui de la *psychologie* « les phénomènes de la pensée » (*psukhê* = âme), celui de l'*anthropologie* « les caractères anatomiques et biologiques de l'homme » (*anthrôpos*).

527 Accordez, quand il y a lieu, les participes passés en italique. (Dit, dû, etc.; P.P. précédé de l', ou d'un collectif, ou d'un adverbe de quantité.)

a) 1. L'étude de la grammaire est-elle aussi difficile que vous l'aviez [*cru*] ? — 2. Que d'énergie tu as [*dépensé*] et que de progrès tu as [*fait*] en peu de temps ! — 3. Une pile de livres que j'avais maladroitement [*dressé*] dans un coin s'écroula tout à coup. — 4. Ma passion de la lecture est plus forte encore que vous ne l'aviez [*pensé*] : voyez cette pile de livres que j'ai [*lu*] en quelques semaines. — 5. Autant de photos nous avons [*pris*] pendant les vacances, autant de souvenirs nous avons [*conservé*]. — 6. Il n'a pas rapporté les photos qu'il avait [*dit*] qu'il rapporterait.

b) 1. Le grand nombre de remarques que vous m'avez [*fait*] à propos de mon texte me donne à penser que je n'ai pas eu, en l'écrivant, toute l'attention que j'aurais [*dû*]. — 2. Le peu de pages que j'ai [*lu*] présagent de l'intérêt de ce livre. — 3. Le peu de démarches qu'elle a [*fait*] ne lui a pas permis de trouver un emploi. — 4. Le peu de fonds que cet organisme a [*récolté*] ont rendu possible l'ouverture d'un dispensaire. — 5. Le peu de fonds que cet organisme a [*récolté*] n'a pas suffi pour secourir tous les réfugiés. — 6. Voici deux livres qu'on m'a [*assuré*] qui vous plairaient.

VOCABULAIRE *Présager de* signifie ici « indiquer ». Un *présage* était, dans l'antiquité, un « signe d'après lequel on croyait pouvoir prévenir l'avenir ». *Augure* et *auspices* en sont synonymes.

528 Justifiez l'accord ou l'invariabilité des participes passés en italique. (P.P. suivi d'un infinitif.)

[PG § 388]

Modèle: a) « Les arbres que j'ai *vus* grandir. » — À la question « j'ai vu quoi? » on peut répondre : j'ai vu *que* (= les arbres) qui grandissaient; le participe s'accorde.

b) « Les arbres que j'ai *vu* abattre. » — À la question « j'ai vu quoi? » on ne peut pas répondre : j'ai vu *que* (= les arbres) qui abattaient; le participe est invariable.

a) 1. Les artistes que j'ai *entendus* chanter. — 2. Les personnes que j'ai *vues* venir. — 3. Les chansons que j'ai *entendu* applaudir. — 4. Les occasions que nous avons *laissées* échapper. — 5. Les fautes que vous avez *vu* commettre. — 6. Les habitudes que nous avons *laissées* s'enraciner.

b) 1. Nos amis, nous les avons *vus* partir. — 2. Elle s'est *laissée* mourir. — 3. Ces violonistes, je les ai *écoutés* jouer. — 4. Les ouvriers que j'ai *envoyé* chercher. — 5. La matière que j'ai *cherché* à pétrir. — 6. Elle s'est *laissé* surprendre. — 7. L'émotion que j'ai *sentie* grandir. — 8. Les maçons que j'ai *regardés* travailler. — 9. La méthode que j'ai *préféré* suivre.

[PG § 501] ORTHOGRAPHE D'après les rectifications orthographiques, le participe passé de ***laisser***, *employé avec avoir et suivi d'un infinitif* peut rester invariable car il joue un rôle similaire à celui de ***faire***, qui, dans ce cas, est toujours invariable. *Les habitudes que nous avons* ***laissé s'enraciner*** (sur le modèle de : *les habitudes que nous avons* ***fait s'enraciner***).

529 **Accordez, quand il y a lieu, les participes passés en italique.** (P.P. suivi d'un infinitif.)

1. Tous ces arbres, que j'avais [*vu*] reverdir au printemps, je les ai [*vu*] abattre. — 2. Il y a des mélodies que nous avons [*entendu*] chanter des dizaines de fois sans jamais nous lasser. — 3. Une colère sourde que j'avais [*senti*] monter en moi obscurcissait mon jugement, mais je ne l'ai pas [*laissé*] éclater. — 4. Ces gros nuages, les as-tu [*vu*] dériver dans le ciel, poussés par le vent ? — 5. Ma mère est rentrée ; je l'ai [*entendu*] marcher. — 6. J'admire les vapeurs légères que le matin d'avril a [*fait*] descendre dans la vallée. — 7. Les pêches que l'on a [*laissé*] mûrir au soleil, sont juteuses et sucrées. — 8. Un grand-père s'émeut de tout ce qui atteint ses petits-enfants : il s'attriste quand il les a [*vu*] pleurer ou quand il les a [*entendu*] gronder. — 9. Qu'ils étaient vifs, les pinsons que j'ai [*regardé*] construire leur nid !

[PG § 499] ORTHOGRAPHE *Mûrir* peut désormais s'écrire *murir*, sans accent circonflexe.

530 **Même exercice.** (P.P. suivi d'un infinitif.)

a) 1. Nous n'avons pas obtenu tous les avantages que nous aurions [*souhaité*] obtenir. — 2. Le moniteur les a [*exhorté*] à poursuivre leur entraînement. — 3. Savez-vous la leçon que je vous ai [*donné*] à étudier ? — 4. Pourrais-tu esquisser des entrechats comme cette ballerine que tu as [*regardé*] danser ? — 5. Quelle émotion j'ai [*senti*] vibrer en moi en te retrouvant ! — 6. Les touristes ne se souviennent plus des sites que les guides leur ont [*fait*] visiter.

b) 1. Ceux qui meurent à l'ombre des arbres qui les ont [*vu*] naître sont-ils donc si à plaindre ? (R. de Chateaubriand) — 3. Tous ces gens qu'il avait [*vu*] passer étaient rangés autour du chœur. (A. Daudet) — 4. Délivrez les malheureux que j'ai [*laissé*] soupçonner. (Id.) — 5. C'était donc vrai ces choses qu'il n'avait pas [*voulu*] entendre. (Fr. Jammes) — 6. Cela m'a rappelé tous les miens que j'ai [*vu*] mourir. (J. et J. Tharaud)

[PG § 499] ORTHOGRAPHE *Entraînement* et *naître* peuvent désormais s'écrire *entrainement* et *naitre*, sans accent circonflexe.

531 **Même exercice.** (P.P. suivi d'un infinitif.)

1. Elle a écrit dans un carnet les recettes qu'elle nous a [*appris*] à cuisiner. — 2. Les démarches que vous avez [*tenté*] de faire sont restées sans résultat. — 3. Les responsabilités qu'elle a [*eu*] à assumer l'ont rendu plus sûre d'elle. — 4. Ma fille n'est pas là, je l'ai [*entendu*] sortir tout à l'heure. — 5. Vous rappelez-vous les premiers mots que vous avez [*eu*] à lire ? — 6. Elle est patiente, je l'ai [*vu*] recommencer plusieurs fois la même explication. — 7. Avez-vous acheté la voiture qu'on vous a [*affirmé*] être la plus fiable ?

ORTHOGRAPHE *Sûre* : les rectifications orthographiques proposent de supprimer l'accent sur les *-u* excepté sur ***jeûne*** et sur ***dû***, ***sûr***, ***mûr***, mais uniquement au masculin singulier : on peut donc écrire *sure*. [PG § 499]

532 Accordez, s'il y a lieu, les participes passés en italique. (P.P. précédé de en.) [PG § 389]

a) 1. Des moments heureux, qui n'en a pas [*vécu*] ? De la tristesse, qui n'en a pas [*éprouvé*] ? — 2. Des efforts, en as-tu [*fait*] ? — 3. Des projets, nous en avons tant [*formé*] ! mais combien en avons-nous [*réalisé*] ? — 4. Des pays, combien en a-t-il [*visité*] ? — 5. Les voyages forment la jeunesse ; je songe aux bénéfices que Marie en a [*retiré*]. — 6. Autant de batailles il a livrées, autant il en a [*gagné*]. — 7. La crainte qu'ils éprouvaient, un peu de réflexion les en a [*libéré*].

b) 1. C'est une auberge quelconque, telle que tout le monde en a [*vu*] dans les pays déshérités. (P. Mille) — 2. Que de pélicans ! grands dieux ! En ai-je [*dessiné*] ! (E. Pérochon) — 3. J'ai peu d'aventures à vous raconter, mais j'en ai [*entendu*] beaucoup. (A. de Vigny) — 4. Et des mouches ! des mouches ! jamais je n'en avais tant [*vu*]. (A. Daudet) — 5. Des hommes admirables ! Il y en a. J'en ai [*connu*]. (G. Duhamel) — 6. Vous me parlez de vos peines ; en avez-vous [*connu*] de bien véritables ? (H. Becque) — 7. Des chardons bleus... j'en ai [*vu*] dans un vase de cuivre chez Mme Dalleray. (Colette) — 8. D'économies, il n'en avait pas [*fait*] non plus. (P. Loti)

533 Dites quel est le complément d'objet direct du participe passé. (P.P. des verbes pronominaux.) [PG § 390]

Modèle : a) « Elle s'est *lavée* ». — Elle a lavé qui ? — *se* = c. d'obj. direct.
b) « Elle s'est *lavé* les mains ». — Elle a lavé quoi ? — les mains = c. d'objet direct.

1. Ils se sont *blessés* à la jambe. — 2. Elles se sont *couvertes* de gloire. — 3. Elles se sont *couvert* la tête. — 4. Ils se sont *donné* de la peine. — 5. Ils se sont *donnés* tout entiers à leur travail. — 6. Elles se sont *frotté* le visage. — 7. Ils se sont *accoutumés* à ce changement. — 8. Elle s'est *coupée* au doigt. — 9. Elle s'est *coupé* les ongles. — 10. Elles se sont *promis* de s'écrire.

534 Justifiez l'accord ou l'invariabilité des participes passés en italique. (P.P. des verbes pronominaux.)

a) 1. Ils se sont *redressés*. — 2. Ils se sont *heurtés* à mille difficultés. — 3. Ces hommes s'étaient *livrés* au jeu. — 4. Ils s'étaient *livré* une guerre cruelle. — 5. Ils se sont *querellés*, ils se sont *dit* des gros mots, puis ils se sont *réconciliés*. — 6. Cette discipline, je me la suis *imposée*. — 7. Ils se sont *confié* mutuellement leurs peines. — 8. Voilà la tâche que je me suis *assignée*. — 9. Ils se sont *nui* à eux-mêmes. — 10. Que de choses ils se sont *imaginées* ! — 11. Ils se sont *imaginé* qu'on les persécutait.

b) 1. Rarement deux enfants se sont *ressemblé* comme ces deux-là. — 2. Ma joie s'est *évanouie* tout d'un coup. — 3. Ils se sont *ri* de la difficulté. — 4. Ces personnes se sont *plaintes* de votre négligence. — 5. Ils se sont *doutés* de quelque chose. — 6. Elle s'est toujours *plu* dans cette maison. — 7. Songez aux buts qu'ils s'étaient *fixés* et aux résultats qu'ils se sont *efforcés* d'obtenir. — 8. Ces meubles se sont *vendus* fort cher.

535 Indiquez la fonction du pronom de forme réfléchie. (P.P. des verbes pronominaux.)

Modèles:		
	a) Ils *se* sont évanouis	*se*: sans fonction.
	b) Ils *se* sont regardés	*se*: c. d'obj. dir.
	c) Ils *se* sont souri	*se*: c. d'obj. indir.

1. Elles *se* sont téléphoné. — 2. Nous *nous* sommes habillés. — 3. Vous *vous* êtes serré la main. — 4. Ils *se* sont enfuis. — 5. Elles *s'*étaient rencontrées. — 6. Les oiseaux *se* sont envolés. — 7. Nous *nous* sommes croisé les bras. — 8. Vous *vous* êtes frayé un chemin. — 9. Ils *se* sont blessés. — 10. Elles *se* sont aperçues de leur erreur.

536 Accordez, quand il y a lieu, les participes passés en italique. (P.P. des verbes pronominaux.)

a) 1. Ces sportifs se sont [*imposé*] des séances d'entraînement. — 2. Ils se sont [*demandé*] quels bénéfices ils retireraient de la peine qu'ils se sont [*donné*]. — 3. Telles sont les questions qu'ils se sont [*posé*]. — 4. La rue s'est [*paré*] de lampions, toutes les portes se sont [*ouvert*], les voisins se sont [*offert*] le plaisir de se rencontrer. — 5. Ils s'étaient [*juré*] d'être prudents.

b) 1. Vas-y, suis la voie que tu t'es [*tracé*]. — 2. Les deux amies qui ne s'étaient plus [*vu*] depuis la fin de leurs études se sont [*rencontré*] dernièrement. Que de choses elles se sont [*raconté*] ! — 3. Les émotions qui se sont [*emparé*] de lui, l'empêchent d'articuler le moindre mot. — 4. Elles se sont [*imaginé*] qu'elles termineraient ce travail à temps.

[PG § 499] **ORTHOGRAPHE** *Entraînement* peut désormais s'écrire *entrainement,* sans accent circonflexe.

537 Même exercice. (P.P. des verbes pronominaux.)

a) 1. Ils se sont [*plaint*] d'être fatigués. — 2. Elles se sont [*proposé*] de me rendre visite. — 3. La langue latine s'est [*parlé*] autrefois en Gaule. — 4. Des vagues de crainte et d'espoir se sont [*succédé*] en nous. — 5. En ne se soignant pas, ils se sont [*nui*] à eux-mêmes.

b) 1. Nous nous sommes [*donné*] pour tâche d'expliquer le monde. (G. Duhamel) — 2. Trois médecins se sont [*succédé*] à Yonville sans pouvoir y réussir. (G. Flaubert) — 3. Quelques enfants des environs étaient venus, s'étaient [*mêlé*] aux travailleurs. (A. Gide) — 4. Tous les oiseaux de la terre semblent s'être [*donné*] rendez-vous dans le delta. (P. Morand) — 5. Les jours se sont [*enfui*] d'un vol mystérieux. (Th. de Banville) — 6. Elle devint triste, de même que tout à l'heure elle s'était [*senti*] heureuse. (J. Green) — 7. En se quittant, ils s'étaient [*donné*] une solide poignée de main. (V. Larbaud)

Participe passé : récapitulation

[PG § 377-390]

La gelée

J'ai souvent [*épié*] la gelée. Ses artifices, je les aurais [*observé*], fût-ce la nuit, à l'aide d'une lanterne que j'aurais [*promené*] le long des mares ou des étangs ; j'aurais [*voulu*] surprendre comment elle s'y était [*pris*], comment elle avait [*établi*] cette nappe de glace que j'avais [*vu*] épouser exactement la forme des bords ; j'aurais [*examiné*] ces roseaux et ces touffes d'herbe qu'elle avait si artistement [*serti*].

Mais les secrets de la gelée, je ne les ai pas [*percé*]. L'aube s'est [*levé*], d'une couleur particulière, jaune soufre ou vert émeraude, et les détails que j'ai [*distingué*], je ne me les suis pas [*expliqué*], l'œuvre du froid étant déjà [*terminé*].

Si les souffles du vent se sont [*mêlé*] de l'aider, la glace s'est [*ridé*] comme eux. Les regards des étoiles se sont [*posé*] sur la surface [*poli*], mais quand les nuages les ont [*intercepté*], l'œuvre du gel s'est [*trouvé*] moins bonne. Si la neige s'est [*avisé*] d'intervenir, elle a [*gâté*] la consistance cristalline que la glace aurait [*pris*].

D'après Marie GEVERS, *Plaisirs des météores*. Paris, Éd. Stock.

538 Dans le texte ci-dessus, accordez, quand il y a lieu, les participes passés.

539 Accordez, quand il y a lieu, les participes passés.

a) 1. Que de bons moments j'ai [*passé*] avec toi ! — 2. Nous nous sommes parfois [*exagéré*] certains problèmes ; ils auraient été plus facilement [*résolu*] si nous nous étions [*donné*] la peine de les analyser. — 3. Bossuet a [*créé*] une langue que lui seul a [*parlé*]. — 4. Des gens qui s'étaient [*érigé*] en détenteurs de la vérité ont été [*convaincu*] d'erreur. — 5. En acceptant cette responsabilité, elle a [*retrouvé*] l'assurance qu'elle avait [*perdu*].

b) 1. Les hommes meurent d'ordinaire comme ils ont [*vécu*]. — 2. Soyons épris de justice et restons-y [*attaché*]. — 3. Quelles solutions a-t-on [*envisagé*] pour protéger la planète ? — 4. Le peu de compassion qui tu lui as [*témoigné*] lui a [*réchauffé*] le cœur. — 5. [*Passé*] la Chandeleur, l'hiver finit ou prend vigueur. — 6. Nous nous sommes [*parlé*].

540 Même exercice.

a) 1. Certains se sont parfois [*imaginé*] qu'ils s'étaient [*rendu*] maîtres des événements, alors qu'ils étaient [*entraîné*] par eux. — 2. Les choses que nous avons [*appris*] à faire dans notre enfance nous semblent toujours faciles. — 3. Quelques-uns se sont [*laissé*] duper par les apparences ; ceux qu'ils avaient [*cru*] instruits n'étaient que des bavards. — 4. Étant [*donné*] l'heure tardive, nous avons [*fait*] halte ; après les dix heures que nous avions [*marché*], il fallait prendre du repos. — 5. Combien de succès j'aurais [*savouré*] si j'avais [*fait*] tous les efforts que j'aurais [*dû*] !

b) 1. Ceux qui se sont [*opposé*] à l'injustice ne l'ont toujours pas [*déraciné*]. — 2. Je vous renvoie [*ci-joint*] les documents que vous m'avez [*prêté*]. — 3. Que de plaisirs j'ai [*tiré*] des livres que vous m'avez [*donné*] à lire. — 4. Un livre, une page, une phrase que nous avons [*lu*] suffit parfois à nous faire emprunter une voie que nous n'aurions pas [*imaginé*] suivre. — 5. Le peu de motivation que tu as [*montré*] n'a pas [*plaidé*] en ta faveur. — 6. Voilà les questions que je me suis [*posé*].

[PG § 499] **ORTHOGRAPHE** 1. *Maître* et *entraîner* peuvent désormais s'écrire *maitre* et *entrainer*, sans accent circonflexe.

[PG § 509] 2. *Événement* peut aussi s'écrire *évènement.*

541 Accordez, quand il y a lieu, les participes passés.

a) 1. Certains se sont [*prévalu*] de leurs vastes connaissances ; ils ont [*étudié*] mille choses et les ont [*analysé*] ; ils ont [*exploré*] tout, leur conscience [*excepté*]. — 2. [*Ci-inclus*] les pièces que vous m'avez [*réclamé*]. — 3. Les convives se sont [*demandé*] comment l'hôtesse s'y est [*pris*] pour confectionner cette délicieuse tarte qu'elle a [*eu*] à préparer. — 4. La reconnaissance que ce travail m'a [*valu*] me rassure. — 5. Que de battements d'ailes! on dirait que toutes les mouettes du littoral se sont [*donné*] rendez-vous sur la plage. — 6. Combien n'en a-t-on pas [*vu*] oublier leurs promesses !

b) 1. J'en ai tant [*vu*], de ces reniements, si tu savais! (A. Billy) — 2. Vers ces pâles lueurs éparses dans la forêt, il avait [*couru*] tout le jour. L'une après l'autre, il les avait [*vu*] s'éteindre. (M. Genevoix) — 3. Elle n'accueillit pas cet espoir avec autant de joie qu'il l'avait [*imaginé*]. (G. Flaubert) — 4. Que d'économies et de souffrances il lui avait [*fallu*] pour assurer le repos de sa vieillesse! (Erckmann-Chatrian) — 5. Un jour qu'elle s'était [*piqué*] le doigt avec une aiguille, elle a été [*hanté*], durant un mois, par l'idée qu'elle allait avoir le tétanos. (P. Mille)

542 Même exercice.

1. Certains jouets que les enfants ont longtemps [*souhaité*] ne leur ont pas [*procuré*], quand ils les ont [*reçu*], toute la joie qu'ils avaient [*pensé*]. — 2. Étant [*donné*] les caprices de la météo, prenez une veste. — 3. Y a-t-il des auditeurs qui sont [*resté*] insensibles à la musique qu'ils ont [*entendu*] jouer ? — 4. Vous trouverez [*ci-joint*] copie des factures que vous avez [*égaré*]. — 5. Souvent les événements ont [*démenti*] les prévisions qu'on avait [*cru*] infaillibles : les faits qu'on avait [*dit*] qui arriveraient ne se sont pas [*produit*] et il s'en est [*passé*] d'autres qu'on n'avait pas [*prévu*]. — 6. Que d'aventures extraordinaires mon père nous a [*raconté*] pendant les trente années qu'il a [*parcouru*] le monde ! — 7. Des hommes comme Ghandi ou Martin Luther King se sont [*donné*] pour mission de faire régner un ordre et une paix [*fondé*] sur la justice.

[PG § 509] **ORTHOGRAPHE** *Événement* peut désormais s'écrire *évènement.*

543 Accordez, quand il y a lieu, les participes passés.

a) 1. J'admire ceux qui se sont [*fait*] les défenseurs de la justice et de la vérité. — 2. Ces arbres-ci ont [*donné*] des fruits; ceux-là n'en ont pas [*donné*]: ils seront [*abattu*] et [*jeté*] au feu. — 3. Comme s'ils s'étaient [*donné*] le mot, les moineaux se sont [*précipité*] sur les semis que j'ai [*fait*]. — 4. Le peu de paroles qu'elle a [*prononcé*] suscitèrent l'enthousiasme. — 5. Toutes les occasions de m'informer que m'ont [*offert*] les médias, je les ai souvent [*laissé*] passer.

b) 1. [*Ci-inclus*] les pièces que vous avez [*souhaité*] recevoir. — 2. Les personnes de la réunion, [*y compris*] les dames et les enfants, formaient une sorte de procession à bannières. (M. Bedel) — 3. Mais de pressentiments funèbres, ils n'en avaient jamais [*eu*]. (H. Bordeaux) — 4. Quand tu nous auras tous [*entendu*] exposer et défendre notre opinion, tu choisiras paisiblement la tienne. (G. de Maupassant) — 5. Nous nous étions [*exagéré*] les dangers d'une désertion. (M. Barrès)

544 Même exercice.

a) 1. La nuit vient: une à une les rumeurs se sont [*tu*] ; je contemple les étoiles que j'ai [*regardé*] s'allumer dans le ciel pur. — 2. Les générations qui se sont [*succédé*] sur terre se sont toutes [*mis*] en quête du bonheur. — 3. Quelle persévérance et quelle foi il a [*fallu*] pour bâtir les cathédrales ! — 4. La machine à calculer qu'avait [*imaginé*] Pascal a [*enthousiasmé*] ses contemporains ; nous éprouvons le même engouement pour les ordinateurs qu'ont [*inventé*] les informaticiens. — 5. Cette fable que j'ai [*récité*] un jour pour la fête de ma grand-mère, je me la suis [*rappelé*] avec émotion.

b) 1. Elle frappa des pieds une ou deux fois et pénétra au salon après s'être [*essuyé*] les chaussures. (J. Green) — 2. Combes habitait encore dans la bergerie que lui avait [*laissé*] son père. (A. Chamson) — 3. Deux femmes montaient l'escalier en courant. On les avait [*laissé*] entrer, quoique l'heure des visites fût [*passé*]. (A. Daudet) — 4. Les ouvrières de madame Clémence, après s'être [*lavé*] les mains dans une antichambre près du bureau de la caissière, entrèrent dans la salle à manger. (R. Bazin) — 5. Les quatre coups de fusil s'étaient [*succédé*] avec une rapidité incroyable. (P. Mérimée)

VOCABULAIRE *Se mettre en quête de* signifie « se mettre à la recherche de ».

545 Accordez, quand il y a lieu, les participes passés.

a) 1. [*Vu*] les difficultés du voyage, nous avons [*décidé*] d'ajourner la visite que nous vous avions [*promis*]. — 2. Autant de démarches nous avons [*fait*], autant de refus nous avons [*essuyé*]. — 3. Que d'injustices se sont [*commis*] que personne n'a [*puni*] ! — 4. Quel est l'aventurier qui n'a pas [*raconté*] tous les dangers qu'il a [*couru*]. — 5. Il nous a [*tiré*] d'embarras, notre gratitude est le prix des services que nous reconnaissons avoir [*reçu*].

b) 1. Nous avons [*survécu*] à trop d'arbres pour ne pas nous être [*aperçu*] que les sites meurent comme les hommes. (Fr. Mauriac) — 2. Des années entières s'étaient [*passé*] et je les avais [*vécu*] comme si mon oncle devait vivre éternellement. (J. Green) — 3. Les deux femmes se rapprochaient à nouveau et reprenaient la vieille amitié qu'avaient [*lié*] leurs espérances communes. (A. Chamson) — 4. Les visions qui s'étaient [*succédé*] pendant mon sommeil m'avaient [*réduit*] à un tel désespoir que je pouvais à peine parler. (G. de Nerval) — 5. C'était pour Jean, cette réflexion explicative, la seule qu'on eût jamais [*entendu*] sortir de sa bouche. (P. Loti) — 6. Elle s'était [*arrogé*] le droit de tout dire. (H. Bosco)

546 Accordez, quand il y a lieu, les participes passés.

Au bord du bassin

Un jour Marcel avait [*découvert*] le bassin; son imagination s'en était [*emparé*] et en avait [*fait*] une mer intérieure. Après bien des pourparlers, nous étions [*convenu*] que les marches d'escalier descendant dans l'eau seraient [*réputé*] sa propriété personnelle.

Souvent nous nous sommes [*rassemblé*] au bord de cette mer mystérieuse et les heures que nous avons [*passé*] à en explorer les eaux nous ont [*émerveillé*]. Les insectes que nous avons [*regardé*] flotter à la surface paraissaient [*fait*] d'une brindille horizontale qu'on eût [*cru*] [*posé*] sur six minces pattes. Ils ressemblaient à des bâtons d'écriture qui se seraient [*échappé*] des cahiers de l'école.

Ah! leurs notions de système métrique, ils ne les avaient pas [*oublié*] : lorsque nous les avions malicieusement [*poursuivi*], ils savaient compter les centimètres qu'ils avaient [*parcouru*] à la surface de l'eau. Même les tempêtes que nous avions parfois [*soulevé*] autour d'eux pour les noyer les ont [*laissé*] patiner sur la portion d'eau calme qui leur était [*resté*].

D'après Valery Larbaud, *Enfantines*. Paris, Éd. Gallimard.

[PG § 391]

Construction du participe et du gérondif

547 Transformez les phrases suivantes de telle sorte que, dans chaque cas, le participe ou le gérondif se rapporte au sujet du verbe principal:

Modèle: Je compte sur votre visite; croyez à ma bien vive sympathie. — *Comptant* sur votre visite, *je* vous prie de croire à ma bien vive sympathie.

a) 1. J'espère que vous accueillerez favorablement ma demande; daignez agréer l'assurance de mon profond respect. *Espérant* que ... — 2. Vous avez examiné cette affaire à la hâte: je ne pense pas que vous ayez pu en démêler la complexité. *Ayant examiné* ... — 3. Je voudrais rénover ma salle de bain : faites-moi donc parvenir votre catalogue. *Voulant* ... — 4. Comme j'ai été reçu à mon examen, mes parents m'ont offert une guitare. *Ayant été reçu* ... — 5. Tu travailles sans filet ; il me semble que tu joues les risque-tout. *Travaillant* ... — 6. J'ai reçu une tuile sur la tête; mon médecin m'a mis en observation. *Ayant reçu* ...

b) 1. Tandis qu'il disait ces mots, des sanglots entrecoupaient sa voix. *En disant* ... — 2. Parce que nous sommes absorbés par les soucis matériels, nos rêves de jeunesse tombent souvent dans l'oubli. *Absorbés* ... — 3. J'avais oublié mon livre; mon mari m'a prêté le sien. *Ayant oublié* ... — 4. Quand vous entrerez dans la vie professionnelle, bien des difficultés vont se dresser devant vous. *En entrant* ... — 5. Si vous êtes animés d'un esprit serein, bien des difficultés seront aplanies. *Animés* ... — 6. Il ne vit que pour son travail et sa vie familiale en pâtit. *Ne vivant que* ...

VOCABULAIRE *Travailler sans filet* signifie « travailler sans garantie, en prenant des risques ». Cette expression fait allusion au filet des acrobates tendu sous eux par précaution, en cas de chute.

ORTHOGRAPHE Les rectifications orthographiques encouragent la soudure de certains mots composés d'un élément verbal et de *-tout* (dont le pluriel est difficile), nous pourrons donc les accorder comme les noms simples : ***des brisetouts***, ***des faitouts***, ***des fourretouts***, ***des mangetouts***, ***des mêletouts***, ***des risquetouts*** et même ***des passepartouts***. [PG § 503]

Propositions participes

[PG § 392]

548 Distinguez les sujets des propositions participes et les sujets des propositions principales.

1. La lumière baissant toujours, nous avons interrompu nos recherches. — 2. Un rocher barrant le passage, les explorateurs ont rebroussé chemin. — 3. Les enfants devenus grands, les parents ont déménagé. — 4. La caissière, la journée terminée, rentre chez elle en métro. — 5. Avril venu, la glycine en fleurs égaie la façade de la maison.

549 Cherchez les sujets des formes verbales en italique; distinguez ceux qui appartiennent à une proposition participe et ceux qui se rapportent à une proposition principale.

1. Les circonstances *aidant*, vos efforts, je l'espère, seront couronnés de succès. — 2. Les majorettes défilaient, *ouvrant* la marche, mais une grosse averse *survenant* brusquement, le cortège dut se disloquer. — 3. *Ayant levé* la tête, Marc aperçut un vol de cigognes. — 4. L'âge *venant*, le célibataire endurci a voulu se marier. — 5. Le joueur *ayant vu* une possibilité de marquer, n'en a pas profité ; cette occasion *ratée*, les adversaires ont récupéré le ballon ; le match *touchant* à sa fin, son équipe n'a pas pu rattraper son erreur.

550 Remplacez par une proposition participe les mots en italique.

1. *Quand les chats sont partis*, les souris dansent. — 2. *Dès que la bise fut venue*, la cigale se trouva fort dépourvue. — 3. *Si les circonstances vous aident*, vos projets pourront réussir. — 4. *Quand le printemps est revenu*, tout change dans la nature. — 5. *Quand on a réussi les premiers tests*, on peut passer aux suivants. — 6. *Le soir approchait*: nous cherchâmes un asile pour la nuit. — 7. *Vu que nous sommes pacifistes*, nous désapprouvons la course aux armements.

551 Dites si les participes en italique appartiennent ou non à des propositions participes.

1. Le temps *s'enfuyant* rapidement, profitons au mieux de chacune de nos journées. — 2. Le temps, *s'enfuyant* rapidement, emporte beaucoup de nos projets. — 3. Le chirurgien *s'étant montré* très habile, le patient pu remarcher. — 4. Gisèle, *ayant semé* quelques graines dans

un parterre, oublia le fait ; l'été *venu*, elle découvrit, surprise, un superbe massif de cosmos dans son jardin. — 5. Les premiers feux du jour *étant tombés*, tous les paysans vaquaient à leurs cultures. (Ph. Hériat)

[PG § 393-403]

Accord du verbe

Règles générales

Notre petit

Une sœur en cornette, grande et sèche comme un fruit d'automne oublié dans un four, me l'*a porté*, une semaine après ta mort. Elle m'a dit : « C'*est* votre enfant. Le vôtre. Il vous *faut* l'élever. » Puis elle m'a mis le paquet blanc dans les bras avant de s'en retourner. L'enfant *dormait*. C'était tout chaud et ça *sentait* le lait. Ça devait être doux. Son visage dépassait des linges qui l'*entouraient* comme un jésus de crèche. Ses paupières *étaient* closes, ses joues rondes, si rondes que sa bouche y disparaissait dedans. J'*ai cherché* dans ses traits ton visage, comme un souvenir de toi que tu m'*aurais donné* par-delà ta mort. Mais il ne *ressemblait* à rien, en tout cas pas à toi. Il ressemblait à tous les nourrissons, ceux qui *viennent* d'arriver devant le jour après une longue nuit douillette passée dans un endroit qu'on *oublie* tous.

Philippe CLAUDEL, *Les âmes grises*.
Paris, Éd. Stock, 2003.

[PG § 393-394]

552 Justifiez, dans le texte ci-dessus, l'accord des verbes en italique.

Modèles :	SUJETS	VERBES
	une sœur : 3e p. sg.	a porté

553 Justifiez l'accord des verbes en italique.

1. Quiconque se *sert* de l'épée périra par l'épée. — 2. Qui *refuserait* des jours de congé ? — 3. Que de rêves nous *procure* le sommeil ! — 4. Dans l'air attiédi *flottent* des senteurs douceâtres. — 5. *Chantez*, les filles ; les garçons, *tapez* dans les mains. — 6. Vos collègues et moi-même *tenons* à vous féliciter pour la réussite de votre mission. — 7. Tes amis et toi *pourrez* nous rejoindre à la piscine. 8. Vous et vos enfants *serez* toujours les bienvenus chez nous.

[PG § 512] **ORTHOGRAPHE** Les rectifications orthographiques concernent certaines anomalies : la graphie ancienne ***cea*** de *douceâtre* est rendue inutile par l'emploi de la cédille, on peut donc écrire ***douçâtre***. De même, le ***cz*** d'eczéma est un cas exceptionnel en français, il y a tout lieu de l'écrire *x*, comme dans *examen* : ***exéma***.

554 Inventez de petites phrases en prenant pour sujets les expressions suivantes:

1. Les spectateurs. — 2. Aucun de nous. — 3. La cardamome et la cannelle. — 4. Ma famille et moi-même. — 5. Ton frère et toi.

555 Faites l'accord des verbes en italique.

a) 1. Les yeux [*être*, ind. pr.] le miroir de l'âme. — 2. Dans le lointain [*claquer*, ind. imparf.] les premiers coups de tonnerre, déjà [*tomber*, ind. imparf.] les premières gouttes. — 3. Dans quelques semaines [*revenir*, futur simple] les beaux jours ; il est temps que mes sœurs et moi [*ressortir*, subj. prés.] nos tenues d'été. — 4. Grégoire, Solange et moi te [*réclamer*, ind. prés.] d'urgence ; toi seule [*pouvoir*, futur simple] nous départager. — 5. Que [*pouvoir*, ind. prés.] faire les journalistes quand [*s'étaler*, ind. prés.] devant leurs yeux la guerre et la famine ?

b) 1. Mes chiens et moi [*être*, passé s.] des êtres nouveaux, capables de franchir en moins de deux heures la distance qui nous séparait du bois. (M. Constantin-Weyer) — 2. Les tiens et toi [*pouvoir*, ind. pr.] vaquer, Sans nulle crainte à vos affaires. (J. de La Fontaine) — 3. Je t'adresse donc ce récit, tel que Denis, Daniel et moi l'[*entendre*, passé s.]. (A. Gide) — 4. À la barbe de neige [*s'ajouter*, ind. imparf.] le parchemin de la peau, la maigreur des mains, les rides de la face. (Cl. Farrère) — 5. Toi seule [*être*, ind. prés.] mon trésor et toi seule [*être*, id.] mon bien. (V. Hugo) — 6. Mes grands-parents repartis, [*rester*, ind. imparf.] seulement avec nous Millie et mon père. (Alain-Fournier)

Collectif ou adverbe de quantité sujet

[PG § 395]

556 Faites l'accord des verbes en italique.

a) *Le collectif frappe le plus l'esprit*:

1. Un triangle de canards sauvages [*pointer*, ind. pr.] vers le sud. — 2. La multitude des étoiles [*étonner*, ind. pr.] celui qui les observe. — 3. Une énorme masse de nuages violacés [*encombrer*, ind. imparf.] l'horizon. — 4. Une longue file de curieux [*onduler*, ind. imparf.] dans la rue. — 5. Attention! cette pile de livres [*s'écrouler*, fut. s.] si vous y ajoutez quelques volumes. — 6. Ma collection de papillons [*s'enrichir*, passé comp.] d'un spécimen très rare.

b) *Le complément du collectif frappe le plus l'esprit*:

1. Un grand nombre d'amis [*féliciter*, passé comp.] le lauréat. — 2. Une série de difficultés, les unes graves, les autres légères, [*retarder*, passé comp.] l'achèvement des travaux. — 3. Une foule de souvenirs [*se succéder*, ind. pr.] dans ma mémoire. — 4. Une multitude de sauterelles [*ravager*, passé s.] toute la région. — 5. Quantité de témoins [*déposer*, passé comp.] en faveur de l'accusé.

PRONONCIATION Un certain nombre de noms d'origine latine se terminant par ***-en*** se prononcent comme les mots en *-enne* [ɛn]. C'est le cas de *spécimen*, *abdomen*, *amen*, *cérumen*, *cyclamen*, *gluten*, *lumen*, mais pas d'*examen* où l'on entend [ɛ̃] comme dans *bulletin*.

557 Repérez l'élément qui commande l'accord du verbe.

1. Le peu d'efforts qu'il fait *mérite* notre désapprobation. — 2. Le peu d'efforts qu'il fait *méritent* nos encouragements. — 3. Toute une peuplade de hautes coupoles à l'abandon se *tient* encore debout. (P. Loti) — 4. Tant d'éclairs m'*éblouissent*. (Fénelon) — 5. Peu d'efforts *suffisent* souvent pour se tirer d'une situation difficile. — 6. Une bande d'enfants *s'agitaient* autour d'elles. (J. et J. Tharaud) — 7. Un groupe d'hommes *est* occupé à abattre un vieil olivier gris. (P. Loti)

558 Accordez les verbes en italique.

a) 1. Un rideau de peupliers [*masquer*, ind. pr.] le paysage. — 2. Combien de livres [*paraître*, ind. pr.] chaque année ! — 3. Un essaim d'abeilles [*se suspendre*, passé comp.] à une branche du pommier. — 4. La plupart des enfants [*aimer*, ind. pr.] beaucoup les histoires. — 5. Beaucoup de gens [*habiter*, ind. pr.] en ville.

b) 1. Trop de choses m'[*échapper*, ind. imparf.] dans la vie de mon ami. (G. Duhamel) — 2. Tout à coup un groupe de maisons blanches [*se dégager*, passé s.] de la poussière de la route. (P. Loti) — 3. Une foule de ménagères [*se bousculer*, ind. imparf.] autour des étalages. (H. Troyat) — 4. Tant de coups successifs [*sembler*, ind. imparf.] avoir brisé la vigueur du vieux. (R. Bazin)

[PG § 499] ORTHOGRAPHE *Paraître* peut désormais s'écrire sans accent circonflexe sur *i*.

559 Faites l'accord des verbes en italique.

a) 1. La plupart des hommes [*employer*, ind. pr.] la meilleure partie de leur vie à rendre l'autre misérable. (La Bruyère) — 2. La plupart se [*faire*, ind. prés.] des illusions jusque dans la vieillesse. — 3. Plus d'un jeune se [*donner*, ind. pr.] rendez-vous dans ce café. — 4. Moins de deux semaines [*se passer*, ind. p.-q.-parf.] et déjà le petit malade se promenait dans le jardin. — 5. Beaucoup ne [*remarquer*, ind. pr.] pas qu'une quantité de petits bonheurs [*être*, ind. pr.] tous les jours à leur portée. — 6. Déjà plus d'une feuille sèche [*parsemer*, ind. pr.] les gazons jaunis. (Th. Gautier)

b) 1. La moitié des députés [*voter*, passé comp.] pour le projet, l'autre moitié [*voter*, id.] contre. — 2. Plus d'un roman, plus d'un film qu'un certain engouement porte aux nues [*tomber*, fut. s.] dans l'oubli. —3. Quelle foule de pensées agréables et tristes [*se presser*, ind. pr.] à la fois dans mon cerveau ! (X. de Maistre) — 4. Plus d'un [*se rappeler*, passé s.] des matinées pareilles. (G. Flaubert)

560 Même exercice.

1. Une douzaine de chefs [*être accroupi*, ind. pr.], dans leur beurnouss, tout autour de la salle. (A. Daudet) — 2. Les Suisses eurent trois ou quatre soldats tués ou blessés ; ce peu de morts [*se changer*, passé comp.] en une effroyable tuerie. (R. de Chateaubriand) — 3. Le peu de dents que j'avais [*être parti*, ind. pr.]. (Voltaire) — 4. Plus d'un long jour [*s'écouler*, passé comp.] depuis. (G. Duhamel) — 5. Une file d'hommes [*attendre*, ind. imparf.] sur des chaises, l'air ennuyé. (É. Zola) — 6. Le peu de cheveux qu'il avait [*être*, ind. imparf.] gris. (V. Hugo) — 7. Moins de deux ans [*suffire*, fut. s.] pour achever cette entreprise.

ORTHOGRAPHE *Beurnouss* est une orthographe désuète du mot d'origine arabe *burnous* (le *s* est rarement prononcé [byrnu]) qui désigne un « grand manteau de laine à capuchon et sans manches en usage dans les pays du Maghreb ».

Sujet des verbes impersonnels

Pronom « il » et « ce » sujet

[PG § 396-397]

561 Justifiez l'accord des verbes en italique.

1. Il *vient* de la cuisine de délicats fumets qui aiguisent l'appétit. — 2. C'*étaient* des hommes géants sur des chevaux colosses. (V. Hugo) — 3. Il y *a* deux tropiques : le tropique du Capricorne et le tropique du Cancer. — 4. Ce *sont* les tonneaux vides qui font le plus de bruit. — 5. Ma mère n'a plus de famille, si ce n'*est* des cousins éloignés. — 6. Il se *présente* des circonstances où il nous *faut* des conseillers. — 7 Ce *furent* de fameux créateurs que Balzac et Proust. — 8. C'*est* le talent et le travail qui font les grands artistes.

562 Faites l'accord des verbes en italique.

a) 1. Il [*arriver*, passé s.] des visiteurs qu'on n'attendait pas. — 2. Oui, ce [*être*, ind. pr.] des pasteurs Rappelant les troupeaux épars sur les hauteurs. (A. de Vigny) — 3. Tous les jours, il [*survenir*, ind. imparf.] des troupeaux d'hommes. (G. Flaubert) — 4. Il [*se trouver*, ind. pr.] des gens qui ne sont les amis de personne ; il [*s'en rencontrer*, id.] aussi qui sont les amis de tout le monde. — 5. Il entendit un cri sec auprès de lui : c'[*être*, ind. imparf.] deux hussards qui tombaient. (Stendhal)

b) 1. Je n'achèterai pas de nouvelles décorations pour Noël, si ce ne [*être*, ind. prés.] quelques guirlandes. — 2. Ce [*être*, ind. prés.] le collier et les boucles d'oreilles que je compte porter samedi avec ma robe noire. — 3. C'[*être*, ind. imparf.] bien de chansons qu'alors il s'agissait ! (J. de La Fontaine) — 4. Ce [*être*, passé s.] le silence et l'immobilité qui la tirèrent de son sommeil. (J. Green) — 5. Ce [*être*, ind. pr.] eux, ces jeunes hommes, qui porteraient le choc le plus dur de la guerre. (A. Maurois) — 6. Jésus leur défend de rien emporter, si ce ne [*être*, ind. pr.] des sandales et un bâton. (G. Flaubert)

563 Même exercice.

a) 1. Ce [*être*, ind. pr.] des illusions perdues qu'est faite l'expérience de beaucoup d'hommes. — 2. Les longs vitrages de la gare flambaient ; il en [*sortir*, ind. imparf.] des bruits de ferrailles. (É. Baumann) — 3. La dépense est considérable : ce [*être*, ind. pr.] cinq mille euros qu'il va falloir débourser. — 4. [*Être*, ind. imparf.]-ce deux amis ou deux frères ? (Th. Gautier)

b) 1. Ce [*être*, ind. pr.] les poètes qui finalement ont raison, parce que c'est l'idéal qui est la vérité. (A. Dumas f) — 2. Ce [*être*, ind. prés.] des couleurs de ces fleurs et non de leurs formes que je m'inspirerai pour mon aquarelle. — 3. Ceux qui vivent, ce [*être*, ind. pr.] ceux qui luttent. (V. Hugo) — 4. Ces personnes, [*être*, ind. imparf.]-ce vos tantes? — 5. Mes meilleurs souvenirs, c'[*être*, passé comp.] les vacances que j'ai passées en Suisse. — 6. Écrivez-moi, ne [*être*, cond. pr.]-ce que quelques mots. — 7. Ce [*devoir être*, ind. imparf.] des yeux d'infirme. (J. Cocteau) — 8. Oui, ce [*être*, ind. pr.] là des affaires sérieuses; c'[*être*, ind. pr.] d'elles que nous avons à parler.

[PG § 398]

Pronom « qui » sujet

Piqûre d'églantier

À ce point de ses réflexions, Emmanuel éprouvait une cruelle piqûre au bras gauche. C'était un églantier qui *poussait* là, au bord de la haie, et qui *venait* de lui marquer sa présence. « Pourquoi, disait Emmanuel avec l'accent du reproche, pourquoi me piques-tu, moi qui ne t'*ai* rien *fait*, moi qui même *admirais* encore, la semaine passée, tes belles petites fleurs plus délicates que des porcelaines de rêve? »

— Excuse-moi, maître, disait l'églantier en jouant la confusion, mais moi, je ne bouge pas. C'est toi qui te *déplaces*, c'est toi qui *es venu* t'aventurer dans mon espace vital. Si le créateur m'a donné des épines, c'est quand même pour faire respecter mon domaine...

Georges DUHAMEL, *Les voyageurs de « l'Espérance »*. Paris, Éd. Gedalge.

564 Justifiez, dans le texte ci-dessus, l'accord des verbes en italique.

Modèles:

SUJETS ET ANTÉCÉDENTS	VERBES
toi qui : 2e p. sg.	parles
nous qui : 1re p. pl.	écoutons

[PG § 499] ORTHOGRAPHE 1. *Maître* peut désormais s'écrire sans accent circonflexe sur le *i*.

[PG § 499] 2. *Piqûre* peut désormais s'écrire sans accent circonflexe sur le *u*.

565 Remplacez les trois points par la forme verbale convenable.

1. Je suis le chef; c'est moi qui ... le chef. — 2. Tu es responsable; c'est toi qui ... responsable. — 3. Nous ferons ce travail; c'est nous qui ... ce travail. — 4. Vous prendrez la photo; c'est vous qui ... la photo. — 5. Je parlerai au professeur; c'est moi qui ... au professeur. — 6. Mon frère et moi partirons les premiers; c'est mon frère et moi qui ... les premiers. — 7. Tu chantes le mieux; c'est toi qui ... le mieux. — 8. Tu ouvriras la porte; c'est toi qui ... la porte.

566 Faites l'accord des verbes en italique.

1. C'est moi qui [*être*, ind. pr.] le capitaine de l'équipe. — 2. C'est toi qui [*donner*, fut. s.] le signal du départ. — 3. C'est nous qui [*régler*, fut. s.] cette affaire. — 4. C'est vous qui [*trouver*, passé comp.] la bonne réponse. — 5. Toi qui [*parler*, ind. pr.] si bien, as-tu pesé tes mots? — 6. À moi qui [*être*, ind. pr.] innocent, on a fait cent reproches.

567 Accordez les verbes en italique.

1. Nous qui [*être*, ind. pr.] raisonnables, nous réfléchirons avant d'agir. — 2. Une foule de gens, qui [*profiter*, ind. prés.] inconsidérément des soldes, ne doivent pas s'étonner de la quantité d'objets qui les [*encombrer*, ind. prés.]. — 3. Ce n'est pas toi qui [*devoir*, ind. imparf.] passer le premier. — 4. Te voilà encore qui [*chercher*, ind. pr.] à brouiller les cartes ! — 5. La multitude d'espèces qui [*peupler*, ind. prés.] les océans est inimaginable. — 6. Le peu d'idées qui me [*venir*, passé comp.] m'ont permis d'engager la conversation.

VOCABULAIRE *Brouiller les cartes*, c'est « compliquer, obscurcir volontairement une affaire ».

568 Accordez les verbes en italique.

a) 1. J'ai une voiture pour eux bien plus que pour moi qui ne [*s'en servir*, ind. prés.] point. (R. de Chateaubriand) — 2. Toi qui [*pâlir*, ind. prés.] au nom de Vancouver Tu n'as pourtant fait qu'un banal voyage. (M. Thiry) — 3. Que ferez-vous alors, vierges folles, qui n'[*avoir*, ind. pr.] point d'huile et qui en [*demander*, id.] aux autres ? (Bossuet) — 4. Comme tu étais riche et enviable, toi qui n'[*aspirer*, ind. imparf.] qu'à une chose : bien faire ce que tu faisais ! (G. Duhamel) — 5. Frères humains, qui après nous [*vivre*, ind. prés.], N'ayez les cœurs contre nous endurcis. (F. Villon) — 6. Mon Pierre, te voilà encore qui [*aller*, ind. pr.] faire une bêtise ! (R. Bazin)

b) 1. C'est moi qui [*être*, ind. pr.] Guillot, berger de ce troupeau. (J. de La Fontaine) — 2. Il n'y a que vous, ma bonne dame, qui me [*donner*, subj. pr.] encore mon titre de baron. (H. Becque) — 3. C'est moi qui, sans le savoir, [*ranimer*, passé comp.] de tristes émotions. (R. Martin du Gard) — 4. Ah ! passe avec le vent, mélancolique feuille, Qui [*donner*, ind. imparf.] ton ombre au jardin ! (J. Moréas) — 5. Adieu, Meuse endormeuse et douce à mon enfance, Qui [*demeurer*, ind. pr.] aux prés, où tu coules tout bas. (Ch. Péguy)

569 Même exercice.

a) 1. Je suis loin de toi, mais je te sens avec moi, qui me [*guider*, ind. pr.] et me [*protéger*, id.]. — 2. Je ne vois qu'Axel et toi qui [*pouvoir*, subj. prés.] m'éclairer sur ce point. — 3. C'était un de ces démarcheurs qui n'[*hésiter*, ind. prés.] pas à vous déranger à toute heure. — 4. Vous êtes plusieurs qui [*désirer*, ind. prés.] prendre vos vacances en même temps, ce ne sera pas possible. — 5. La confiance en soi est une des qualités qui [*faciliter*, ind. prés.] la réussite.

b) 1. Nous sommes des pacifistes qui [*militer*, ind. prés.] contre la course aux armements. — 2. N'es-tu pas la petite fille qui me [*vendre*, passé comp.] un calendrier pour les scouts tout à l'heure ? — 3. Vous êtes l'artiste qui [*faire*, passé comp.] le plus parler de lui dans les journaux, ces derniers temps. — 4. Nous sommes deux touristes qui [*chercher*, ind. prés.] un logement pour la nuit. — 5. Vous êtes le premier qui [*prendre*, subj. pr.] la défense de cet accusé.

570 Complétez les phrases suivantes :

1. Vous êtes le candidat qui … — 2. Vous êtes le seul candidat qui … — 3. Vous êtes deux candidats qui … — 4. Vous n'êtes pas celui qui … — 5. Vous êtes un des candidats

qui ... — 6. Vous êtes un candidat qui ... — 7. Êtes-vous un candidat qui ...? — 8. Accompagnez celui des candidats qui ... — 9. Pierre est un des candidats qui ... — 10. Appelez un candidat, un de ceux qui ...

[PG § 399-409]

Plusieurs sujets

571 Justifiez l'accord des verbes en italique.

1. Un souffle, une ombre, un rien, tout lui *donnait* la fièvre. (J. de La Fontaine) — 2. Une parole tendre, un geste, un regard *peut* nous rendre du courage. — 3. Pleurer et gémir n'*arrangera* rien. — 4. Le cœur autant que la raison *protestent* contre la violation des droits de l'homme. — 5. Brieuc ou Maxime *sera* le capitaine de notre équipe. — 6. Une vague crainte, une angoisse m'*empêchait* de parler.

572 Faites l'accord des verbes en italique.

a) 1. Chacun, homme, femme, jeune, vieux [*pouvoir*, ind. prés.] agir sur l'environnement. — 2. Pas une phrase amère, pas un reproche, pas un soupir ne [*sortir*, passé s.] de la bouche de ce noble vieillard. — 3. Creuser des puits et envoyer des médicaments [*améliorer*, fut. simple] les conditions de vie de cette population. — 4. Attitudes, manières, démarche, tout en cet homme [*respirer*, ind. prés.] l'élégance. — 5. L'éclat, le rayonnement du soleil levant [*se réfléchir*, ind. imparf.] dans l'eau claire de l'étang.

b) 1. Ni sa mère ni ses sœurs ne [*pouvoir*, ind. imparf.] être de retour. (H. Troyat) — 2. L'une ou l'autre méthode vous [*permettre*, fut. s.] de vous tirer d'affaire. — 3. Ma femme ou moi vous [*conduire*, fut. simple] à l'aéroport. — 4. Il y a là une mission à laquelle ni moi, ni vous, ni lui, ne [*pouvoir se dérober*, ind. pr.] ! (R. Martin du Gard)

573 Justifiez l'accord des verbes en italique.

1. Le murmure des sources avec le hennissement des licornes se *mêlent* à leurs voix. (G. Flaubert) — 2. Rome, aussi bien que moi, vous *donne* son suffrage. (J. Racine) — 3. Ni les bois ni la plaine Ne *poussaient* un soupir dans les airs. (A. de Vigny) — 4. L'un et l'autre *trottèrent* pour accomplir ce qu'on leur demandait. (Fr. Jammes) — 5. L'une et l'autre circonstance ne se *ressemblaient* pas. (J. Romains) — 6. Mais l'un comme l'autre *évitaient* de parler. (H. Troyat) — 7. Le manque d'air ici, autant que l'ennui, *fait* bâiller. (A. Gide)

ORTHOGRAPHE Remarquez l'accent circonflexe sur le *a* de bâiller et des mots de sa famille : bâillement, entrebâiller...

574 Accordez les verbes en italique.

1. Ni la société ni l'individu ne [*savoir*, cond. pr.] prospérer dans des régions ravagées par des cataclysmes continuels. — 2. Lorsque le chagrin ou le découragement [*s'emparer*, fut. s.] de vous, ne vous laissez pas abattre : l'homme, ainsi que l'arbre, [*pouvoir*, ind. pr.] ordinairement se relever quand la tempête est apaisée. — 3. Ni Jacques ni Paul ne [*être*, fut. s.] le vainqueur du Tour de France. — 4. Un joaillier ou un bijoutier [*expertiser*, ind. prés.] votre bague demain matin. — 5. La douceur, plutôt que les menaces, [*ramener*, fut. simple] à la raison

celui qui s'en est écarté. — 6. Le timide craint de se mettre en avant ; le pusillanime est démonté par la moindre difficulté ; ni l'un ni l'autre ne [*tirer*, ind. prés.] avantage de leur caractère. — 7. Ni vous ni moi n'[*avoir*, fut. s.] une existence exempte de soucis.

ORTHOGRAPHE Les rectifications orthographiques proposent d'écrire en **-iller** des noms en **-illier** où le *i* qui suit la consonne ne s'entend pas, il s'agit de *joaillier*, *marguillier*, *ouillière*, *quincaillier* et *serpillière* qui peuvent donc s'orthographier aujourd'hui **joailler**, **marguiller**, **ouillère**, **quincailler** et **serpillère**. [PG § 513]

575 Même exercice.

a) 1. Pierre a résolu ce problème par l'arithmétique; Alain l'a résolu par l'algèbre; l'une et l'autre méthode [*pouvoir*, ind. pr.] se justifier. — 2. Ni tes parents ni moi-même ne [*savoir*, cond. pr.] prédire l'avenir. — 3. Votre visage, non moins que vos paroles, [*pouvoir*, ind. pr.] révéler vos sentiments. — 4. J'aime le printemps, j'aime l'hiver: l'une et l'autre saison [*se prêter*, ind. pr.] à des sports agréables.

b) 1. Il semble bien que ni eux ni moi ne [*être sincère*, passé s.] en cette occasion. (O. Mirbeau) — 2. Lorsque le chagrin ou le découragement [*s'approcher*, fut. s.] de vous, pensez au solitaire de la cité d'Aoste. (X. de Maistre) — 3. Le visage et l'attitude, tout [*exprimer*, ind. imparf.] une volonté tendue. (G. Duhamel) — 4. Il faut que lui ou moi [*abandonner*, subj. pr.] la ville. (La Bruyère) — 5. Ni vous ni moi ne [*prétendre*, ind. pr.] faire des économies. (Stendhal) — 6. Blaise devait songer avec amertume que l'utilité et non la tendresse [*retenir*, ind. imparf.] Jacqueline auprès de lui. (Fr. Mauriac)

576 Inventez de courtes phrases où vous emploierez:

1. Deux sujets joints par *ainsi que*. — 2. Deux sujets joints par *comme*. — 3. Deux sujets joints par *ou*. — 4. Deux sujets joints par *ni*. — 5. Les sujets *l'un et l'autre*. — 6. Les sujets *l'un ou l'autre*.

Accord du verbe : récapitulation

[PG § 393-403]

577 Accordez les verbes en italique.

a) 1. La plupart [*croire*, ind. pr.] que le bonheur est dans la richesse. — 2. Légèreté, rapidité, prestesse, joli plumage, tout [*séduire*, ind. prés.] chez l'oiseau-mouche. — 3. Tu pars à Tahiti ! Combien [*aimer*, cond. prés.] être à ta place ! — 4. Consommez des légumes de saison : ce [*être*, ind. prés.] eux qui vous donneront bonne mine. — 5. Il y a, dans ce film, un excès de poursuites et de cascades qui [*indisposer*, ind. prés.] le spectateur.

b) 1. Vingt ans [*être*, ind. prés.] un bel âge ! — 2. Nul penseur, nul artiste, nul écrivain, personne ne [*prétendre*, fut. s.] que la solitude a jamais étouffé le génie. — 3. Vu les intempéries, la moitié des participants [*déclarer*, passé comp.] forfait avant la fin du marathon. — 4. La loupe comme les lunettes vous [*permettre*, fut. simple] d'y voir plus clair. — 5. Ce [*être*, passé s.] quatre jours bien longs qu'il eut à passer. (G. de Maupassant)

578 Accordez les verbes en italique.

a) 1. Plus d'un [*s'imaginer*, ind. prés.] pouvoir réussir là où [*échouer*, passé comp.] la plupart des hommes. — 2. Ni sa famille ni ses amis ne [*recevoir*, ind. imparf.] de ses nouvelles. — 3. La guipure ou la mousseline [*convenir*, ind. prés.] parfaitement à la confection des robes de mariée.

b) 1. Une vingtaine de minutes nous [*rester*, ind. imparf.] avant l'heure du cours. (M. Prévost) — 2. Créature d'un jour qui [*s'agiter*, ind. pr.] une heure, De quoi viens-tu te plaindre et qui te fait gémir ? (A. de Musset) — 3. La multitude des lois [*être pernicieux*, ind. pr.] : on ne les entend plus, on ne les garde plus. (Fénelon) — 4. La Finlande, comme la Belgique, [*comporter*, ind. pr.] deux éléments ethniques différents et l'on y parle deux langues : le finnois et le suédois. (G. Duhamel) — 5. Il n'y a tout de même que vous qui y [*penser*, subj. pas.]. (J. Romains) — 6. Je croirais volontiers que plus d'un siècle [*se passer*, passé comp.] depuis ce temps-là. (E. Lavisse)

579 Même exercice.

a) 1. Rassembler des fonds et les faire parvenir aux sinistrés ne [*suffire*, fut. simple] pas, encore faudra-t-il leur apporter une aide psychologique. — 2. Ce [*être*, ind. prés.] nous-mêmes qui [*pouvoir*, ind. prés.] réfréner nos envies. — 3. Bien faire et laisser dire [*supposer*, ind. prés.] une bonne estime de soi. — 4. Quatre-vingts ans [*être*, ind. pr.] un âge où l'on a vu passer bien des événements. — 5. Si vous prenez l'un des sentiers qui [*mener*, ind. pr.] au sommet de cette colline, vous découvrirez un beau paysage. — 6. Onze heures et demie [*sonner*, ind. imparf.] à l'hôtel de ville.

b) 1. Adieu, consolatrice de mes beaux jours, toi qui [*partager*, passé s.] mes plaisirs et bien souvent mes douleurs ! (R. de Chateaubriand) — 2. Je suis sûre que tu y as songé, toi qui [*avoir*, ind. pr.] tant de cœur ? Donner, quel beau mot ! (R. Bazin) — 3. La littérature, comme tous les beaux-arts, [*devoir*, ind. pr.] traiter du beau, non de l'utile. (L. Veuillot) — 4. Ne vivre que de son travail et régner sur le plus puissant État du monde [*être*, ind. pr.] choses très opposées. (B. Pascal) — 5. Ni vous ni moi ne [*collaborer*, fut. s.] à un crime. (J. Cocteau)

[PG § 508] **ORTHOGRAPHE** 1. Les nouvelles normes orthographiques permettent de munir d'un accent certains mots où il avait été omis, ou dont la prononciation a changé. Parmi ceux-ci : *refréner*, *assener*, *besicles*, *gelinotte*, *receler* … pouvant s'écrire maintenant : **réfréner**, **asséner**, **bésicles**, **gélinotte**, **recéler** …

[PG § 509] 2. *Événement* peut désormais s'écrire *évènement*.

[PG § 499] 3. *Sûre* peut désormais s'écrire *sure*.

580 Accordez les verbes en italique.

La forêt s'endort

La vapeur du crépuscule, non moins que la brume matinale, [*velouter*, ind. pr.] la forêt de teintes adoucies. Plus d'une rumeur indécise [*circuler*, ind. pr.] dans les sentiers, plus d'une vague d'ombre, plus d'un frisson obscur [*s'insinuer*, ind. pr.] entre les arbres, [*monter*, id.] vers les cimes où il [*flotter*, id.] encore des tiédeurs qu'y [*laisser*, passé comp.] le caprice du soleil.

Une bande de corbeaux, un à un, [*regagner*, ind. pr.] l'abri des hautes branches. Cette série d'appels qui [*tomber*, ind. pr.] à intervalles dans le silence, ce [*devoir*, ind. pr.] être les ululements du hibou, cet hôte invisible dont la tristesse, l'anxiété [*s'exhaler*, ind. pr.] avec une résonance si lugubre. Il [*traîner*, ind. pr.] encore çà et là quelques murmures, mais bientôt ce peu de murmures [*s'évanouir*, fut. s.] dans les voiles de la nuit.

ORTHOGRAPHE 1. *Traîner* peut désormais s'écrire *trainer*, sans accent circonflexe. **[PG § 499]**

2. Contrairement au verbe *so**n**er*, *réso**n**ance*, *conso**n**ance*, *disso**n**ance* et *asso**n**ance* ne prennent qu'un ***n***

Généralités 189
Adverbes en « -ment » 191
Degrés des adverbes 193
Emploi de certains adverbes 194
Adverbes de négation 195
« Ne » explétif 195

Chapitre 8

L'adverbe

[PG § 404-427]

Généralités

[PG § 404-406]

À l'heure du départ

Un matin, au premier chant du coq, Yacouba est arrivé à la maison. Il faisait *encore* nuit ; grand-mère m'a réveillé et m'a donné du riz sauce arachide. J'ai *beaucoup* mangé. Grand-mère nous a accompagnés. Arrivés à la sortie du village où il y a les décharges du village, elle m'a mis dans la main une pièce d'argent, *peut-être* toute son économie. Jusqu'à *aujourd'hui* je sens le chaud de la pièce dans le creux de ma main. *Puis* elle a pleuré et est retournée à la maison. Je *n'*allais *jamais plus* la revoir. Ça, c'est Allah qui a voulu ça. Et Allah *n'*est *pas* juste dans tout ce qu'il fait *ici-bas*.

Ahmadou Kourouma, *Allah n'est pas obligé*. Paris, Éd. du Seuil, 2000.

581 Dans le texte ci-dessus, analysez les adverbes (ils sont en italique).

Modèles : a) « La rivière coule *lentement*. » — *Lentement* : adv. de manière, complément de *coule*.

b) « Il a plu *hier*. » — *Hier* : adv. de temps, complément de *a plu*.

582 Dites de chaque adverbe à quelle espèce il appartient.

1. L'air est *très* léger par un matin de mai. C'est *alors* que j'aime à faire une promenade dans la campagne. – 2. Elle est *souvent* volubile, mais *quelquefois*, elle ne trouve rien à raconter. – 3. Je viendrai *volontiers* te voir demain – 4. Depuis *très longtemps*, je songe à vivre *ailleurs*. – 5. *Parfois* siffle un merle qu'on *n'*entendait *pas avant*.

VOCABULAIRE *Être volubile* veut dire « être bavard », « être loquace », « parler abondamment » ou encore « avoir la langue bien pendue ».

583 Discernez les adverbes et analysez chacun d'eux.

1. Elle lui parle toujours poliment. – 2. Où vis-tu maintenant, après avoir longtemps parcouru le monde? – 3. Le soleil doucement va plonger dans les flots, dont la surface paraît tout enflammée. – 4. On va bien loin chercher le bonheur, on le trouverait peut-être si on profitait de la vie telle qu'elle est.

[PG § 499] **ORTHOGRAPHE** *Paraître* peut désormais s'écrire sans accent circonflexe.

584 Discernez les adverbes de lieu et précisez s'ils marquent: 1° la situation (le lieu où l'on est); — 2° la direction (le lieu où l'on va); — 3° l'origine (le lieu d'où l'on vient); — 4° le passage (le lieu par où l'on passe).

1. On peut trouver partout ce genre d'article. – 2. J'irai au supermarché tout à l'heure; j'achète là tout ce dont j'ai besoin. – 3. Où serait-on mieux qu'entouré de ceux qu'on aime? – 4. Ici, tout est calme; pourquoi aller là-bas où l'on s'agite? – 5. Il est passé par ici, il repassera par là. – 6. D'où viens-tu et où vas-tu? – 7. Elle voit de loin les enfants accourir.

ORTHOGRAPHE Les locutions adverbiales *tout à l'heure, tout à coup, tout à fait* et *tout de suite* s'écrivent sans trait d'union.

585 Inventez trois phrases contenant un adverbe de temps sur le thème des médias.

[PG § 502] **ORTHOGRAPHE** *Media* est un mot d'origine latine, déjà au pluriel. Francisé, il prend un accent aigu, s'utilise au singulier et prend un *-s* au pluriel; *un média, des médias.* La nouvelle orthographe préconise cette forme régulière au pluriel pour les mots d'origine étrangère.

586 Discernez les adverbes; analysez chacun d'eux.

Modèles: « Un homme *très* courageux *ne* désespère *pas*; il reprend *bientôt* sa tâche. »

1° *Très*: adv. d'intensité, compl. de *courageux*.

2° *Ne pas*: adv. de négation, compl. de *désespère*.

3° *Bientôt*: adv. de temps, compl. de *reprend*.

1. La ville lui plaît beaucoup plus que la campagne. – 2. Ici, on entend très souvent passer les avions. – 3. Elle est arrivée trop tard; tout était déjà fini. – 4. Combien aisément il a trouvé la solution! – 5. Un livre bien écrit est agréable à lire. – 6. Où étiez-vous cachés?

[PG § 499] **ORTHOGRAPHE** *Il plaît* peut désormais s'écrire sans accent circonflexe.

587 Employez chacun dans une courte phrase les adverbes suivants:

a) Adverbes *de manière*: 1. Comment. — 2. Mieux. — 3. Doucement.

b) Adverbes *de quantité* ou *d'intensité*: 1. Fort. — 2. Beaucoup. — 3. Très.

c) Adverbes *de temps*: 1. Autrefois. — 2. Toujours. — 3. Longtemps.

d) Adverbes *de lieu*: 1. Ici. — 2. Partout. — 3. Loin.

588 Dites si les mots en italique sont adjectifs ou adverbes.

1. Ce bahut coûte *cher.* / Ce meuble est trop *cher.* — 2. Votre devoir est *bon.* / Voilà un bouquet qui sent *bon.* — 3. Il s'élèvera au plus *haut* rang. / C'est un personnage *haut* placé. — 4. Tu parles trop *bas.* / Vous faites là un *bas* calcul. — 5. Cet homme a toujours été *juste.* / Ce chasseur n'a pas visé *juste.* — 6. Vous n'avez pas vu *clair.* / Voici le *clair* matin.

ORTHOGRAPHE *Coûter* peut s'écrire aujourd'hui *couter.* [PG § 499]

589 Employez comme adverbes, chacun dans une courte phrase, les adjectifs suivants:

1. Net	3. Faux	5. Juste	7. Profond
2. Fort	4. Droit	6. Haut	8. Doux

Adverbes en « -ment » [PG § 407]

590 Dites quels sont les adverbes en -ment correspondant aux adjectifs suivants:

a)	Rapide	Lourd	Haut	Merveilleux
	Convenable	Grave	Bas	Faux
	Lisible	Fort	Lent	Courageux
b)	Joli	Gai	Traître	Entier
	Exact	Profond	Hardi	Immense
	Assidu	Précis	Cru	Impuni

ORTHOGRAPHE *Traître* peut désormais s'écrire sans accent circonflexe. [PG § 499]

591 Remplacez les mots en italique par les adverbes en -ment qui y correspondent.

a) 1. La pluie qui tombe [*lent*] du ciel gris frappe mes vitres à petits coups; elle frappe [*léger*] et pourtant la chute de chaque goutte retentit [*triste*] dans mon cœur. — 2. Qui se jugerait [*équitable*] soi-même sentirait qu'il n'a le droit de juger personne [*sévère*]. — 3. Chantons [*gai*] ce refrain.

b) 1. Si tu t'entraînes [*assidu*] et [*continu*], tu progresseras. – 2. On ne se moque pas [*impuni*] d'autrui. – 3. Il dormait [*profond*], il se réveilla en sursaut. – 4. Félicia rend [*gentil*] visite à sa grand-mère, elle répond [*ingénu*] aux questions qu'on lui pose. – 5. Il ne faut pas refuser [*obstiné*] de l'aide.

[PG § 499] ORTHOGRAPHE 1. Selon la nouvelle orthographe les adverbes en ***–ûment*** perdent l'accent.

[PG § 499] 2. *Entraîner* peut désormais s'écrire sans accent circonflexe.

592 Remplacez par un adverbe en -ment les mots en italique.

a) 1. Répondre *d'une façon polie.* — 2. Se conduire *de manière conforme* à la règle. — 3. Dire une chose *en confidence.* — 4. Parler *d'une manière correcte.* — 5. Voir *d'une manière confuse.* — 6. Défendre *d'une manière expresse.* — 7. Ne pas parler *d'une manière crue.* — 8. Une chose constatée *en due forme.*

b) 1. Cela m'a été dit *d'une manière confidentielle.* — 2. S'agiter *d'une façon éperdue.* — 3. S'asseoir *d'une manière commode.* — 4. Expliquer les choses *en bref.* — 5. Heurter quelqu'un *avec intention.* — 6. S'en aller *de nuit.* — 7. Mentir *d'une façon effrontée* et *avec connaissance de ce qu'on fait.* — 8. Attaquer *d'une manière résolue.* — 9. Travailler *d'une manière opiniâtre.* — 10. Demander *d'une manière instante.*

VOCABULAIRE L'adjectif *bref* signifie « court » ; la locution adverbiale *en bref*, « en peu de mots » ; l'adverbe *bref*, lui a le sens de « en résumé » : *Le vent souffle, les feuilles tombent, les jours raccourcissent. Bref, c'est l'automne.*

[PG § 499] ORTHOGRAPHE *Asseoir* peut désormais s'écrire *assoir.*

593 Remplacez chacune des expressions suivantes par un adverbe en -ment, que vous joindrez à un infinitif :

a) 1. Avec passion. — 2. Sans prudence. — 3. Sans mesure. — 4. En hâte. — 5. Avec véhémence. — 6. Avec fougue. — 7. Avec sobriété. — 8. En même temps. — 9. Sans pitié. — 10. Sans délai. — 11. Sans en avoir conscience.

b) 1. À part l'un et l'autre. — 2. En vain. — 3. Avec éloquence. — 4. Avec bruit. — 5. Avec avidité. — 6. Avec franchise. — 7. En égoïste. — 8. Avec impétuosité. — 9. À la dérobée.

594 Remplacez les trois points par un adverbe en -amment ou en -emment, tiré de l'adjectif en italique.

a) 1. [*Apparent*] ... rien n'a changé ici. – 2. [*Patient*] Chacun attendait ... son tour. – 3. [*Constant*] Il pose ... la même question. 4. [*Pesant*] L'alpiniste gravit ... les derniers mètres qui le séparent du sommet.

b) 1. [*Évident*] ..., je serais contente de les revoir. – 2. [*Abondant*] Tout est sous eau ; il a plu ... ces derniers jours. – 3. [*Vaillant*] Face à une meute de journalistes, il défend ... ses idées. – 4. [*Récent* ; *fréquent*] Je l'ai rencontré ... ; il projette de revenir ... au pays.

595 De chacun des adjectifs suivants formez un adverbe en -ment, que vous emploierez dans une expression :

a) 1. Élégant. — 2. Méchant. — 3. Brillant. — 4. Excellent. — 5. Nonchalant. — 6. Puissant.

b) 1. Ardent. — 2. Savant. — 3. Intelligent. — 4. Indifférent. — 5. Violent. — 6. Incessant.

596 Modifiez les phrases suivantes, où deux adverbes en -ment sont maladroitement associés :

1. Ce spectacle, vous vous le rappellerez *certainement fréquemment.* — 2. Ce compositeur a une activité *tellement étroitement* attachée aux modes de la musique moderne qu'il semble méconnaître la musique classique. — 3. Il est impossible d'évaluer *absolument objectivement* la véracité de ces témoignages. — 4. Les secours ont dû intervenir ; des randonneurs avaient entamé *probablement imprudemment* l'ascension de ce pic.

ORTHOGRAPHE *Méconnaître* peut désormais s'écrire sans accent circonflexe. [PG § 499]

Degrés des adverbes

[PG § 408]

597 Mettez au comparatif ou au superlatif, suivant les indications entre crochets, les adverbes en italique, — et complétez ou modifiez la phrase, quand il y a lieu.

Modèles : *a)* « Je me lèverai *tôt.* » — Compar. de supériorité : Je me lèverai *plus tôt.*

b) « J'aime *beaucoup* la rose ». — Superl. relat. : C'est la rose que j'aime *le plus.*

1. Cet homme vit *sobrement.* / [Superl. absolu]. — 2. L'expérience nous instruit *bien.* / [Compar. de supér.]. — 3. Je comprends *bien* vos intentions. / [Compar. d'inf.] — 4. Ils se sont absentés *longtemps.* / [Superl. absolu]. — 5. Vous êtes arrivé *tard* aujourd'hui. / [Compar. de supér.]. — 6. Il faut défendre *énergiquement* votre point de vue. / [Compar. de sup.] — 7. Ton bonheur me préoccupe *beaucoup.* / [Superl. relatif]. — 8. Nous nous avancerons *loin.* / [Compar. d'égalité.].

VOCABULAIRE 1. *Un point de vue* peut désigner une « manière de considérer une question » mais aussi, au sens premier, un « lieu d'où l'on profite d'une vue intéressante ».

2. *Le point du jour* est le moment où la lumière *point* (du verbe *poindre* signifiant « apparaître »).

[PG § 410-417]

Emploi de certains adverbes

598 Remplacez les trois points par l'une des expressions entre crochets.

a) [*Plutôt*; *plus tôt*] 1. Je préfère aller travailler de bonne heure … que le soir. — 2. Si tu te levais …, tu verrais le jour poindre. — 3. … être sourd que d'entendre ces inepties, se disait-il.

b) [*Pis*; *pire*] 1. Il n'y a pas … sourd que celui qui ne veut pas entendre. — 2. Tout va de mal en …, disent les pessimistes. — 3. C'est bien la … peine De ne savoir pourquoi Sans amour et sans haine Mon cœur a tant de peine. (P. Verlaine) — 4. La concierge disait d'elle … que pendre (É. Zola) — 5. Tu n'as pas voulu voir ce spectacle, alors tant … pour toi.

599 Même exercice.

a) [*Si*; *aussi*] 1. Il est … troublé qu'il ne sait pas quoi dire. — 2. Mon jardin n'est pas … grand que celui de mon voisin. — 3. Il y a des personnes … légères et … frivoles qu'elles sont … éloignées d'avoir de véritables défauts que des qualités solides. (F. de La Rochefoucauld) — 4. Elle est … bavarde qu'il est taciturne.

b) [*Tant*; *autant*] 1. Rien ne me réjouit … que ton bonheur. — 2. Cet enfant à … grandi que je le reconnais à peine. — 3. J'hésite : cette robe à fleurs me plaît … que cet ensemble turquoise. — 4. … j'aime cuisiner, … je déteste faire la vaisselle. — 5. Aujourd'hui, les jeunes ont … d'occasions de voyager !

VOCABULAIRE *Être taciturne* (du latin *tacere*, se taire) signifie « rester silencieux », mais aussi « être d'humeur morose ».

[PG § 499] **ORTHOGRAPHE** *Il plaît* peut désormais s'écrire sans accent circonflexe.

600 Même exercice.

a) [*Aussi*; *autant*] 1. Un bon chien se montre … fidèle que soumis, il est affectueux … que docile. — 2. Dans un bon roman, il y a … d'énigmes que de dénouements. — 3. Je ne chante plus … bien qu'autrefois.

b) [*Si*; *tant*] 1. Rien n'est … rare que l'amitié ; rien n'est … profané que son nom. — 2. Ces chansons que j'avais … aimées et … écoutées ; à présent, je ne les trouve plus … jolies.

c) [*Aussi*; *non plus*] 1. Tes parents désirent ton bonheur, tes amis … — 2. Ne prenez pas ce chemin-ci ; ne prenez pas … celui-là. — 3. Ce que j'ai fait, tu peux … le faire. — 4. Vous n'avez pas lu ce livre ? Ni moi …

601 Composez, pour chacun des cas suivants, une phrase où vous emploierez :

1. *Plutôt.* — 2. *Si* marquant l'intensité. — 3. *Si* mis pour *aussi* dans une phrase négative. — 4. *Aussi* joint à un adjectif. — 5. *Plus tôt.* — 6. *Tant* joint à un verbe.

602 Remplacez les trois points par l'une des expressions entre crochets.

a) [*Beaucoup*; *de beaucoup*] 1. Il vaut ... mieux se distinguer par le cœur que par l'esprit. — 2. Les fables de La Fontaine sont ... plus célèbres que ses autres ouvrages. — 3. Le vainqueur de l'étape l'a emporté ... sur ses poursuivants — 4. Ce gâteau est ... plus facile à réaliser qu'il n'y paraît. — 5. La baleine et le cachalot sont ... les plus gros des animaux: ils sont ... plus pesants que l'éléphant. — 6. Il s'en faut ... que vous ayez acquitté votre dette.

b) [*Davantage*; *plus*] 1. Le singe est ... agile que n'importe quel animal. — 2. Pour moi, le printemps est ... agréable que l'hiver. — 3. J'aime le livre de cet auteur mais le précédent me plaisait ...

ORTHOGRAPHE *Paraître* peut désormais s'écrire sans accent circonflexe. [PG § 499]

603 Inventez de courtes phrases où vous emploierez:

1. Beaucoup. — 2. De beaucoup. — 3. Davantage. — 4. Tout à coup. — 5. Tout d'un coup.

Adverbes de négation

[PG § 418-421]

604 Remplacez, quand il y a lieu, les trois points par *n'*.

N.B. — Moyen pratique: remplacer *on* par *l'homme*: l'oreille indiquera s'il faut ou non mettre *n'* après *on*. Ex.: *On* ... est jamais content; — *l'homme n'*est jamais content. Donc: On *n'*est jamais content.

a) 1. On ... a souvent besoin que d'un léger encouragement. — 2. On ... a souvent besoin d'un plus petit que soi. — 3. On ... aperçoit là-bas un petit toit rouge. — 4. On ... aperçoit ce toit rouge que par un temps bien clair. — 5. On ... a pas toujours l'énergie qu'il faudrait pour rester fidèle à une résolution qu'on ... a prise.

b) 1. On parle pour communiquer : on ... est compris que quand on ... emploie des mots clairs et des phrases bien construites. — 2. On ... écrit que pour se faire comprendre. — 3. On ... est jamais si bien servi que par soi-même. — 4. On ... est grand par l'esprit, on ... est sublime que par le cœur. — 5. On ... avance dans ces régions inconnues avec un ravissement continuel. — 6. On ... avance, dans ces régions inconnues, qu'avec d'infinies précautions.

« Ne » explétif

[PG § 421-427]

605 Remplacez les trois points, quand il y a lieu, par *ne*, et joignez-y *pas* là où c'est nécessaire.

a) 1. Je crains que vous ... arriviez en retard. — 2. Nous appréhendons qu'il ... pleuve cette nuit. — 3. Si tu ne connais pas le chemin, il est à craindre que tu ... te trompes de route. — 4. Évite que la colère ... t'emporte.

b) 1. Je n'ai pas peur que vous … vous perdiez en route. — 2. Elle redoute qu'il … tombe, qu'il … ait froid ou qu'il … se brûle. — 3. Crains-tu qu'un contretemps … fasse obstacle à notre rendez-vous ? — 4. Je crains que le succès … récompense vos efforts. — 5. Empêchez que cet enfant … joue avec des allumettes.

[PG § 499] ORTHOGRAPHE *Brûler* peut désormais s'écrire sans accent circonflexe.

606 Même exercice.

a) 1. Je redoute que le secours tant attendu … arrive. — 2. Les chats défendent que l'on … empiète sur leur territoire. — 3. N'est-il pas à craindre qu'ils … soient ici avant la nuit ? — 4. Il appréhende que les soucis … l'accablent.

b) 1. Je nie que les mesures prises pour protéger l'environnement … soient suffisantes. — 2. Je ne doute pas que les préjugés … altèrent le raisonnement. — 3. Nous nous croyons volontiers plus forts que nous … sommes. — 4. Doutez-vous que les émotions … obscurcissent la réflexion ? — 5. Il ne tient pas à nous qu'il … fasse beau demain.

VOCABULAIRE *Altérer* signifie ici « fausser, changer en mal » ; parfois il a le sens de « donner soif, assoiffer ».

607 Même exercice.

1. Bien des gens sont en réalité tout autres qu'ils … paraissent. — 2. Les voitures polluent-elles moins qu'elles … le faisaient avant ? — 3. On ne niera pas qu'il … soit utile de savoir plusieurs langues étrangères. — 4. Ma cousine m'accompagnera en vacances à moins qu'elle … change d'avis. — 5. Ne voyons pas les choses autrement qu'elles … sont. — 5. Nous avons été contraints de partir sans que nous … ayons pu nous dire au revoir. — 6. Ne partez pas avant que vous … ayez remis de l'ordre.

608 Inventez de courtes phrases où, s'il y a lieu, vous emploierez *ne* explétif, en rapport avec les expressions suivantes :

a) 1. Douter que. — 2. Ne pas craindre que. — 3. Nier que. — 4. Avant que. — 5. Ne pas empêcher que.

b) 1. Sans que. — 2. À moins que. — 3. Défendre que. — 4. Doutera-t-on que … ? — 5. Meilleur que. — 6. Avez-vous peur que … ?

Généralités 197
Répétition des prépositions 199
Emploi de quelques prépositions 200

La préposition

[PG § 428-440]

Généralités

[PG § 428-434]

Chez madame de Marelle

> Duroy entra. La pièce était assez grande, peu meublée et d'aspect négligé. Les fauteuils, défraîchis et vieux, s'alignaient *le long des* murs, *selon* l'ordre établi *par* la domestique, car on ne sentait en rien le soin élégant *d'*une femme qui aime le chez-soi. Quatre pauvres tableaux, représentant une barque *sur* un fleuve, un navire sur la mer, un moulin *dans* une plaine et un bûcheron dans un bois, pendaient *au milieu des* quatre panneaux, *au bout de* cordons inégaux, et tous les quatre accrochés de travers. On devinait que depuis longtemps ils restaient penchés ainsi *sous* l'œil négligent *d'*une indifférente.
>
> Guy de Maupassant, *Bel-Ami*.

609 Analysez, dans le texte ci-dessus, les prépositions et les locutions prépositives en italique. (Dire de chacune d'elles à quoi elle unit le complément qu'elle introduit.)

Modèle: « Nous jouons *dans* le jardin. » *Dans*: prépos. ; unit le compl. circ. de lieu *jardin* à *jouons*.

ORTHOGRAPHE On peut aussi écrire *bûcheron* et *défraîchir* sans accent circonflexe. [PG § 499]

VOCABULAIRE Le *chez-moi*, le *chez-toi* ou le *chez-soi* désignent le domicile personnel, avec une connotation affective. Ces mots s'écrivent généralement avec trait d'union.

610 Analysez les prépositions et les locutions prépositives (elles sont en italique).

1. Asseyez-vous *près de* moi. — 2. Le soleil se couche *derrière* la colline. — 3. Il donne son soutien *à* ceux qui militent *pour* la paix. — 4. *Après* le spectacle, nous dînerons *avec* nos amis *dans* un petit restaurant mexicain. — 5. *De* nos ans passagers, le nombre est incertain. (J. Racine)

[PG § 499] ORTHOGRAPHE *Dîner* peut désormais s'écrire sans accent circonflexe.

611 Discernez les prépositions et les locutions prépositives. Analysez-les.

1. Je paie mille euros par mois le loyer de cet appartement qui donne sur la mer. — 2. Il vient, par ma fenêtre ouverte, une douce fraîcheur ; dans le jardin, montent, parmi les senteurs mêlées, les premiers effluves de la nuit. — 3. Charlotte habite au-delà du carrefour, en face de la piscine, à côté du magasin de jouets. — 4. Grâce à son sens de l'orientation, Benoît a retrouvé le chemin de l'hôtel. — 5. Durant quatre jours, nous avons vécu dans un brouillard épais. (O. Mirbeau)

VOCABULAIRE La tournure *donner sur* signifie « avoir une vue ou un accès sur », « être orienté vers ». *Cette porte donne sur la rue, cette fenêtre donne sur le verger du voisin.*

[PG § 499] ORTHOGRAPHE Dans l'exercice précédent, *fraîcheur* est le seul mot qui peut désormais s'écrire sans accent circonflexe. En effet, les rectifications de l'orthographe ne concernent pas les *–â*, les *–ê*, les *–ô*, ni les noms propres.

[PG § 139] **612 Décomposez les articles contractés** (préposition + article).

Modèle : La maison *du* voisin / ... *de le* voisin.

1. Le charme *du* printemps. — 2. Nous allons *aux* champignons. — 3. Les fleurs *des* bois. — 4. La chute *des* feuilles. — 5. Parler *au* directeur.

613 Faites apparaître, par la décomposition, la préposition incluse dans les articles contractés, et analysez-la. — Analysez également la préposition *de* servant d'article partitif (ex. : j'ai *de* bons fruits ; il n'a pas *de* courage).

Modèles : a) « La paix *du* cœur » ; *du* = de le ; *de* : prépos., unit le compl. détermin. *cœur* à *paix.*

b) « Il n'a pas *de* courage » ; *de* : prép. servant d'art. partitif, se rapporte à *courage.*

1. Entendez-vous le brame *du* cerf dans la profondeur *des* forêts ? — 2. Mathieu ne parle pas *aux* enfants *des* voisins. — 3. Qui donne *au* pauvre prête à Dieu. (V. Hugo) — 4. Ils n'ont plus *de* vin. — 5. Qui n'a pas *d'*imagination éprouvera *de* nombreuses difficultés à résoudre cette énigme.

PRONONCIATION Dans *cerf*, le *–f* final ne se prononce pas, tout comme dans *nerf*. Par contre, il peut se prononcer dans son homonyme *serf* qui désigne, au Moyen-Âge, une « personne attachée à une terre et assujettie à des obligations envers un seigneur ».

614 Discernez les prépositions vides et analysez-les. [PG § 428 R.]

Modèle: a) « La ville *de* Genève » ; *de*: prép. vide, unit l'apposition *Genève* à *ville*.
b) « Je tiens cet homme *pour* innocent » ; *pour*: prép. vide, unit l'attribut *innocent* à *homme*.

1. L'architecte a été tenu pour responsable des vices de construction. — 2. Sabine aime à flâner dans les rues de Bruxelles. — 3. Quoi de plus doux que le nom de mère ? — 4. Rien ne sert de courir ; il faut partir à point. (J. de La Fontaine) — 5. De réfléchir sur notre vie passée peut nous aider à nous connaître. — 6. Bayard reçut le surnom de Chevalier sans peur et sans reproche. — 7. Les habitants de l'île de Madagascar sont des Malgaches.

PRONONCIATION La lettre *-x* se prononce [s] dans *Bruxelles* ainsi que dans *Auxerre*; dans *Chamonix*, elle ne se prononce tout simplement pas.

ORTHOGRAPHE *Île* et *connaître* peuvent désormais s'écrire sans accent circonflexe. [PG § 498]

615 Dites quels rapports sont exprimés par les prépositions ou les locutions prépositives. [PG § 433]

1. Je lis le rapport *de* l'expert. – 2. Justine est verte *de* jalousie quand elle voit les achats *de* ses sœurs. – 3. Ne parlez pas *contre* votre pensée. – 4. Mon appartement se trouve *au-dessus d'*une pharmacie. – 5. Il faut manger *pour* vivre et non vivre *pour* manger. (Molière)

Répétition des prépositions [PG § 435]

616 Répétez, quand il y a lieu, la préposition en italique.

1. *Dans* les difficultés et ... les peines, nous avons besoin *d'*aide et ... réconfort. — 2. Faisons l'effort *d'*écouter et ... comprendre le conférencier. — 3. Nous persévérerons *contre* vents et ... marées. — 4. *De* ton cœur ou ... toi, lequel est le poète ? (A. de Musset) — 5. *Entre* l'arbre et ... l'écorce, il ne faut pas mettre le doigt. — 6. Conformez-vous *aux* us et ... coutumes des régions où vous vivez. — 7. Ne perdons pas notre temps *en* allées et ... venues. — 8. Comment monter ce meuble *sans* outil et ... mode d'emploi ?

ORTHOGRAPHE *Nous persév**é**rerons* peut s'écrire aujourd'hui comme il se prononce : *nous persév**è**rerons*. [PG § 498]

617 Modifiez les phrases suivantes pour éviter la cascade de prépositions :

1. Il entra *par* surprise *par* la porte du jardin, laissée ouverte *par* le concierge.

2. Nous allions, *par* un temps affreux, *par* un chemin raviné *par* l'orage.

[PG § 436-440]

Emploi de quelques prépositions

618 Remplacez les trois points par la préposition convenable.

1. Se proposer ... traiter un sujet ... fond. — 2. Ne pas déroger ... la règle générale. — 3. Chercher ... faire des progrès. — 4. Être sujet ... l'insomnie. — 5. Garder des documents ... clef. — 6. Le son parcourt 337 mètres ... seconde. — 7. Depuis votre départ, je m'ennuie ... vous. — 8. Je cause volontiers ... mon ami. — 9. Il a fait ce travail ... deux heures. — 10. Allez jouer ... la cour. — 11. Emprunter une somme à cinq ... cent. — 12. J'ai lu cette nouvelle ... le journal. — 13. Nous nous sommes rencontrés ... la rue. — 14. Il est fâché [= en colère] ... moi. — 15. Il est fâché [= brouillé] ... moi. — 16. Aspirer ... plus de liberté. — 17. Un bon capitaine associe le courage ... la prudence.

619 Là où il le faut (mais là seulement!) remplacez les trois points par une préposition.

1. Quand vous avez mal ... la tête, vos raisonnements ont moins de clarté. — 2. Je cherche ... mon stylo que j'ai perdu. — 3. Quels progrès la science n'aura-t-elle pas faits dans cinquante ans? Mais d'ici ... là les hommes seront-ils plus heureux? — 4. Dans votre chambre, rangez chaque chose ... sa place. — 5. Remettez ce tableau ... place. — 6. La plupart des petits garçons aiment ... jouer ... ballon. — 7. Elle pallie ... son inexpérience par son inventivité. — 8. Il tente ... remédier ... la situation en travaillant davantage. — 9. Nous nous rappelons ... notre folle jeunesse. — 10. Nous n'avons rien oublié, nous nous souvenons ... tout.

620 Là où il le faut, remplacez les trois points par une préposition.

Les balades à pied

> Les excursions... vélo ou... voiture ont leurs plaisirs, mais on peut aussi envisager aller... pied. On s'arrête à sa guise, on cause... chaque habitant, on marche jusque... midi. À l'étape, la table... chêne est couverte... une nappe fraîche; on déjeune... quelques œufs au jambon. On fait jusque... deux heures un bout de sieste... l'ombre d'un arbre;... nouveau on parcourt la campagne.
>
> Le soir, on rentre, un peu fatigué d'avoir fait une vingtaine de kilomètres... six ou sept heures, et le lendemain, on est prêt... partir... nouveau, car on ne se lasse jamais... cette façon de découvrir une contrée.

ORTHOGRAPHE 1. Ne confondez pas la *balade*, synonyme de « promenade » et la *ballade* qui est un poème ou un morceau de musique.

[PG § 499] 2. *Fraîche* peut désormais s'écrire sans accent circonflexe.

[PG § 439]

621 Remplacez les points par *jusque*, sans omettre d'y joindre *à*, quand cette dernière préposition est requise.

a) 1. Cette mère va ... l'extrême limite de l'indulgence; elle pardonne ... l'ingratitude de ses enfants. — 2. Les albatros ont ... quatre mètres d'envergure. — 3. J'ai différé ...

aujourd'hui à vous écrire. — 4. ... quand, Catilina, abuseras-tu de notre patience? — 5. Je vous ai attendu ... avant-hier; j'ai même veillé ... fort tard dans la nuit; je vous attendrai demain ... dix heures.

b) 1. ... où cette plaisanterie peut-elle aller? — 2. Napoléon, en 1812, s'avança ... Moscou. Il dut se résoudre à la retraite. Ce fut le désastre: la température descendit ... 28 degrés au-dessous de zéro. Au passage de la Berezina, la Grande Armée perdit ... 35 000 hommes; elle n'avait pas ... alors subi d'échec aussi cuisant. — 3. Vivras-tu ... cent ans?

622 Inventez de petites phrases où vous emploierez *jusque* ou *jusqu'à*, introduisant les compléments suivants:

[PG § 439]

1. Maintenant. — 2. Près de dix heures. — 3. Là. — 4. Très loin. — 5. Aujourd'hui. — 6. Après-demain. — 7. Très tard dans la nuit. — 8. Quatre-vingts ans.

623 Remplacez les points par *près de* ou par *prêt à* (et accordez l'adjectif *prêt*).

[PG § 440]

a) 1. Je la vis ... expirer. (A. de Musset) — 2. Ma tante était toujours ... rendre service. — 3. Parfois le succès nous échappe quand nos efforts sont ... aboutir; soyons alors ... faire une nouvelle tentative. — 4. Ma grand-mère est si indulgente qu'elle est toujours ... me pardonner. — 5. Déjà le soleil est ... se lever.

b) 1. J'ai vu le temps où ma jeunesse Sur mes lèvres était sans cesse ... chanter comme un oiseau. (A. de Musset) — 2. Un courtisan réduit à se nourrir de vérités est bien ... mourir de faim. (R. de Chateaubriand) — 3. La calomnie, monsieur! J'ai vu les plus honnêtes gens ... en être accablés. (Beaumarchais) — 4. La mule était au bas de l'escalier, toute harnachée et ... partir pour la vigne. (A. Daudet) — 5. Un de ses vœux les plus chers semblait ... se réaliser. (R. Bazin)

La conjonction

[PG § 441-449]

Le jeune paon

Quand je suis venu au monde, je n'avais qu'un maigre duvet sur la peau *et* rien ne permettait d'espérer *qu'*il en serait un jour autrement. Ce n'est que peu à peu que je me suis transformé au point d'être où vous me voyez à présent, *et* il m'a fallu des soins.

Je ne pouvais rien faire *sans que* ma mère me reprenne aussitôt : « Ne mange pas de vers de terre, ça empêche la huppe de pousser. Ne saute pas à cloche-pied, tu auras la traîne de travers. Ne mange pas trop. Ne bois pas pendant les repas. Ne marche pas dans les flaques... » C'était sans fin. *Et* je n'avais pas le droit de fréquenter les poulets *ni* les autres espèces du château. *Car* vous savez *que* j'habite ce château qu'on aperçoit là-bas.

Marcel Aymé, *Les contes du chat perché*. Paris, Éd. Gallimard.

624 Dans le texte ci-dessus, analysez les conjonctions (elles sont en italique)**.**

Modèles : a) « Je lis *et* je médite. » — *Et* : conj. de coordin. ; unit les deux prop. *je lis, je médite.*

b) « Je vois *que* tu lis. » — *Que* : conj. de subord. ; unit la prop. subord. *tu lis* à la base de la phrase *vois.*

PRONONCIATION 1. La séquence ***–aon*** se prononce [ɑ̃] dans *paon, faon, taon, Laon*. Dans *lycaon*, par contre, on entend [aɔ̃].

2. La *huppe* a un ***h*** aspiré comme la *hutte*, la *hure*, la *houppe*, la *housse*, la *hotte*.

[PG § 499] **ORTHOGRAPHE** 1. La *traîne* peut désormais s'écrire *traine*.

[PG § 503] 2. *Sauter à cloche-pied*, qui signifie « sauter sur un pied », peut s'écrire maintenant sans trait d'union : *à clochepied*.

625 Relevez les conjonctions de coordination et de subordination en les distinguant les unes des autres.

1. La conversation finie, Fix rentra dans sa cabine et se mit à réfléchir. (J. Verne) — 2. Je pense, donc je suis. (R. Descartes) — 3. J'espère que vous viendrez bientôt. — 4. Partir ou rester, il faut choisir. — 5. Ils se sont assis sans qu'aucune chaise grinçât. (A. Camus) — 6. Tandis qu'elle s'amusait, il souffrait en silence.

PRONONCIATION 1. Le ***–c*** de *donc* ne se prononce qu'en tête de phrase ou de proposition ou devant une voyelle : « *Donc* nous partons » ; « Je pense, *donc* je suis » ; « Nous voici *donc* arrivés » [dɔ̃k]. Dans les autres cas, il reste muet : « Vous voilà *donc* ! » ; « Ouvrez *donc* la porte ! ouvrez *donc* ! » [dɔ̃].

2. On n'entend pas le ***–s*** dans *tandis que*.

626 Analysez les diverses conjonctions.

a) 1. Tout chante lorsque le printemps revient. — 2. Quand on n'a pas ce qu'on aime, il faut aimer ce qu'on a. — 3. Je vois que rien n'échappe à votre vigilance. — 4. Mon verre n'est pas grand, mais je bois dans mon verre. (A. Musset)

b) 1. La lune était sereine et jouait sur les flots. (V. Hugo) — 2. Quand les périls sont passés, on les mesure et on les trouve grands. (A. de Vigny) — 3. À mesure que la voiture avançait, la rue s'élargissait. (Th. Gautier)

627 Même exercice.

1. Depuis que je connaissais Max, qui était jovial, ma vie gagnait en variété. (G. Polet) — 2. Pendant que je m'ennuyais, le père Gonse me prêta un vieux fusil et me conseilla de me distraire en abattant du gibier, si j'en trouvais. (A. France) — 3. Il me semblait qu'Antoine n'avait pu comprendre mes grincements, car je vis de la stupeur dans ses yeux. (M. Frère) — 4. Puisque nous sommes tous frères, aidons-nous les uns les autres. — 5. La renommée n'est pas une chose qui éclate mais qui s'insinue. (F. Sagan) — 6. Tout homme est mortel ; or je suis un homme ; donc je suis mortel.

[PG § 499] **VOCABULAIRE** *Tout homme est mortel ; or je suis un homme ; donc je suis mortel.* Cette forme de raisonnement à trois termes s'appelle « un syllogisme ».

628 Composez de courtes phrases dans lesquelles, au moyen des conjonctions indiquées, vous insérerez entre eux :

a) *Deux éléments de même fonction dans une proposition* : 1. Et. — 2. Ou. — 3. Ni.

b) *Deux propositions de même nature* : 1. Et. — 2. Ou. — 3. Donc. — 4. Mais.

[PG § 498] **ORTHOGRAPHE** *Insérerez* peut désormais s'écrire *insèrerez*.

629 Inventez des phrases où vous emploierez les conjonctions de subordination suivantes: [PG § 448-449]

a) 1. Que. — 2. Quand. — 3. Avant que. — 4. Si. — 5. Parce que.

b) 1. À condition que. — 2. Bien que. — 3. De crainte que. — 4. Afin que.

630 Dites quels rapports sont marqués par les conjonctions ou locutions conjonctives en italique. [PG § 447, 449]

a) 1. Il est riche, *mais* malheureux. — 2. Prends-tu du café *ou* du thé? — 3. *Si* vous travaillez, vous gagnez votre vie. — 4. *Quand* on veut, on peut.

b) 1. Il est intervenu *pour que* les adversaires se réconcilient. — 2. *Comme* je sortais, j'ai rencontré un ami. — 3. Toute proposition est bienvenue *pourvu qu'*elle soit réalisable. — 4. Il n'y a pas de place ici, *donc* allons ailleurs. — 5. *Quoique* cette mission soit délicate, je m'en chargerai.

631 Employez une conjonction exprimant le rapport indiqué. [PG § 447, 449]

a) 1. Il y a des embouteillages sur le boulevard : [*conséquence*] je l'éviterai. — 2. L'exubérance [*liaison négative*] le tape-à-l'œil ne sont de mise ici. — 3. [*Temps*] le vin est tiré, il faut le boire. — 4. [*Supposition*] tu dois te taire [*but*] amis t'acceptent, change d'amis.

b) 1. Un charme est au fond des souffrances [*comparaison*] une douleur au fond des plaisirs. (R. de Chateaubriand) — 2. L'arbuste a sa rosée, [*liaison*] l'aigle a sa pâture. (A. de Musset) — 3. Pour convaincre, il suffit de parler à l'esprit, [*opposition*] pour persuader, il faut aller jusqu'au cœur. — 4. Ce site, [*concession*] il soit difficile d'accès, mérite un détour. — 5. [*Cause*] vos arguments paraissent pertinents, nous adhérons à votre théorie.

632 À l'aide de cette liste, reconstituez les expressions contenant la conjonction de comparaison *comme*; elles supposent un verbe sous-entendu (comme l'est..., comme le sont...)**.**

L'air – Artaban – le bon pain – un bonnet de nuit – une carpe – une écrevisse – un homard – Job – un linge – les pierres – un pot – un pou.

1. Je n'ai aucune envie de rendre visite à cet homme, il est triste comme..., reste toujours muet comme ... et en plus, il est sourd comme ...! — 2. Un jour, Jean, ému, rouge comme ..., osa déclarer sa flamme à Marguerite qui, surprise, devint pâle comme ..., car elle ne l'aimait pas. Elle dut l'éconduire; depuis le pauvre homme est malheureux comme ... — 3. Georges est pauvre comme ..., mais fier comme ..., bon comme ... et libre comme ... — 4. Je me suis exposé au soleil pour bronzer : me voilà rouge comme ... et laid comme ...!

633 Indiquez la nature de *que* (conjonction, pronom relatif ou interrogatif, adverbe de quantité ou d'intensité, adverbe interrogatif)**.** [PG § 256-259, 269, 406b, 406R, 441]

a) 1. Je souhaite *que* vous persévériez. — 2. Je demande *que* vous me rendiez les livres *que* je vous ai prêtés et *que* vous m'apportiez ceux *que* vous m'avez promis. — 3. *Que* de gens parlent pour ne rien dire ! — 4. Pendant les vacances, *que* la vie est belle ! — 5. *Que* ne parliez-vous plus tôt ?

b) 1. Ne partons pas *que* nous n'ayons pris une décision. — 2. Je ne sais plus *que* penser de cette étrange affaire. — 3. Lorsque le vent souffle et *que* les feuilles tombent, le paysage s'empreint de mélancolie. — 4. Si tu penses *que* tes amis savent mieux *que* toi ce qu'il te faut, tu as tort. — 5. *Que* sert de dissimuler ?

634 Inventez de courtes phrases où vous emploierez *que* :

1. Comme conjonction. — 2. Comme pronom relatif. — 3. Comme pronom interrogatif. — 4. Comme adverbe de quantité. — 5. Comme adverbe interrogatif.

[PG § 131, 406b, 406e, 406gR, 441]

635 Indiquez la nature de *si* (conjonction, adverbe de quantité, adverbe d'affirmation, nom).

1. Je ne peux pas faire de crème brûlée *si* je n'ai pas d'œufs. — 2. Rien ne nous rend *si* grands qu'une grande douleur. (A. de Musset) — 3. Avec des *si*, on mettrait Paris en bouteille. — 4. Tu ne sais pas si Philippe est rentré ? *Si*, il est rentré hier. — 5. Devine, *si* tu peux, et choisis, *si* tu l'oses. (P. Corneille) — 6. Il est *si* beau, l'enfant avec son doux sourire. (V. Hugo) — 7. Ta façon de jouer est *si* précipitée qu'on n'entend pas le *si* bémol : *si* tu ne te corriges pas, nous devrons reprendre depuis le début.

ORTHOGRAPHE *Brûlé* peut désormais s'écrire *brulé*.

[PG § 265, 406d, 406gR, 447]

636 Remplacez les trois points par *ou* ou bien par *où*.

1. On aime les endroits … l'on s'amuse. — 2. Mais … sont les neiges d'antan ? (F. Villon) — 3. Champignons des bois … de prairies, Marie-Thérèse les cuisine tous divinement. — 4. La réussite … l'échec de cette entreprise dépendra de nombreux facteurs. — 5. La flatterie sait nous prendre par ... nous sommes sensibles. — 6. L'onagre ... âne sauvage vit dans les régions du nord de l'Inde.

VOCABULAIRE *D'antan* signifie « d'autrefois, du temps passé ».

L'interjection

[PG § 450-453]

Auto-stop

Qu'est-ce que votre voiture? Ah! ah! c'est une Citroën... Moi, si j'avais une voiture, j'aimerais mieux une Bugatti. Au moins les Bugatti, ça marche. Dame, ça coûte assez cher. Ce n'est pas de la camelote. J'ai un beau-frère qui possède une belle voiture. Lui, c'est une Rolls, pour le moins. Lui, il conduit bien. C'est pas pour dire... Non, ah! Mais il est prudent. Je ne parle pas rapport à ...

Attention! L'auto, ça fait gagner du temps, surtout maintenant qu'on arrive sur le plateau. Mon beau-frère, lui, il va vite. Il est prudent, mais il va vite. C'est un gars qui sait conduire. Qu'est-ce qui fait ce petit bruit-là? Comme c'est drôle, ces voitures d'aujourd'hui: on ne sait pas où mettre ses jambes. Vaut mieux que rien, bien évidemment. Vous êtes sûr de ne pas vous tromper de route? Moi, d'ordinaire, je prends les raccourcis. C'est plus agréable. M'y voilà. Oh! Ne vous donnez pas la peine. Pourvu seulement que je n'oublie rien.

Georges Duhamel, *Fables de mon jardin*. Paris, Éd. Mercure de France.

637 Dans le texte ci-dessus, soulignez les interjections.

ORTHOGRAPHE *Coûter* peut s'écrire aujourd'hui sans accent circonflexe. [PG § 499]

638 Inventez de courtes phrases où vous emploierez les interjections suivantes :

1. Ah ! — 2. Hélas ! — 3. Eh bien ! — 4. Hourra ! — 5. Oh !

639 Discernez les interjections et les locutions interjectives ; dites de chacune d'elles le sentiment qu'elle exprime.

Modèle : *Ah* ! [admiration] que c'est beau !

a) 1. Oh ! que vous regretterez cette décision ! — 2. Vous ne tenez pas vos promesses, fi donc ! — 3. Eh bien ! qu'attendez-vous ? — 4. Sapristi ! tout ce tapage va nous assourdir — 5. Tu as réussi toutes les épreuves. Bravo ! — 6. Quoi ! tu ne viens pas avec nous ce soir ?

b) 1. La chair est triste, hélas ! et j'ai lu tous les livres. (S. Mallarmé) — 2. Diable ! dit d'Artagnan, que le ton d'assurance de M. de Tréville commençait à inquiéter : diable, que faut-il faire ? (A. Dumas) — 3. Sacrebleu ! s'écria-t-il, vous vous êtes mis dans de jolis draps ! (A. France) — 4. Miséricorde ! si mes paroissiens m'entendaient ! (A. Daudet) — 5. Dieu ! que le son du cor est triste au fond des bois ! (A. de Vigny) — 6. Allons, Nanon, puisque Nanon y a, voulez-vous vous taire ! (H. de Balzac)

VOCABULAIRE 1. *Se mettre dans de beaux draps* signifie « se mettre dans une situation critique, embarrassante ».

2. Nombre d'interjections font allusion au domaine religieux, à partir du nom de Dieu : *Dieu !, Mon Dieu !, Dieu du ciel !, Grand Dieu !, Adieu !, Tonnerre de Dieu !, Jour de dieu !, Tudieu !* (par la vertu de Dieu), *Pardieu !, Pardi !, Bonté divine !* ou son altération en — *bleu* : *Morbleu !, Palsambleu !, Parbleu !, Ventrebleu !*, de la vierge Marie : *Dame !*, du diable : *Diable !, Que diable !*, et son altération *Diantre !* ..., ou encore de termes liés au culte, citons *Tabernacle ! Sapristi ou Sacristi !* (sacristie), *Ciel !, Juste ciel !, Hosanna !*... Notons que plusieurs d'entre elles sont désuètes et ne se rencontrent plus que dans les textes littéraires ou régionalement.

640 Remplacez les trois points par l'interjection convenable, choisie entre les suivantes :

Patatras ! — Zut ! — Ouf ! — Ma parole ! — Motus ! — Et patati ! et patata ! — Crac ! — Chut ! — Ta, ta, ta ! — Attention !

1. ... comme vous avez changé ! je ne vous aurais pas reconnu ! — 2. ... le bébé dort ! — 3. ... au retour de manivelle ! — 4. Soyez discret ! et sur ce que je vous ai dit, ... — 5. ... le voilà par terre ! — 6. ... ce sont des inepties que tu me racontes là ! — 7. ... elles passent des heures au téléphone ! — 8. ... je ne veux plus en entendre parler ! — 9. ... mon pantalon s'est déchiré. — 10. ... me voilà débarrassé de cette corvée !

VOCABULAIRE Un *retour de manivelle* est un mouvement brusque et accidentel d'une manivelle dans le sens inverse du sens prévu. Au sens figuré, il s'agit d'un « revirement soudain », d'un « choc en retour ».

1. Subordonnées sujets 209
2. Subordonnées attributs 211
3. Subordonnées en apposition 213
4. Subordonnées compléments d'objet (directs ou indirects) 214
5. Subordonnées compléments circonstanciels 217
6. Subordonnées compléments d'agent 226
7. Subordonnées compléments de nom ou de pronom (subordonnées relatives) 227
8. Subordonnées compléments d'adjectif 229
9. Concordance des temps 233
10. Discours indirect 235

Chapitre 12

Les propositions subordonnées

[PG § 454-493]

1. Subordonnées sujets

[PG § 455-456]

Planète en danger

S'il est vrai que la terre peut vivre sans l'homme, il est impossible que l'homme vive sans la terre. Que les rejets de gaz à effet de serre dérèglent le climat et détériorent notre planète, cela semble très probable selon les experts. Quiconque est à l'écoute du monde se sent concerné par ce problème. Aujourd'hui, d'où vient qu'il y a une intensification anormale de la production des gaz à effet de serre? Il apparaît que l'augmentation des activités humaines depuis la révolution industrielle en est la cause. Pour réduire ces émissions, il faudrait qu'on économise l'énergie et qu'on en diversifie les sources. Il est important que chacun soit informé et ait les moyens de changer son mode de vie. Il est évident que l'éducation joue un rôle primordial dans ce domaine.

641 Relevez, dans le texte ci-dessus, les subordonnées sujets; marquez-les d'un des signes sub. s. [= sujet]; — sub. s. r. [= sujet réel; dans ce cas, marquez du signe s. app. le sujet apparent].

[PG § 499] ORTHOGRAPHE *Apparaît* peut désormais s'écrire sans accent sur le *–i*.

642 Même exercice.

a) 1. Il faut que la vérité éclate. — 2. Il importe que chacun connaisse les règles du jeu. — 3. N'est-il pas imprudent que tu descendes dans ce gouffre ? — 4. Que les beaux jours soient revenus m'enchante. — 5. D'où vient que nous trouvons toujours l'herbe plus verte ailleurs ?

b) 1. Que l'on fête son anniversaire, cela s'impose. — 2. Que le prévenu soit coupable, le fait n'est pas avéré. — 3. Que la terre tourne autour du soleil, la chose est incontestable. — 4. Marion est myope : de là vient qu'elle ne vous ait pas reconnu de loin. — 5. Qui ne dit mot consent.

VOCABULAIRE *Trouver l'herbe plus verte ailleurs* signifie « envier la situation d'autrui ». On peut aussi *couper l'herbe sous les pieds de quelqu'un* c'est-à-dire « le frustrer d'un avantage en le devançant ».

643 Même exercice.

a) 1. Quiconque n'a jamais aimé ne peut me comprendre. — 2. Cela m'étonne que tu ne m'aies pas averti. — 3. Qui cherche trouve. — 4. Ces populations manquent de tout : de là vient que leur santé est précaire. — 5. À beau mentir qui vient de loin.

b) 1. Notre équipe, perdre ce match, cela est inimaginable ! — 2. Il me semble qu'il va pleuvoir. — 3. Que ses amis le méconnussent le remplissait d'amertume. (R. Rolland) — 4. Scientifiquement, il n'est pas exclu que les astres influencent nos destinées. (S. de Beauvoir) — 5. Cela me plaît beaucoup que tu m'offres des fleurs. — 6. Qu'ils continuent de n'être pas d'accord sur des points essentiels rend plus saisissant le point acquis du travail commun. (F. Mauriac)

[PG § 499] ORTHOGRAPHE *Plaît* peut désormais s'écrire sans accent sur le *–i*.

644 Joignez à chaque verbe principal une subordonnée sujet.

1. Il est certain … — 2. Peu importe … — 3. D'où vient … ? — 4. …, cela ne fait pas de doute. — 5. C'est étrange que …

[PG § 456] **645 Justifiez l'emploi du mode.**

a) 1. Il est évident que Mathilde nous *dit* la vérité. — 2. Il me semble que l'on *peut* joindre l'utile à l'agréable. — 3. C'est dommage que Victoria ne *soit* pas là. — 4. Il est certain que nous ne *changerons* pas d'avis. — 5. Il n'est pas sûr que Joséphine *puisse* vous indiquer le chemin.

b) 1. Que vous *ayez pensé* à nous me touche. — 2. Qui *accélérerait* dans ce virage courrait un danger. — 3. Se peut-il qu'il *ait survécu* à ce massacre ? — 4. Il est évident que vous

guéririez plus vite si vous vous soigniez. — 5. N'est-il pas incontestable que la paix *vaut* mieux que la guerre?

ORTHOGRAPHE *Accélérerait* peut désormais s'écrire *accélèrerait*. [PG § 499]

646 Mettez au mode convenable les verbes en italique.

a) 1. Il faut que nous [*rendre*, prés.] à chacun ce qui lui revient. — 2. Il est urgent que tu [*remplir*, prés.] ce formulaire. — 3. Il est possible que vous [*vouloir*, prés.] partir au bout du monde, mais est-il sûr que votre épouse [*pouvoir*, prés.] vous accompagner ? — 4. Il me semble que la vie [*être*, imparf.] moins chère l'année passée. — 5. Que tu [*reconnaître*, prés.] tes torts, c'est tout ce qu'elle demande.

b) 1. N'est-il pas sûr que de la discussion [*jaillir*, prés.] la lumière ? — 2. D'où vient que nous n' [*aimer*, prés.] pas les épinards ? — 3. Il faut absolument que vous [*entendre*, prés.] Bernadette jouer de la flûte. — 4. Que tous les goûts [*être*, prés.] dans la nature, la chose est bien certaine. — 5. C'est très rare quand cette plante [*fleurir*, prés.].

ORTHOGRAPHE 1. *Reconnaître* peut désormais s'écrire sans accent sur le ***–i***. [PG § 499]

2. *Goût* et *flûte* peuvent désormais s'écrire sans accent sur le ***–u***. [PG § 499]

647 Joignez aux expressions suivantes une subordonnée sujet dont le verbe soit au mode indiqué entre crochets.

1. Il semble que … [*indic.*]. — 2. Il semble que … [*subj.*]. — 3. Il semble que … [*condit.*]. — 4. Est-il certain que … [*indic.*] ? — 5. Est-il certain que … [*subj.*] ? — 6. Quiconque … [*indic.*]. — 7. Quiconque … [*condit.*].

2. Subordonnées attributs [PG § 457-458]

Des écoliers distraits

À l'école, le grand souci de M. Chamarote était que chacun pût définir le carré, le triangle, conjuguer le verbe «coudre», dire par cœur les sous-préfectures de l'Allier, expliquer le décalitre ou la pile électrique. Mais, pour nous, la chose intéressante était, au mois de mai, que les hannetons naissaient familièrement dans les plumiers; un de nos secrets plaisirs était que le ver à soie filait son cocon dans les ténèbres des pupitres.

Des courants électriques parcouraient les bancs tachés d'encre. On se passait des mots rapidement chuchotés; l'inconvénient était que M. Chamarote en surprenait parfois le sens et cassait durement le fil de nos intrigues. Quand une abeille, venue du grand mûrier de la cour, entrait étourdiment par la fenêtre, le sentiment général était que l'insecte vrombissant dans le ciel de la classe occupait bien plus agréablement les esprits que la règle de trois ou que le règne de Pépin le Bref.

D'après Henri Bosco, *L'âne culotte*. Paris, Éd. Gallimard.

648 Relevez, dans le texte ci-dessus, les subordonnées attributs et le mot dont elles sont les attributs.

[PG § 499] ORTHOGRAPHE 1. *Mûrier* peut désormais s'écrire sans accent sur le ***–u***.

[PG § 499] 2. Ne confondez pas *tacher* (salir en faisant des taches) et *tâcher* (faire en sorte que… ou travailler dur).

649 Même exercice.

a) 1. Dans cette opération, le danger est que votre associé vous floue. — 2. Si vous constatez des effets secondaires au traitement, le mieux est que vous consultiez votre médecin. — 3. Mon opinion est que vous feriez mieux d'attendre. — 4. La continuelle crainte de ma grand-mère était que nous n'eussions pas assez à manger. (A. Gide)

b) 1. Après ce scandale, ce politicien ne sera plus qui il est aujourd'hui. — 2. La compensation de son licenciement est que désormais il voit davantage ses enfants. — 3. Votre avenir ? C'est de quoi je me préoccupe. — 4. Mon père est au bureau qui lit.

650 Justifiez l'emploi du mode dans la subordonnée attribut.

1. Peu importe la cause de l'accident, l'important est que nous nous en *sommes* sortis indemnes. — 2. On a raconté beaucoup de choses sur la disparition de cet homme ; la vérité est qu'il *prenait* tout simplement quelques jours de vacances. — 3. Mon avis est qu'il *faut* ajouter une pièce à cette maison. — 4. Si nous envisageons tous les aspects de la question, notre conclusion sera que ce projet ne *tient* pas la route. — 5. Mon désir est que vous *guérissiez* au plus vite. — 6. J'ai été contente d'être qui *j'étais*. (S. de Beauvoir)

LANGAGE Notez : *inde**mn**e* mais *dile**mm**e*.

VOCABULAIRE *Tenir la route* : au sens premier, l'expression concerne les voitures fiables ; au sens figuré, elle signifie « être réalisable, solide ».

651 Mettez au mode convenable les verbes en italique.

1. L'opinion des spécialistes est que toute la population [*être*, prés.] susceptible de rencontrer le virus. — 2. La crainte des syndicats est qu'une partie du personnel [*être*, prés.] licenciée. — 3. Le vent se lève, on l'entend qui [*mugir*, prés.] dans les voiles. — 4. Le sentiment de Frédéric est qu'il [*avoir*, prés.] plus de temps libre s'il avait moins de charges, la vérité est qu'il [*être*, prés.] incapable de dire non. — 5. Ne nous décourageons pas, l'essentiel est que nous [*avoir*, prés.] déjà gagné une manche. — 6. Notre idée était que de semblables villes n' [*exister*, imparf.] pas dans la réalité. (Th. Gautier)

652 Joignez aux expressions suivantes une subordonnée attribut.

1. Mon vœu est que … — 2. Le souhait de mon fils est que … — 3. Vous perdez du temps : le résultat sera que … — 4. Ma conclusion sera que … — 5. La raison de cet emprunt est que …

3. Subordonnées en apposition

[PG § 459-460]

653 Repérez les subordonnées en apposition et le nom ou le pronom auquel chacune d'elles est apposée.

a) 1. Tout en elle s'insurgeait contre cette maxime que l'argent ne fait pas le bonheur. — 2. Le fait que vous rougissez laisse penser que vous vous sentez concerné par notre remarque. — 3. Cet homme a l'air intelligent et, qui mieux est, il a de l'humour. — 4. Êtes-vous d'accord avec ce principe qu'il faut être attentif aux messages que le corps nous envoie ? — 5. Ma tante avait ceci d'admirable qu'elle ne se départait jamais de son calme.

b) 1. Les éducateurs insistent volontiers sur ce précepte que l'on fait soi-même son avenir. — 2. Les médias ont diffusé l'information qu'un cessez-le-feu a été conclu entre les belligérants. — 3. Je ne sens plus en elle qu'incompréhension ou, qui pis est, indifférence. (A. Gide) — 4. Nous ne nous arrêterons pas à cette opinion trop répandue que les blondes sont superficielles. — 5. Ce roman de Perec a ceci d'original qu'il ne contient pas la lettre « e ». — 6. Il arriva un moment où Guillaume eut la certitude que le terrain mollissait constamment. (P.-A. Lesort)

ORTHOGRAPHE Dans les noms composés suivants, observez la forme impérative de l'élément verbal : un *cessez-le-feu*, un *rendez-vous*, un *laissez-passer*, un *suivez-moi-jeune-homme* (qui est « un ruban de chapeau de femme qui flotte sur la nuque »).

654 Joignez à chacune des expressions suivantes une subordonnée en apposition et faites entrer chaque fois l'assemblage dans une phrase.

1. La certitude que … — 2. Ceci d'intéressant que … — 3. Qui plus est. — 4. Cette idée que …

655 Justifiez l'emploi du mode dans la subordonnée en apposition.

[PG § 460]

1. Soyez attentifs aux publicités : leurs affirmations que certains produits *sont* indispensables sont souvent dénuées du souci de l'environnement. — 2. Loin de moi la pensée que vous *soyez* coupable ! — 3. Faisons cette hypothèse qu'on *rétribue* les mères au foyer : l'économie du pays serait-elle bouleversée ? — 4. Partagez-vous mon avis que cet arbuste *reprendrait* vigueur si je le replantais dans ce parterre ? — 5. Dieu nous garde de cette pensée que nous *vaudrions* mieux que les autres. (Ch. Péguy)

656 Mettez au mode convenable les verbes en italique.

1. Je me fais souvent la réflexion que nous n' [*accorder*, prés.] pas aux petites joies quotidiennes l'attention qu'elles méritent. — 2. Je ne désire qu'une chose : que le beau temps [*revenir*, prés.] — 3. Ce couteau-éplucheur a ceci de spécial qu'il [*permettre*, prés.] de peler finement les tomates et les poivrons. — 4. L'idée qu'il [*pouvoir*, prés.]

risquer sa vie pour moi m'est intolérable. (A. Gide) — 5. Je partage cette opinion que nous [*être*, prés.] plus épanouis si nous étions davantage à l'écoute de nos sentiments.

[PG § 461-464]

4. Subordonnées compléments d'objet (directs ou indirects)

Déclaration

> Je pris Emélia dans mes bras. Je la serrai contre moi. Je lui dis que je partais, que je partais pour ne plus jamais revenir, et je lui dis surtout que j'étais venu la chercher, que je voulais l'emmener avec moi, chez moi, dans mon village, que là-bas, il y avait les montagnes, que c'était un autre monde, qu'on y serait protégés de tout, et que, dans ce décor de crêtes, de pâtures et de forêts qui composeront pour nous le plus sûr des remparts, je voulais qu'elle devienne ma femme.
>
> Philippe Claudel, *Le rapport de Brodeck.* Paris, Éd. Stock, 2007.

New York, 1834

> Il connaît New York, les vieilles petites rues aux noms hollandais et les grandes artères nouvelles qui se dessinent et que l'on va numéroter; il sait quel genre d'affaires on y traite, sur quoi s'édifie la prodigieuse fortune de cette ville; comment on s'y tient au courant de la progression des lentes caravanes de chariots dans les grandes plaines herbeuses du Middle West; dans quels milieux se préparent des plans de conquête et des expéditions encore ignorées du Gouvernement.
>
> Blaise Cendrars, *L'or.* Paris, Éd. Grasset, 1925.

657 Repérez, dans les textes ci-dessus, les subordonnées compléments d'objet et les verbes auxquels elles se rattachent. Marquez d'une manière distincte les mots introducteurs.

[PG § 499] ORTHOGRAPHE 1. Observez l'accent circonflexe sur *crête*, *pâture*, *forêt* et *sûr.* Rappel : les rectifications de l'orthographe ne concernent pas les accents circonflexes sur *–a*, *–e* et *–o* mais préconisent de les supprimer sur les *–i* et les *–u*. Le cas de *sûr* au masculin singulier est particulier car, présentant parfois un risque de confusion avec la préposition *sur*, il fait exception à la nouvelle règle.

[PG § 499] 2. *Connaît* peut désormais s'écrire sans accent sur le ***–i***.

[PG § 512] 3. Les rectifications de l'orthographe proposent de réduire certaines anomalies à l'intérieur d'une même famille de mots : *chariot* devenant **charriot** (sur le modèle de *charrette*) ; *imbécillité*, **imbécilité** (*imbécile*) ; *bonhomie*, **bonhommie** (*bonhomme*) ; *combatif*, **combattif** (*combattre*).

658 Même exercice.

a) 1. J'ai appris qu'il ne viendrait pas. — 2. Conviens que cet exercice est difficile. — 3. Il répétait qu'il était fatigué. — 4. Les anciens ont cru que la Terre était plane. — 5. Je la convaincs qu'une petite escapade lui changerait les idées.

b) 1. J'ai cru que mon cœur était du soleil, tant je sentais de bonheur. (Ch.-L. Philippe) — 2. Je me demandais si j'irais ramasser ma canne, qui avait roulé à mes pieds dans le fossé. (V. Hugo) — 3. Je ne savais pas où j'allais, j'étais trop absorbé. (J.-P. Sartre) — 4. Il savait bien comment tournerait cette affaire. (J. Green) — 5. On attendit qu'il eût terminé pour monter le bagage. (N. Bouvier)

659 Même exercice.

a) 1. Cette coupe appartiendra à qui remportera le match. — 2. Dis-moi qui tu hantes, et je te dirai qui tu es. — 3. Dites-moi quels sont vos projets d'avenir. — 4. Je ne m'attends pas à ce que les difficultés se résolvent d'elles-mêmes. — 5. Elle se plaint de ce qu'elle a trop de travail. Se demande-t-elle si elle est bien organisée ?

b) 1. Peut-être aurai-je du mal à faire croire à un jeune lecteur qu'à douze ans je considérais les oranges comme un fruit prestigieux et rare. (P. Gaxotte) — 2. Nicolas se rappela que le rez-de-chaussée était habité par des gens simples. (H. Troyat) — 3. Il fallait regarder attentivement pour distinguer où se terminait la mer. (E. Fromentin) — 4. J'entendis marcher derrière moi, et je sentis qu'on me touchait à l'épaule. (M. Audoux) — 5. Partout les rivages cédaient à la poussée montante, et l'on comprenait qu'en amont, des barrages avaient craqué. (H. Bosco) — 6. Nous en étions encore à trouver incroyable, inimaginable, qu'un petit avocat de Bazas ait osé se porter, comme on dirait, contre le marquis de Lur-Saluces. (Fr. Mauriac)

ORTHOGRAPHE Observez le *z* muet dans *rez-de-chaussée* tout comme dans *raz-de-marée*.

660 Remplacez les trois points par une subordonnée complément d'objet.

1. Parfois nous nous apercevons que … — 2. Je m'attends à ce que … — 3. Je crois que … — 4. Peu de personnes se demandent pourquoi … — 5. Demandons-lui si … — 6. Nul ne sait quand …

661 Repérez les propositions infinitives compléments d'objet et le verbe que chacune d'elles complète.

[PG § 461, 4°]

a) 1. Je regarde les ombres s'allonger à mesure que le soleil décline. — 2. Toute à ses occupations, elle ne voit pas le temps passer. — 3. Écoutez passer dans les branches les souffles du printemps. — 4. Voici venir la nuit. — 5. Ne laissons pas croître l'herbe sur le chemin de l'amitié. — 6. Paisible, elle laisse les heures s'égrener ; on ne la voit pas s'agiter, on ne l'entend pas se plaindre.

b) 1. Le vieillard assistait à la fuite du jour. Il entendait fuir le bruit et gagner le silence. (J. de Pesquidoux) — 2. Il vit distinctement une fantastique apparition glisser au pied du rocher. (G. Sand) — 3. Tout en haut de la maison, l'homme veille. Il écoute mourir les bruits familiers. (G. Duhamel) — 4. Chicot la regardait accomplir sa besogne. (G. de Maupassant) — 5. Quand tu jardineras, tu verras le rouge-gorge se percher sur le brancard de ta brouette. (M. Bedel) — 6. J'ai vu l'aube frémir entre les grandes gerbes de blé. (A. Gide)

662 Relevez les sujets des propositions infinitives et les infinitifs qui y correspondent.

1. La chèvre de M. Seguin regardait les étoiles danser dans le ciel clair. — 2. Je vois encore Louis sauter sur les genoux de son grand-père ; j'entends encore ce dernier lui raconter des histoires. — 3. Il est difficile d'extirper certaines mauvaises herbes quand on les a laissées prendre racine. — 4. Il l'invita à danser et lui fit faire quelques pas sur la piste.

[PG § 501] ORTHOGRAPHE *On les a **laissées** prendre racine* : les rectifications de l'orthographe permettent de laisser le participe passé de *laisser* invariable quand il est suivi d'un infinitif. *On les a **laissé** prendre racine.*

[PG § 461, 4°R]

663 Discernez si les infinitifs en italique appartiennent ou non à une proposition infinitive.

1. Quoi de plus doux que les souvenirs d'enfance qu'on entend *monter* dans sa mémoire, le soir, en regardant le feu *crépiter*. — 2. Tout homme espère *trouver* le bonheur. — 2. Si tu sens le fou rire te *gagner*, essaies-tu de le *réprimer*? — 4. L'air est si léger qu'on croit *sentir* les parfums du printemps *glisser* dans la lumière. — 5. Quand il voyait *passer* quelque pauvre glaneuse: Laissez *tomber* exprès des épis, disait-il. (V. Hugo)

VOCABULAIRE Un *fou rire* est un rire qu'on ne peut plus arrêter.

664 Transformez chaque phrase comme le suggèrent les mots en italique, et employez la proposition infinitive.

1. Ma mère plaint les sans-logis. / *Que de fois j'ai entendu* ... — 2. Tout change dans notre monde audio-visuel. / *Nous voyons* ... — 3. Les hirondelles se rassemblent sur les toits: la mauvaise saison vient. / *On voit* ...; *voici* ... — 4. Mon frère vous accompagnera. / *Je vous ferai* ... — 5. Les étoiles brillent dans la nuit. / *Je regarde* ...

665 Justifiez l'emploi du mode dans la subordonnée complément d'objet.

1. Je sais que ma voisine *est* en vacances, mais je pense qu'elle *reviendra* avant la fin du mois. — 2. Nous souhaitons que nos enfants *soient* heureux, nous n'aimons pas qu'ils *aient* de la peine. — 3. Je crois que je *serais* en meilleure forme si je faisais un peu plus de sport. — 4. Que la grammaire française *soit* difficile, plus d'un le dit.

666 Mettez au mode convenable les verbes en italique.

1. Certaines personnes estiment que le monde [*être*, imparf.] meilleur quand ils étaient jeunes. — 2. Supposons que vous [*être*, prés.] milliardaire : comment organiseriez-vous

votre vie ? — 3. Les négociateurs demandent que le dialogue [*reprendre*, prés.]. — 4. Crois-tu qu'il m' [*appartenir*, prés.] de prédire l'avenir ? — 5. Croyez-vous que la somme [*être*, prés.] plus grande que chacune de ses parties ? — 6. J'ai rebroussé chemin dès que je me suis aperçu que je [*faire*, imparf.] fausse route. — 7. Certains nient qu'on [*pouvoir*, prés.] trouver au monde un homme intègre. — 8. Ma voisine se plaint constamment de ce que la vie [*être*, prés.] chère. — 9. Que de fois nous nous sommes fâchés que les événements [*être*, imparf.] contraires à nos désirs !

VOCABULAIRE *Rebrousser chemin* veut dire « s'en retourner en sens opposé au cours d'un trajet, revenir sur ses pas ». Le verbe *rebrousser* signifie « relever les cheveux ou le poil dans un sens contraire à la direction naturelle ». De là vient l'expression *à rebrousse-poil*, on peut *caresser* un animal *à rebrousse-poil* et au sens figuré *prendre quelqu'un à rebrousse-poil* c'est-à-dire « maladroitement, de telle sorte qu'il se rebiffe ».

ORTHOGRAPHE *Événement* peut désormais s'écrire *évènement*.

[PG § 509]

667 Changez la tournure des phrases suivantes en mettant en tête de la phrase la subordonnée complément d'objet:

Modèle: « Vous savez que la vie est un trésor. » / *Que la vie soit un trésor, vous le savez.*

1. Tout homme sensé admettra qu'on doit réfléchir avant d'agir. — 2. Qui ne croirait que la paix vaut mieux que la guerre? — 3. Le proverbe affirme que l'occasion fait le larron. — 4. On a dit avec raison qu'on prend plus de mouches avec du miel qu'avec du vinaigre. — 5. Je suis persuadé qu'une nuit de sommeil vainc la fatigue.

5. Subordonnées compléments circonstanciels

[PG § 465-481]

1. Subordonnées compléments circonstanciels de temps

[PG § 466-467]

668 Repérez les subordonnées compléments circonstanciels de temps et le verbe que chacune d'elles complète.

1. Dès que les beaux jours arrivent, les hirondelles nous reviennent. — 2. Tu pourras rester ici aussi longtemps que tu le souhaiteras. — 3. Lorsque l'enfant paraît, le cercle de famille applaudit à grands cris. (V. Hugo) — 4. On a moins peur après qu'on a exprimé ses craintes. — 5. Garde-toi, tant que tu vivras, de juger des gens sur la mine. (J. de La Fontaine) — 6. Comme il me donnait cet avis, la cloche sonna le déjeuner. (A. France) — 7. Au passage des ponts, on se trouve arrêté, jusqu'à ce que toute la caravane ait défilé. (H. Taine) — 8. Maintenant que nous avons franchi son seuil, et mangé son pain, il nous tient pour une heure au moins. (N. Bouvier) — 9. On a le cœur qui bat, quand on revient après

une longue absence. (J.M.G. Le Clézio) — 10. Tandis qu'il marchait sur l'étroit chemin, il ressentait de l'appréhension. (J.M.G. Le Clézio)

[PG § 499] ORTHOGRAPHE *Paraît* peut désormais s'écrire sans accent sur le *–i*.

669 En variant les conjonctions de subordination, inventez cinq phrases présentant une subordonnée complément circonstanciel de temps sur les thèmes suivants :

1. Les vacances. — 2. Les fleurs. — 3. La circulation routière. — 4. Une rencontre. — 5. Le sport.

670 Mettez au mode convenable les verbes en italique.

a) 1. Quand on [*prendre*, prés.] le temps de réfléchir, on agit plus posément. — 2. Je lui explique l'exercice jusqu'à ce qu'il le [*comprendre*, prés.]. — 3. Il ne faut pas commencer le repas avant que tous les convives [*être*, prés.] à table. — 4. Après qu'il [*revenir*, passé] de ses voyages, mon père nous racontait ses souvenirs. — 5. Installez-vous ici en attendant que vous [*trouver*, prés.] un logement.

b) 1. Maintenant qu'ils [*étancher*, passé] leur soif, ils sont prêts à reprendre leur marche. — 2. Après que ma sœur [*apprendre*, passé] la bonne nouvelle, elle s'empressa de m'en faire part. — 3. Elle suit le bateau des yeux jusqu'à ce qu'il [*disparaître*, prés.] à l'horizon. — 4. Après qu'il [*pleuvoir*, passé], le jardin exhale un parfum d'humus. — 5. En supposant qu'elle parvienne à les distraire : aussitôt qu'ils [*avoir*, prés.] une minute d'inattention, elle les prendrait en photo.

[PG § 499] ORTHOGRAPHE *Disparaître* peut désormais s'écrire sans accent sur le *–i*.

[PG § 468-469]

2. Subordonnées compléments circonstanciels de cause

671 Repérez les subordonnées compléments circonstanciels de cause et le verbe que chacune d'elles complète.

a) 1. Comment connaîtrais-je le Japon puisque je n'y suis jamais allé ! — 2. En fin de semaine, les citadins se lancent à l'assaut des plages parce que la météo prévoit du beau temps. — 3. Comme elle aime les fleurs, je lui en ai cueilli un bouquet. — 4. Dès lors que je n'en étais pas informé, je n'ai pas assisté à cette réunion. — 5. Je contredirai votre témoignage : non que je veuille vous blesser, mais la vérité a ses droits. — 6. Comme il a la vue basse, qu'il doit ainsi se pencher sur son livre ! — 7. Du moment que tu me le rends, je te prête volontiers ce livre.

b) 1. Attendu que la provision d'eau s'épuise rapidement et que le siège peut durer longtemps, la ration est réduite à un demi-bidon. (E.-M. de Vogüé) — 2. La lumière baissant toujours, nous revenons sur nos pas. (P. Loti) — 3. La princesse de Parme était gênée de faire des amabilités, vu qu'ils en avaient fort peu pour elle. (M. Proust) —

4. Et les gens, du moment que je ne leur réclamais rien, me fournissaient volontiers les renseignements utiles. (P.-A. Lesort) — 5. Elle prête l'oreille parce que c'est son père qui parle. (S. de Beauvoir)

ORTHOGRAPHE *Connaître* peut désormais s'écrire sans accent sur le *–i*. [PG § 499]

672 En variant les conjonctions ou locutions conjonctives, inventez cinq phrases présentant une subordonnée complément circonstanciel de cause sur les thèmes suivants :

1. Les voyages. — 2. La musique. — 3. Une fête. — 4. Les médias. — 5. Une randonnée.

673 Mettez au mode convenable les verbes en italique.

1. Corinne ne veut pas se baigner non qu'elle ne [*savoir*, prés.] pas nager mais elle trouve l'eau trop froide. — 2. Étant donné que je [*être*, prés.] absente une semaine, j'ai demandé à ma voisine de relever mon courrier. — 3. Il importe de choisir une voiture qui consomme peu d'essence vu que le prix du carburant [*augmenter*, prés.] sans cesse. — 4. Puisque vous [*aimer*, prés.] les asperges, je vous en préparerai. — 5. Le vent [*souffler*, partic. prés.] avec violence, je n'ai pas fermé l'œil de la nuit. — 6. Évite de prendre la route une veille de vacances parce que tu [*pouvoir*, prés.] te retrouver dans un embouteillage.

VOCABULAIRE *Ne pas fermer l'œil de la nuit*, c'est « ne pas dormir ». On peut ausssi *ne dormir que d'un œil* « en conservant son attention éveillée ». On *ferme les yeux de quelqu'un* qui vient de mourir. Mais on peut aussi *fermer les yeux sur quelque chose* c'est-à-dire « faire comme si on n'avait pas vu, par indulgence ou par lâcheté ».

3. Subordonnées compléments circonstanciels de but

[PG § 470-471]

674 Repérez les subordonnées compléments circonstanciels de but et le verbe que chacune d'elles complète.

a) 1. Le piano donne le la à l'orchestre pour que les musiciens accordent leurs instruments. — 2. Elle cache la vérité à son fils de peur qu'il n'en souffre. — 3. On bat les blancs d'œufs en neige pour que le gâteau soit plus moelleux. — 4. Actionne les essuie-glaces, qu'on y voie quelque chose ! — 5. Jérôme arrose son jardin de crainte que ses plantes ne dépérissent.

b) 1. On apporta une toile pliée en quatre, pour que les planches fussent moins dures. (P. Loti) — 2. Taisez-vous une minute, mes enfants, que je voie clair. (G. Duhamel) — 3. Avec précaution, de crainte que quelqu'un des deux ne fût endormi, je montai. (Alain-Fournier) — Ah ! mon Dieu ! grand Saint-Père, quelle brave mule vous avez là !... Laissez un peu que je la regarde. (A. Daudet)

VOCABULAIRE *Donner le la* c'est aussi, au sens figuré, « donner le ton, l'exemple ».

PRONONCIATION On entend le son [wa] dans *moelle*, *moelleux*, *moellon*…

[PG § 497] **ORTHOGRAPHE** Les rectifications de l'orthographe recommandent de suivre pour les noms composés d'un verbe et d'un nom, la règle des mots simples et de leur attribuer la marque du pluriel seulement quand ils sont au pluriel, à la fin du mot. Pour *un essuie-glace*, *des essuie-glaces*, rien ne change. Mais un *essuie-mains*, un *essuie-pieds* ou un *essuie-verres* pourront s'écrire sans *s* final au singulier : **un essuie-main**, **des essuie-mains**.

675 Inventez à partir de chacun des thèmes donnés une phrase contenant une subordonnée complément circonstanciel de but en veillant à varier les locutions conjonctives :

1. Un message. — 2. Un chien. — 3. Les intempéries. — 4. L'environnement. — 5. Le bruit.

676 Mettez au mode convenable les verbes en italique.

1. On voit beaucoup de promotions intéressantes dans les magasins, mais c'est afin que nous [*acheter*, prés.] davantage. — 2. Réfléchissons à ce que nous allons dire à la réunion pour que nos arguments [*être*, prés.] clairs et convaincants. — 3. Elle emmitoufle son bébé dans une couverture en polaire pour qu'il ne [*prendre*, prés.] pas froid. - 4. Les secrets se disent à voix basse, de crainte que quelqu'un ne les [*entendre*, prés.]. — 5. Que de soins minutieux prennent les pinsons pour que le nid [*être*, prés.] chaud et moelleux!

[PG § 472-473]

4. Subordonnées compléments circonstanciels de conséquence

677 Repérez les subordonnées compléments circonstanciels de conséquence et le verbe que chacune d'elles complète.

a) 1. Ils ont tant crié qu'ils n'ont plus de voix. — 2. La cuisine est assez vaste pour qu'on puisse y prendre ses repas. — 3. Elle parle de manière que tout le monde l'entende. — 4. David a une telle fringale qu'il vide tous les plats. — 5. La maison est orientée de telle façon que sa terrasse est baignée de soleil tout l'après-midi. — 6. Il roule si vite qu'il n'a pas vu le radar.

b) 1. Il faut faire une enceinte de tours Si terrible que rien ne puisse approcher d'elle. (V. Hugo) — 2. La vie était encore assez frugale pour que chacun fût affamé de tout. (N. Bouvier) — 3. La sécheresse fut très grande, de manière que les terres qui étaient dans les lieux élevés manquèrent absolument. (Montesquieu) — 4. Il paraissait si ému que je ne pus empêcher mes larmes de couler. (A. Maalouf) — 5. On était au milieu de tant de bruit que la voix des hommes semblait n'avoir plus aucun son. (P. Loti) — 6. Les piécettes d'or fondaient que c'était un plaisir. (A. Daudet)

[PG § 509] **ORTHOGRAPHE** *Sécheresse* peut aujourd'hui s'écrire comme il se prononce : *sècheresse*. Même remarque pour *créneler*, *sénevé* et *vénerie* : *cr**è**neler*, *s**è**nevé*, *v**è**nerie*.

678 En variant les conjonctions ou les locutions conjonctives, inventez cinq phrases présentant une subordonnée complément circonstanciel de conséquence sur les thèmes suivants :

1. Un entraînement sportif. — 2. Une chanson. — 3. La ville. — 4. Le sommeil. — 5. La maison.

ORTHOGRAPHE *Entraînement* peut s'écrire aujourd'hui sans accent circonflexe. [PG § 499]

679 Mettez au mode convenable les verbes en italique.

1. Devant tant de jolis vêtements, elle est tellement perplexe qu'elle ne [*savoir*, prés.] lequel choisir. — 2. Quel est le film si captivant qu'on [*pouvoir*, prés.] le voir plusieurs fois d'affilée ? — 3. Nul portrait si exact, si conforme au modèle, que l'artiste n'y [*mettre*, prés.] un peu de lui. (Cl. Michelet) — 4. La vitesse du martinet est telle que cet oiseau [*pouvoir*, prés.] faire jusqu'à cent kilomètres par heure. — 5. Mme veuve Lefrançois, la maîtresse de cette auberge, était si fort affairée qu'elle [*suer*, imparf.] à grosses gouttes en remuant ses casseroles. (G. Flaubert) — 6. Le travail la passionne au point que, s'il le fallait, elle ne [*partir*, prés.] pas en vacances. — 7. Elle déclara qu'elle avait des ennuis et que je devenais assez grand pour qu'elle me les [*confier*, imparf.]. (J. Green)

ORTHOGRAPHE *Maîtresse* peut désormais s'écrire sans accent sur le ***–i***. [PG § 499]

5. Subordonnées compléments circonstanciels d'opposition [PG § 474-475]

680 Repérez les subordonnées compléments circonstanciels d'opposition et le verbe que chacune d'elles complète.

a) 1. Un animal de compagnie, quel qu'il soit, égaiera sa solitude. — 2. Tout intelligent qu'il était, il se laissa berner par un charlatan. — 3. Loin qu'on doive baisser les bras devant la recrudescence de la variole, il faut mettre en œuvre tous les moyens pour la combattre. — 4. Quoi que vous ayez à me dire, je ne m'en offenserai pas. (J. Romains) — 5. Où que vous soyez, restez simples.

b) 1. Bien qu'il fût tard, elle nous fit entrer. (N. Bouvier) — 2. Qui que vous puissiez être, vous serez en sûreté sous mon toit. (H. de Balzac) — 3. Quoi que vous puissiez penser de moi, je ne vous quitterai pas dans un pareil moment. (A. Theuriet) — 4. Encore que le jour baissât, monsieur le curé d'Ozeron n'hésita pas à reconnaître les visiteuses du soir de la Toussaint. (Fr. Jammes) — 5. C'est surprenant, mais nulle question n'arrive à l'embarrasser, tandis que chez moi, toutes déclenchent de vraies crises. (H. Liman)

ORTHOGRAPHE 1. *Reconnaître* peut désormais s'écrire sans accent sur le ***–i***. [PG § 499]

2. *Sûreté* peut désormais s'écrire sans accent sur le ***–u***. [PG § 499]

3. *Embarrasser* et *débarrasser* prennent deux *r* et deux *s*.

681 Tournez les phrases suivantes de telle façon que chacune d'elles contienne une subordonnée complément circonstanciel d'opposition :

1. On a beau être cultivé, on ne peut tout savoir. — 2. Vous direz ce que vous voudrez : je n'admettrai pas que la fin justifie les moyens. — 3. Vercingétorix combattit avec courage ; pourtant il ne put résister à César. — 4. Vivez de la manière que vous voudrez : les gens en parleront.

682 Inventez à partir des thèmes donnés une phrase contenant une subordonnée complément circonstanciel d'opposition en variant les conjonctions et locutions conjonctives :

1. La nuit. — 2. Le ciel. — 3. Les ennuis. — 4. Le retard. — 5. Les yeux.

683 Mettez au mode convenable les verbes en italique.

a) 1. Quelques sacrifices que [*pouvoir*, prés.] exiger de vous ce régime alimentaire, observez-le à la lettre. — 2. Tout insouciant qu'il [*être*, imparf.], il avait pensé à prendre une assurance vie. — 3. Quand bien même tu me [*fournir*, prés.] des preuves de sa culpabilité, je ne te croirais pas. — 4. Quoi que vous [*faire*, prés.], faites-le avec cœur. — 5. Encore qu'on [*pouvoir*, prés.] préférer la beauté du printemps, on ne saurait rester insensible au charme apaisant de l'automne.

b) 1. Pour grands que [*être*, prés.] les rois, ils sont ce que nous sommes. (P. Corneille) — 2. Tout bavard qu'il [*être*, imparf.], Lesprat ne parlait pas de ses projets avant d'être certain de leur réussite. (É. Henriot) — 3. Quoiqu'il [*faire*, imparf.] froid et qu'il [*y avoir*, id.] même encore de la neige, la terre commençait à végéter. (J.-J. Rousseau) — 4. Alors que ses camarades [*savourer*, imparf.] les merveilleuses rillettes fournies par les familles, le petit Balzac mangeait son pain sec. (A. Maurois) — 5. Je me souviens qu'il avait coutume d'appeler ma mère : maman, bien qu'il ne [*être*, imparf.] pas son fils. (J. Green)

VOCABULAIRE L'expression *à la lettre* ou *au pied de la lettre* signifie « au sens propre, exact du terme ». *Observer un régime à la lettre* c'est « le suivre scrupuleusement, rigoureusement ». *Prendre une expression à la lettre, au pied de la lettre*, c'est « dans son sens littéral, étroit ou au sérieux ».

[PG § 476-478]

6. Subordonnées compléments circonstanciels de condition

684 Repérez les subordonnées compléments circonstanciels de condition et le verbe que chacune d'elles complète.

a) 1. Si je m'organise bien, je finirai ce travail à temps. — 2. Je te propose d'aller au cinéma à moins que tu ne souhaites te reposer. — 3. Pourvu que je lui raconte une histoire, Lucie accepte d'aller dormir. — 4. À supposer que les convives viennent avant l'heure et au cas où ils auraient faim, ils trouveront la table dressée et le repas prêt. — 5. Pour peu qu'on y réfléchisse, cette histoire ne tient pas debout.

b) 1. Si une difficulté surgit, la direction se réunit, on discute le problème et on prend les mesures qui s'imposent. (H. Liman) — 2. Le goût du risque, si nous savons l'acquérir, nous ne manquerons pas, en cette époque étonnante, d'occasions de l'exercer. (A. Maurois) — 3. Il l'avait chargé de me le dire dans le cas où il ne pourrait quitter ses archives. (A. Daudet) — 4. Si je souffrais d'un rhume, je toussais un peu plus qu'il n'était nécessaire. (A. de Saint-Exupéry)

VOCABULAIRE *Ne pas tenir debout*, c'est, au sens figuré, « être incohérent ». On peut dire aussi *ne pas tenir la route*.

ORTHOGRAPHE *Goût* peut désormais s'écrire sans accent sur le *–u*. [PG § 499]

685 En variant les conjonctions et les locutions conjonctives, inventez cinq phrases présentant un subordonnée complément circonstanciel de cause sur les thèmes suivants :

1. La météo. — 2. La santé. — 3. Un départ. — 4. Un jeu. — 5. Les extraterrestres.

686 Distinguez parmi les subordonnées compléments circonstanciels de condition celles qui expriment: 1° la supposition pure et simple; 2° le potentiel; 3° l'irréel.

1. Si tu as une minute, peux-tu m'aider à accrocher ce cadre ? — 2. Si j'en avais les moyens, j'achèterais un palais vénitien. — 3. Si tu achètes le tissu, je te coudrai des rideaux. — 4. Si mon chien parlait, que de choses il me dirait. — 5. Si quelqu'un te demandait de l'aide, la lui refuserais-tu ? — 6. Si la lune s'alliait au soleil, ce serait le mariage de l'eau et du feu. — 7. Si notre ouïe était mille fois plus fine qu'elle n'est, que de sons variés elle capterait !

687 Mettez au mode et au temps convenables les verbes en italique.

a) 1. Si l'air [*être*] moins pollué, on respirerait mieux. — 2. À moins qu'il ne [*pleuvoir*] demain, nous irons pique-niquer en forêt. — 3. Pour peu que vous [*savoir*] bien les préparer, les sardines sont des poissons délicieux. — 4. Le sport vous sera très profitable sous condition qu'il vous [*être*] bien adapté. — 5. Au cas où la phrase vous [*paraître*] incorrecte, n'hésitez pas à me le dire.

b) 1. Je mets en fait que si tous les hommes [*savoir*] ce qu'ils disent les uns des autres, il n'y aurait pas quatre amis dans le monde. (B. Pascal) — 2. Si vous [*reculer*] quatre pas et que vous [*creuser*], vous trouverez un trésor. (J. de La Fontaine) — 3. On leur avait donné à chacun une pièce d'or, sous la condition qu'ils [*aller*] camper à Sicca. (G. Flaubert) — 4. Demande aux forêts et aux pierres ce qu'elles [*dire*] si elles pouvaient parler. (A. de Musset) — 5. Ce second cheval devait servir de remonte en cas qu'il [*arriver*] quelque accident aux chevaux des voyageurs. (R. de Chateaubriand)

ORTHOGRAPHE 1. *Paraître* peut désormais s'écrire sans accent sur le *–i*. [PG § 499]

2. *Pique-niquer* peut désormais s'écrire en un mot : **piqueniquer** [PG § 503]

688 Modifiez la construction des phrases suivantes en introduisant par *que* chacune des subordonnées compléments circonstanciels de condition en italique (attention au mode!).

1. Si tu t'égares ou *si tu ne te souviens plus de l'itinéraire*, appelle-moi. — 2. Si tu t'entraînes et *si tu as une bonne hygiène de vie*, tu courras le marathon. — 3. Si j'oubliais son anniversaire, ou *si j'étais absent ce jour-là*, il serait très triste. — 4. Si vous vous confiez à un ami sincère et *si vous lui faites part de vos hésitations*, il sera apte à vous conseiller. — 5. À quoi bon te préparer un repas si tu refuses de manger et *si tu n'as pas faim*. — 6. Si nous envisageons de traverser le désert et *si nous sommes accompagnés d'un bon guide*, nous ne courons aucun risque.

[PG § 499] ORTHOGRAPHE *Entraîner* peut désormais s'écrire sans accent sur le *–i*.

[PG § 479-481]

7. Subordonnées compléments circonstanciels de comparaison et autres

689 Repérez les subordonnées compléments circonstanciels de comparaison et le verbe que chacune d'elles complète.

a) 1. Comme on fait son lit on se couche. — 2. Cette actrice joue mieux que ne le disent les critiques. — 3. De même qu'un aigle fond sur sa proie, Antoine se jette sur le buffet. — 4. À mesure que les années passaient, ses cheveux s'éclaircissaient. — 5. Elle me dévisagea comme on regarde un objet de curiosité. (H. Liman)

b) 1. La voile tombe comme une aile se replie. (A. Chamson) — 2. À mesure que les fillettes grandissaient, les menues tasses et les carafons posés sur leur tête semblaient les imiter et devenaient d'imposants bidons en fer blanc ou en plastique. (C. Challandes) — 3. Selon que vous serez puissant ou misérable, Les jugements de cour vous rendront blanc ou noir. (J. de La Fontaine) — 4. Il avait donc fait ainsi qu'il avait dit. (J. Lemaître) — 5. Il me remercia comme si j'étais son sauveur. (J. M. G. Le Clézio) — 6. L'a-t-on jamais regardée comme on regarde une femme ? (J. Dunilac)

[PG § 479-480] **690 Inventez à partir de chacun des thèmes donnés une phrase contenant une subordonnée complément circonstanciel de comparaison. Variez les tournures.**

1. Les saisons. — 2. Les mains. — 3. Les fruits. — 4. Les achats. — 5. Les oiseaux.

[PG § 481] **691 Distinguez les subordonnées compléments circonstanciels de lieu, d'addition, de restriction, de manière.**

1. On voyait un lierre gravé, avec la devise : Je meurs où je m'attache — 2. Beaucoup de gens s'habillent comme la mode le leur suggère. — 3. Outre qu'il est intelligent, il a beaucoup d'humour. — 4. Ce fut donc un repas de loups, sauf qu'on ne le servit pas saignant. (J. de Pesquidoux) — 5. Sauf qu'il avait tellement grossi, il avait gardé bien des choses d'autrefois. (M. Proust) — 6. Quel heureux caractère ! Il ne regarde

rien qu'il n'en aperçoive les côtés plaisants. — 7. Dans l'arène, le taureau ne peut plus sortir par où il est entré. — 8. Le formulaire est bien rempli excepté que vous avez oublié de le signer.

692 Mettez au mode convenable les verbes en italique.

1. Nous avons plus d'imagination pour échafauder des projets que nous n'[*avoir*] de moyens pour les réaliser. — 2. L'avenir n'est pas toujours aussi beau que nous le [*souhaiter*, plus-que-parf.]. — 3. Parlons de nos amis absents de la même façon que nous [*parler*] d'eux s'ils étaient présents. — 4. Tartarin s'approcha pour lui donner son pourboire ainsi qu'il le [*voir*, plus-que-parf.] faire aux autres touristes. (A. Daudet) — 5. Outre qu'il [*être*, imparf.] très riche, il descendait en ligne directe de Jean sans Terre. (M. Aymé) — 6. Il s'arrêta brusquement comme s'il [*arriver*, plus-que-parf.] au bord même d'un abîme et qu'il le [*trouver*, imparf.] à ses pieds. (E. Jaloux) — 7. Les convives quittèrent la table sans que j'[*avaler*, plus-que-parf.] une bouchée. (A. France)

ORTHOGRAPHE *Abîme* peut désormais s'écrire sans accent sur le *–i*. [PG § 499]

Récapitulation des subordonnées compléments circonstanciels [PG § 465-481]

Au large !

Quand on n'est encore qu'un enfant, généralement on ne se soucie pas fort de son avenir. Mais bientôt, à mesure que les années passent, des projets s'ébauchent, et si l'on est décidé et motivé, on choisit sa voie. Tant de voyages sont possibles vers des horizons nouveaux ! Après qu'ils ont fait le tour de leur pays, plusieurs décident de découvrir le vaste monde. Si l'on n'ose pas aller de l'avant, il est difficile de trouver sa place dans la société.

Puisque les circonstances actuelles incitent certains jeunes à passer les frontières et les mers, pourquoi leurs familles ne les encourageraient-elles pas à suivre des chemins inexplorés, tout incertains qu'ils peuvent paraître ? Bien qu'elles soient semées d'embûches, les routes neuves, quand on a le courage de les prendre, permettent d'acquérir confiance en soi et ouverture à l'autre.

693 Discernez, dans le texte ci-dessus, les subordonnées compléments circonstanciels et analysez-les.

ORTHOGRAPHE *Paraître* et *embûches* peuvent désormais s'écrire sans accent. [PG § 499]

694 Même exercice.

a) 1. Dès que nous le pourrons, nous nous esquiverons. — 2. Un homme a autant de personnalités qu'il sait de langues. — 3. Le roitelet est si délicat qu'il passe à travers les broussailles les plus enchevêtrées. — 4. Où certains hommes ont échoué, d'autres remportent d'éclatants succès. — 5. Outre que ce film comporte quelques longueurs, les acteurs ne sont pas très convaincants.

b) 1. Puisque tu l'aimes tant, cette brave bête, je ne veux plus que tu vives loin d'elle. (A. Daudet) — 2. Où le père a passé passera bien l'enfant. (A. de Musset) — 3. J'ai commencé ma vie comme je la finirai sans doute : au milieu des livres. (J.-P. Sartre) — 4. Il y a des gens qui ne prennent pas au sérieux les douleurs d'un enfant, sous prétexte qu'elles s'apaisent vite. (P. Mille) — 5. Ces carrosses, tout délabrés qu'ils fussent, ne laissaient pas que de faire impression sur la foule. (Th. Gautier)

LANGAGE *Ne pas laisser (que) de* est une tournure littéraire signifiant « ne pas manquer de, ne pas cesser de, ne pas s'abstenir de ».

695 Joignez aux propositions suivantes des subordonnées compléments circonstanciels.

1. Les deux amies sont si occupées … [*conséquence*]. — 2. L'ombre gagne du terrain … [*comparaison*]. — 3. Nous dresserons la table … [*temps*]. — 4. Les médias n'ont pas relayé l'information … [*opposition*]. — 5. Nous serions capables de monter ce meuble … [*condition*]. — 6. Elle s'empresse d'aller faire des courses … [*cause*]. — 7. Je lui propose d'échanger nos places … [*but*]. — 8. Nous irons nous promener … [*lieu*].

696 Remplacez par une subordonnée complément circonstanciel les mots en italique.

1. Le combat cessa *faute de combattants*. — 2. *En dépit des difficultés*, je tenterai cette entreprise. — 3. Certains arbres restent stériles ; *bien taillés*, ils produiraient d'excellents fruits. — 4. *À moins d'un retard de la poste*, je trouve mon journal dans ma boîte aux lettres tous les matins. — 5. Il a ouvert la porte et *on ne l'a pas entendu*.

[PG § 499] ORTHOGRAPHE *Boîte* peut désormais s'écrire sans accent sur le *–i*.

[PG § 482-483]

6. Subordonnées compléments d'agent

697 Repérez les subordonnées compléments d'agent et le verbe passif que chacune d'elles complète.

1. La pétition sera signée par quiconque en approuve le contenu. — 2. Les requins sont redoutés de quiconque les approche. — 3. Les livres n'ont pas toujours été écrits par qui les a signés. — 4. Les grilles de sudoku sont prisées de qui sait les résoudre. — 5. Le dessert sera fait par qui voudra.

PRONONCIATION *Sudoku* : ce mot d'origine japonaise et désignant un jeu de logique utilisant des chiffres se prononce en français avec des [u] et rime donc avec *cou*.

698 Joignez à chacune des propositions suivantes une subordonnée complément d'agent:

1. Il conviendrait que cette entreprise fût dirigée ... — 2. Si vous le demandiez, vous pourriez être financés ... — 3. La géométrie et l'algèbre sont détestés ... — 4. La coupe sera remportée ... — 5. Cette chanson n'a pas été popularisée ...

699 Mettez au mode convenable les verbes en italique. [PG § 483]

1. Les impressionnistes seront toujours appréciés de quiconque [*être*, prés.] épris de lumière et de couleurs. — 2. Je souhaite que tu sois conseillé par qui [*avoir* : fait considéré simplement dans la pensée] suffisamment d'expérience. — 3. Puissions-nous, si un malheur arrive, être réconfortés par qui [*comprendre* : fait considéré dans la pensée] notre peine. — 4. Ces céréales seront évitées par quiconque [*être*, prés.] allergique au gluten. — 5. Il y a des légumes oubliés qui seraient consommés par qui les [*apprécier* : fait éventuel].

7. Subordonnées compléments de nom ou de pronom (subordonnées relatives)

[PG § 484-486]

Le rêve que j'ai eu cette nuit-là

> J'étais dans une campagne. Une grande campagne triste où il n'y avait pas d'herbe. Il ne me semblait pas qu'il fît jour ni qu'il fît nuit.
> Je me promenais avec mon frère, le frère de mes années d'enfance, ce frère auquel je dois dire que je ne pense jamais et dont je ne me souviens presque plus.
> Nous causions, et nous rencontrions des passants. Nous parlions d'une voisine que nous avions eue autrefois, et qui, depuis qu'elle demeurait sur la rue, travaillait la fenêtre toujours ouverte. Tout en causant, nous avions froid à cause de cette fenêtre ouverte.
> Il n'y avait pas d'arbres dans la campagne.
> Nous vîmes un homme qui passa près de nous. C'était un homme tout nu couleur de cendre monté sur un cheval couleur de terre.
>
> Victor Hugo, *Les misérables.*

700 Relevez, dans ce texte, les subordonnées relatives (il y en a six)**; pour chacune d'elles, indiquez le nom antécédent.**

701 Repérez les subordonnées relatives et pour chacune d'elles le nom ou le pronom antécédent qu'elle complète.

a) 1. Maman a sa rocaille qu'elle entretient avec amour et où voisinent dans l'harmonie cactus, rosiers et fleurs des champs. (A. Wiazemsky) — 2. Andrés ne parlait pas d'eux, ni des problèmes auxquels ils devaient faire face. (J. M. G. Le Clézio) — 3. Au contraire des escarbilles qui sont les hôtes des cendres, les escargots aiment la terre humide. (F. Ponge) — 4. Pourquoi attends-tu qu'on te dise ce qu'il faut penser sur les événements évidents ? (H. Liman) — 5. Elle actionne l'essuie-glace qui découpe deux tranches de camembert sur la vitre. (J. Dunilac)

b) 1. Et chacun croit fort aisément Ce qu'il craint et ce qu'il désire. (J. de La Fontaine) — 2. Les rivières sont des chemins qui marchent. (B. Pascal) — 3. Ceux qui vivent, ce sont ceux qui luttent, ce sont Ceux dont un dessein ferme emplit l'âme et le front. (V. Hugo) — 4. Notre pire souffrance n'est-elle pas de ne pouvoir imaginer l'endroit où ceux que nous aimons nous évitent? (J. Cocteau) — 5. Les seuls maîtres auxquels Ferdinand se montrât docile étaient son maître d'armes et son maître de manège. (Ph. Hériat)

[PG § 509] **ORTHOGRAPHE** 1. *Événement* peut désormais s'écrire *évènement.*

2. Ne confondez pas le *dess**ein*** (le but, l'intention) et le *dess**in*** (la représentation graphique).

[PG § 499] 3. *Maître* peut s'écrire aujourd'hui sans accent circonflexe.

702 Distinguez, parmi les subordonnées relatives, celles qui sont compléments déterminatifs et celles qui sont compléments explicatifs.

1. Je cueille les mûres et fraises sauvages qui poussent le long de la treille. (G. Pingeon) — 2. Restait le baiser d'Aurore, léger comme une aile de papillon, qui avait fait s'envoler les mauvais jours. (J. M. G. Le Clézio) — 3. M'éveillant au petit jour, j'entendis des voix joyeuses qui venaient de l'extérieur. (C. Challandes) — 4. À ce régime, l'argent qu'il avait gagné en effectuant des services à l'hôpital Saint-Thomas ne fondrait pas trop tôt. (J. M. G. Le Clézio) — 5. Certains bébés toussaient d'une manière qui devait leur déchirer les bronches. (C. Challandes)

[PG § 499] **ORTHOGRAPHE** *Mûre* peut désormais s'écrire sans accent sur le ***–u.***

703 Formez, sur chacun des thèmes suivants, une phrase contenant une subordonnée relative:

a) *Relative complément déterminatif*: 1. Un livre. — 2. Une photo. — 3. Le sport.

b) *Relative complément explicatif*: 1. Le travail. — 2. Les savants. — 3. Les œuvres d'art.

704 Transformez les subordonnées circonstancielles en subordonnées relatives.

1. Pour me rendre en ville, je prends le tram *parce qu'il circule au bout de ma rue.* — 2. Un bon pédagogue donne à lire aux enfants des livres tels *qu'ils soient adaptés à leur âge.* — 3. Ne te fie pas aux apparences, *parce qu'elles sont souvent trompeuses.* — 4. Un homme, *s'il savait plusieurs langues étrangères,* comprendrait mieux qu'un autre une foule de choses. — 5. Notre équipe, *bien qu'elle eût conquis la première place du classement général,* s'est fait battre sur son terrain.

705 Justifiez l'emploi du mode.

a) 1. Faites-vous des amis en qui vous *puissiez* avoir confiance. — 2. Nous avons des amis en qui nous *pouvons* avoir confiance. — 3. Est-il un homme qui *puisse* se vanter de n'avoir nul besoin de l'aide d'autrui? — 4. C'est le seul poste que vous *puissiez* remplir. — 5. C'est le seul poste que vous *pouvez* remplir. — 6. Cherchez le mot propre, qui *convienne* exactement à l'idée à exprimer.

b) 1. Le plus fort est celui qui *tient* sa force en bride. (V. Hugo) — 2. Il n'y a donc rien à quoi la vertu *soit* préférable. (D. Diderot) — 3. Je souhaiterais un jardin sauvage où les fleurs se *répandraient* librement. (J. Chardonne) — 4. Nous descendons vers Nazareth, à la recherche d'un menuisier qui *sache* nous faire une caisse. (P. Loti)

706 Mettez au mode convenable les verbes en italique.

a) 1. Nous ferons un bouquet des fleurs que nous [*cueillir*, prés.]. — 2. Quelle tenue mettrais-je qui [*être*, prés.] assez élégante pour sortir ? — 3. Il y a encore des gens qui vous [*donner*, prés.] l'hospitalité si vous la leur demandiez. — 4. Les villes que nous [*préférer*, prés.] sont celles que des cours d'eau [*traverser*, prés.]. — 5. Est-il un spectacle qui [*valoir*, prés., fait envisagé dans la pensée] celui que nous [*venir*, prés.] de voir ? — 6. De tous les livres de cet auteur, celui-ci est le seul qui me [*plaire*, prés.].

b) 1. La dernière fois que je le [*croiser*, passé, fait considéré dans sa réalité], il m'a paru très fatigué. — 2. Le vélo et la marche sont les sports auxquels vous vous [*adonner*, prés.] le plus aisément. — 3. Je cherche un ami qui me [*comprendre*, prés., idée de but] — 4. J'ai trouvé un ami qui me [*comprendre*, prés., fait réel] — 5. Un joueur de tennis qui [*perdre*, prés., fait éventuel] un match au début du tournoi décevrait le public.

707 Composez sur chacun des thèmes suivants une phrase contenant une subordonnée relative.

a) *Avec le verbe à l'indicatif*: 1. Nos projets. — 2. Mes plus beaux souvenirs.

b) *Avec le verbe au subjonctif*: 1. Un cadeau. — 2. Un ami.

c) *Avec le verbe au conditionnel*: 1. La connaissance des langues. — 2. Des îles lointaines.

d) *Avec le verbe à l'infinitif*: 1. Un lieu. — 2. La communication.

ORTHOGRAPHE *Île* peut désormais s'écrire sans accent sur le *–i*. [PG § 499]

8. Subordonnées compléments d'adjectif [PG § 487-488]

708 Repérez les subordonnées compléments d'adjectif; marquez d'une manière distincte l'adjectif complété.

1. Isabelle est triste que ses amis doivent quitter le pays car elle n'est pas certaine qu'elle les reverra un jour. — 2. Je suis déçu de ce que nous n'ayons pas gagné la partie, j'étais

pourtant sûr qu'aujourd'hui toutes les chances étaient de notre côté ! — 3. Ce sac est moins encombrant qu'il n'en a l'air mais plus lourd que je ne le voudrais. — 4. Catherine, heureuse que son mémoire touche à sa fin, retrouve le sommeil. — 5. L'hôtesse, attentive à ce que tout le monde soit bien installé et soucieuse de ce que personne ne manque de rien, ne sait plus où donner de la tête. — 6. Le père de Pierre, fier de ce que son fils ait réussi brillamment ses études, en parle à tout le monde.

VOCABULAIRE *Ne savoir où donner de la tête* signifie « être débordé, dépassé par les tâches à accomplir, ne savoir que faire ».

709 Complétez les subordonnées compléments d'adjectif.

1. Nous sommes heureux que … — 2. Mon père paraît soucieux de ce que … — 3. Êtes-vous certain que … ? — 4. Nous ne devons pas être fâchés que … — 5. Vexée de ce que … , Caroline se jura qu'elle ne mettrait plus jamais les pieds dans cet endroit.

[PG § 499] ORTHOGRAPHE *Paraître* peut désormais s'écrire sans accent sur le *–i*.

710 Faites entrer chacune des expressions suivantes dans une subordonnée complément d'adjectif :

1. Digne que … — 2. Sûr que … — 3. Furieux de ce que … — 4. Attentif à ce que … — 5. Tout content que …

711 Mettez au mode convenable les verbes en italique.

1. Un savant qui a voué son existence aux progrès de la science est digne que nous l'[*admirer*, prés.]. — 2. Plusieurs soucis vous tracassent : êtes-vous certain qu'ils [*être* : fait envisagé dans le pensée] vraiment catastrophiques ? Il est souvent difficile de rester aussi serein qu'on ne le [*vouloir*, prés., fait envisagé dans la pensée]. — 3. Convaincue que nous [*devoir*, prés.] être solidaires des plus démunis, ma concierge est fière que son neveu [*faire*, prés.] partie d'un convoi humanitaire. — 4. Foureau souriait d'une façon narquoise, jaloux de ce qu'ils [*avoir*, imparf.] un divertissement au-dessus de sa compétence. (G. Flaubert) —5. Jean demeura un peu froissé que son frère [*parler* : plus-que-parfait, fait envisagé dans la pensée] de cela. (G. de Maupassant)

ORTHOGRAPHE Ne confondez pas l'adjectif ***serein(-e)***, signifiant « calme, paisible », de la famille de *sérénité* et de *rasséréner*, avec le ***serin***, le petit oiseau chanteur, le canari.

RÉCAPITULATION

Les propositions
Exercices sur l'analyse des phrases

712 Décomposez en leurs diverses propositions (nature, fonction) les phrases suivantes :

a) 1. Ce jeu semble passionnant, mais les règles en sont compliquées. — 2. Les gîtes ruraux et les terrains de camping attirent beaucoup de touristes dans la région. — 3. On frappe à ma porte ; j'ouvre : mon frère se jette dans mes bras. — 4. À l'impossible nul n'est tenu, dit le proverbe. — 5. L'ascension était difficile ; cependant nous sommes parvenus au sommet. — 6. À bon chat, bon rat.

b) 1. Un baudet chargé de reliques S'imagina qu'on l'adorait. (J. de La Fontaine) — 2. Les premières gouttes de pluie résonnaient contre les vitres comme je montais à ma chambre. (J. Green) — 3. À Dieu ne plaise que je fasse le procès du mécanisme. (M. Barrès) — 4. D'une petite bonbonnière de métal il tirait des boules de gomme, qu'il mâchonnait lentement. (M. Genevoix) — 5. Avant que l'on se décidât à allumer la lampe, il s'écoulait toujours quelques minutes durant lesquelles le foyer nous éclairait tout seul. (R. Boylesve)

ORTHOGRAPHE *Gîte* peut désormais s'écrire sans accent sur le ***–i***. [PG § 499]

VOCABULAIRE *Relique* : reste du corps d'un saint ou objet relatif à son culte que les fidèles vénèrent.

713 Même exercice.

1. Un proverbe affirme qu'une hirondelle ne fait pas le printemps. — 2. Il faut qu'on exerce sa mémoire. — 3. Bien des gens conviennent facilement qu'ils ont tort, mais ils n'admettent guère qu'on les en blâme. — 4. Qui veut la fin veut les moyens. — 5. Il y a des soirs sinistres où la tramontane vous soufflette à tous les coins de rues. (V. Larbaud) — 6. Nous mangions notre pain de si bon appétit Que les femmes riaient quand nous passions près d'elles. (V. Hugo) — 7. L'enfance est le tout d'une vie, puisqu'elle nous en donne la clef. (Fr. Mauriac) — 8. On entendait tinter des clarines derrière le torrent. (H. Bosco) — 9. Ôte donc ton masque, que nous voyions ta face réjouie. (R. Töpffer)

VOCABULAIRE 1. La *tramontane* est un vent froid soufflant dans le Languedoc et le Roussillon. L'expression *perdre la tramontane* signifiant : être désorienté, perdre le nord, ne plus savoir ce qu'on fait ou dit, vient d'une acceptation ancienne du mot, la *tramontane* désignait aussi l'étoile polaire.

2. *Clarine* : clochette de bétail.

ORTHOGRAPHE *Souffleter* signifie « gifler ». Comme les autres verbes en –eter, à l'exception de *jeter* et de ses composés, il se conjugue maintenant comme acheter : ***il soufflète***. [PG § 500]

714 Discernez, dans les phrases suivantes, les diverses propositions (nature, fonction) :

1. La pensée qu'il faudrait quitter la maison me remplissait de mélancolie. — 2. Cette cérémonie achevée, on retourna à la pierre du tombeau. (R. de Chateaubriand) — 3. Mon excuse est que je ne savais pas ce que je disais. (J. Green) — 4. Il m'est impossible, quoi que je fasse, de rester indifférent devant la souffrance. (A. de Musset) — 5. Nous vîmes les nuées s'ouvrir et tomber le feu du ciel qui éclaira, une seconde, nos visages attentifs. (Fr. Mauriac) — 6. Il pourrait bien sortir avec moi, qu'on le voie un peu… (A. Chamson) — 7. Tout bonheur me paraît haïssable qui ne s'obtient qu'aux dépens d'autrui et par des possessions dont on le prive. (A. Gide) — 8. On apercevait une allée très mélancolique de tombes, où des promeneurs en deuil circulaient par petits groupes, cependant qu'un ciel menaçant assombrissait la terre. (H. Bosco)

[PG § 499] ORTHOGRAPHE *Paraître* peut désormais s'écrire sans accent sur le ***-i***.

715 Discernez les diverses propositions (nature, fonction).

Le prestidigitateur

a) Il monta sur une chaise, se coiffa d'un bonnet pointu parsemé d'étoiles et retroussa les manches de son veston. Nous le vîmes tirer de sa trousse un œuf, qu'il palpa longuement ; il le roula si bien dans sa main qu'il en tira soudain trois mouchoirs de soie noués bout à bout, et qui figuraient le drapeau français.

b) Ensuite il dévissa un petit cylindre plein de terre, qu'il agita pour qu'on entendît bien le son que rendaient ses parois, le revissa ; après qu'il l'eut frôlé de sa baguette magique, le couvercle à nouveau revissé, nous regardâmes sortir du mystérieux cylindre un arbrisseau de carton verdâtre.

c) Enfin, saisissant un long couteau, il se le planta dans la paume avec des grimaces de douleur, pendant qu'un crissement de ressort nous avertissait qu'au lieu de traverser les chairs saignantes, la lame s'enfonçait dans le manche.

D'après Henri TROYAT, *Faux jour*. Paris, Éd. Plon.

716 Discernez les diverses propositions (nature, fonction).

1. Il n'est pas indispensable que nous arrivions toujours au succès ; l'important est que nous fassions tout notre possible. — 2. Si tu vois un tambour battre rapidement, dit un proverbe marocain, sache qu'il va s'arrêter. — 3. La température s'abaissa au point que Germaine demanda qu'on allumât des bourrées dans la cheminée. (J. Green) — 4. Il faut à la foule un vivant à qui rattacher ses espérances. (J. et J. Tharaud) — 5. On entend l'eau bouillir dans un pot de terre fumé, d'où sort une odeur de soupe rance. (Fr. Jammes) — 6. Ma seule consolation, quand je montais me coucher, était que ma mère viendrait m'embrasser quand je serais dans mon lit. (M. Proust)

ORTHOGRAPHE *Une bourrée* désigne régionalement « un fagot de menues branches ».

717 Même exercice.

1. Bertrand sûr que tout le monde le croyait à l'étranger, pénétra dans la salle, comme un acteur fait son entrée sur scène. — 2. Est-il un homme si parfait que la flatterie n'ait aucune prise sur lui ? — 3. Il y avait en face de chez Mlle Cloque un savetier que l'on voyait travailler à toute heure derrière sa rangée de chaussures ressemelées, sans que l'on pût savoir à quel moment ce diable d'homme prenait ses repas. (R. Boylesve) — 4. Je n'ose pas encore réclamer un poêle, bien que je sente, moi qui suis très frileuse, que je ne pourrai continuer d'habiter cette mortelle chambre l'hiver. (O. Mirbeau)

718 Décomposez en ses diverses propositions (nature, fonction) **les phrases du texte suivant :**

Les histoires de grand-mère

J'aime ma grand-mère d'un amour infini. J'aime les gâteries de toutes sortes dont elle me comble. J'éprouve un délicieux plaisir, quand vient le soir, à me pelotonner dans ses bras et je lui demande qu'elle me raconte des histoires. Elle les raconte si bien que je ne m'en rassasie jamais. Dès que l'une est terminée, j'insiste pour qu'elle m'en raconte une autre : « Encore une, grand-maman ! » Je tressaille de bonheur quand j'entends sortir de ses lèvres les mots annonciateurs de choses merveilleuses : « Il était une fois… » Et si elle s'arrête, je l'embrasse de peur qu'elle ne me dise : « Assez pour aujourd'hui ! Il faut que tu ailles dormir maintenant… »

9. Concordance des temps

[PG § 489-491]

719 Employez à l'indicatif et au temps convenable les verbes en italique.

a) 1. Elle [*dormir*] à poings fermés quand l'orage éclata. — 2. Il est évident que la paix [*valoir*] mieux que la guerre. — 3. Ils étaient persuadés qu'il [*arriver*] à temps. — 4. Mon grand-père me racontait que, dans son enfance, il [*voir*] des chasseurs rapporter au village un grand loup qu'ils [*tuer*]. — 5. Qui sait si vous [*retrouver*] demain l'opportunité d'aujourd'hui ? — 6. Il déclara qu'il [*revenir*] dans peu de jours.

b) 1. Il savait que la méfiance [*être*] mère de la sûreté. (J. de La Fontaine) — 2. Lorsque je [*écrire*] ces lignes, je les montrai à la maman de Caillou. (P. Mille) — 3. Quand je [*être*, antériorité] docile, mademoiselle de Gœcklin me faisait cadeau d'une image. (A. Gide) — 4. Ils parvinrent à un endroit où la route [*monter*, simultanéité] et [*faire*, id.] un angle droit. (A. Maurois) — 5. Je sens bien que M. Krauset ne nous [*quitter*, postériorité] plus désormais. (G. Duhamel) — 6. C'est l'instruction qui me manque. Si je [*lire*, antériorité] plus de livres, je ferais mieux encore. (H. Troyat)

VOCABULAIRE *Dormir à poings fermés* signifie « dormir profondément ». On trouve le mot *poing* dans quelques expressions. *Serrer les poings*, c'est « supporter en silence », *taper du* *poing sur la table*, « faire preuve d'autorité », *être pieds et poings liés*, « être totalement impuissant ».

[PG § 499] ORTHOGRAPHE *Sûreté* peut s'écrire aujourd'hui sans accent circonflexe.

720 Complétez la principale en mettant dans la subordonnée divers temps de l'indicatif.

Idée subordonnée : *faire ce travail.*

1. Je crois que ... (7 phrases, en variant le temps dans la subordonnée)
2. Je croyais que ... (simultanéité : 2 phrases ; — postériorité : 2 phrases ; — antériorité : 2 phrases).

721 Justifiez, par les règles de la concordance des temps, l'emploi des temps du subjonctif.

1. Personne ne nie qu'il ne *soit* avantageux de savoir plusieurs langues étrangères. — 2. Nous nous étonnons que certains penseurs de l'Antiquité *aient cru* que la Terre était plane. — 3. J'étais enchanté que ma grand-mère me *donnât* à remuer le fabuleux mélange de boutons qu'elle gardait dans un coffret de chêne ciré. — 4. Que vouliez-vous qu'il *fît* contre trois ? — Qu'il *mourût* ! (P. Corneille) — 5. Il ne faut pas prendre de décision avant que l'on *ait pesé* le pour et le contre. — 6. Je doute que les hommes *fussent* plus heureux s'ils pouvaient connaître l'avenir. — 7. Je demeurais quelquefois une heure dans une compagnie sans qu'on m'*eût regardé*. (Montesquieu)

VOCABULAIRE *Peser le pour et le contre* veut dire « comparer les avantages et les inconvénients d'une situation ou d'une décision comme au moyen d'une balance », on dira aussi *tout bien pesé* pour « après avoir bien réfléchi ». On peut aussi *peser ses mots*, c'est-à-dire « les choisir avec circonspection » ou *ne pas peser lourd*, « avoir peu d'importance ».

[PG § 499] ORTHOGRAPHE *Connaître* peut s'écrire aujourd'hui sans accent circonflexe.

722 Mettez le verbe principal à l'imparfait et employez dans la subordonnée le temps convenable du subjonctif.

1. Je veux qu'il m'*avertisse*. — 2. Nous ne croyons pas que cela *puisse* arriver. — 3. Il entre sans qu'on s'en *aperçoive*. — 4. Ce cheval ne cesse de ruer jusqu'à ce qu'il *ait mis* son cavalier à bas. — 5. La modestie de ce savant n'empêche pas qu'il ne *sente* son mérite. — 6. Il est généreux, quoiqu'il *soit* économe. — 7. Bien qu'on l'*ait averti* du danger, il veut tenter l'escalade.

723 Employez au subjonctif, et au temps convenable, les verbes en italique.

a) 1. Il arrive que l'événement ne [*répondre*] pas à notre attente. — 2. Je souhaiterais que vous [*accorder*] vos actes et vos convictions. — 3. Je doute que les hommes [*être*] plus heureux s'ils pouvaient connaître l'avenir. — 4. On nous congédia sans que nous [*exposer*, antériorité] l'objet de notre visite.

b) 1. Une heure passa sans que je [*avoir*, simultanéité] la force de me lever. (J. Green) — 2. Je tiens pour mauvais qu'on [*faire*, simultanéité] dans un pays des distinctions de races. (A. France) — 3. Je conviens qu'il est juste Que mon cœur [*saigner*, antériorité], puisque Dieu l'a voulu. (V. Hugo) — 4. Les Romains ne voulaient point de batailles hasardées mal

à propos ni de victoires qui [*coûter*, postériorité] trop de sang. (Bossuet) — 5. Il semblait que le cœur de chacun [*s'endurcir*, antériorité]. (A. Camus) — 6. Nous ne croyons pas qu'il [*commettre*, antériorité] ce crime. (Montesquieu)

ORTHOGRAPHE Le mot *événement* peut désormais s'écrire *évènement* [PG § 509]

2. *Connaître* peut s'écrire aujourd'hui sans accent circonflexe. [PG § 499]

724 Même exercice.

a) 1. Quoi que ma grand-mère [*faire*], elle le faisait avec un soin méticuleux. — 2. Les Égyptiens, dit Bossuet, sont les premiers où l'on [*savoir*, antériorité] les règles du gouvernement. — 3. Débordées, les infirmières se plaignaient que l'on ne [*pouvoir*, simultanéité] engager plus de personnel.

b) 1. Le printemps venait; quoique l'air [*être*] encore froid, on y sentait circuler des brises déjà tièdes. — 2. Les anciens Gaulois, dit-on, ne craignaient qu'une chose, c'est que le ciel ne [*tomber*] sur leur tête. — 3. Un moment après éclata un des plus beaux orages que je [*voir*, antériorité relativement au moment où l'on est]. (V. Hugo) — 4. Ses cils étaient si longs, si noirs, qu'on les [*prendre*, simultanéité] pour des plumes peintes. (P. Loti)

725 Dans chacune des phrases suivantes, le verbe subordonné, au subjonctif, peut être mis à deux temps différents; lesquels? [Notez que l'un des deux est uniquement «littéraire», et le plus souvent «apprêté» et «puriste» ou encore «plaisant».]

1. Je souhaiterais que chacun de vous [*avoir*] son matériel — 2. Il serait bien que chacun [*apporter*] sa contribution à la protection de la nature. — 3. Je voudrais que vous me [*permettre*] de parler. — 4. Il me serait agréable que vous [*arriver*] à l'heure. — 5. Il faudrait que je le [*voir*] avant son départ. — 6. On aimerait que vous [*savoir*] parfaitement les règles de la concordance des temps. — 7. Il ne faudrait pas que nous [*s'embarrasser*] de tant de bagages.

10. Discours indirect

[PG § 492-493]

Scène de ménage chez les Blanchet

> La chose n'en alla que plus mal; Blanchet jura qu'elle était amoureuse de cette marchandise d'hôpital, qu'il en rougissait pour elle, et que, si elle ne mettait pas ce champi à la porte sans délibérer, il se promettait de l'assommer et de le moudre comme grain.
>
> Sur quoi, elle lui répondit plus haut qu'elle n'avait coutume, qu'il était bien le maître de renvoyer de chez lui qui bon lui semblait, mais non d'offenser ni d'insulter son honnête femme, et qu'elle s'en plaindrait au bon Dieu et aux saints du paradis comme d'une injustice qui lui faisait trop de tort et trop de peine.
>
> George SAND, *François le Champi*.

726 Mettez en style direct (et au présent) le texte ci-dessus.

Commencez ainsi : Blanchet jure : «Vous êtes amoureuse de cette marchandise... »

VOCABULAIRE 1. Un *champi* était un enfant trouvé dans les champs.

2. *Mettre à la porte* : « renvoyer de chez soi, congédier ».

3. *Délibérer* signifie « discuter à plusieurs avant de prendre une décision » ou simplement « réfléchir, peser le pour et le contre ».

4. *Avoir coutume de* signifie « avoir l'habitude de ».

[PG § 499] 5. *Être le maître de* suivi d'un infinitif signifie « avoir le droit de… ». *Maître* peut désormais s'écrire *maitre*.

6. *Qui bon vous semble* : « celui qui vous convient ».

7. *Faire du tort*, c'est nuire, *faire de la peine*, chagriner.

727 Discernez les phrases où l'on a le discours direct et celles où l'on a le discours indirect.

1. Joubert disait : « Ferme les yeux, et tu verras ». — 2. Le loup répondit qu'il fallait qu'il se vengeât. — 3. Il dit, en effet, que le plus difficile, c'était de trouver à manger. (J. Giono) — 4. Sire, dit le renard, vous êtes trop bon roi. — 5. Un proverbe dit que la faim chasse le loup du bois. — 6. Bonté divine ! dit M. Seguin ; mais qu'est-ce qu'on leur fait donc à mes chèvres ? (A. Daudet)

728 Complétez les phrases suivantes en employant :

a) *Le discours direct* : 1. Le ministre déclare … — 2. Mon ami m'a dit … — 3. Un proverbe affirme … — 4. Mon père répète souvent …

b) *Le discours indirect* : 1. La vendeuse répondit à la cliente … — 2. Beaucoup de grammairiens affirment … — 3. Ma sœur me répète souvent … — 4. Le bulletin météorologique annonce …

[PG § 492R]

729 Transformez les phrases suivantes par l'emploi du style indirect libre :

1. Une femme se présenta et raconta que le malheur l'avait frappée, que son mari était malade, que ses enfants manquaient de vêtements, que son loyer n'était pas payé, qu'elle était absolument sans ressources. — 2. Pour la rassurer, James répondit à la marquise que les voleurs n'avaient rien pris à part quelques bijoux et que, si l'incendie avait ravagé le château, il avait laissé les écuries intactes.

730 Transformez les phrases suivantes par le passage du style indirect libre au style indirect ordinaire :

1. Comme elle hésitait à accompagner ses amis en Chine, Catherine leur fit cet aveu : elle était claustrophobe, elle avait le mal des transports ; bref, elle était terrorisée à l'idée de prendre l'avion. — 2. Tante Louise vint prendre de nos nouvelles : elle avait appris nos ennuis ; comment se serait-elle dispensée de nous faire une visite ? N'avait-elle pas bien des raisons de nous montrer son affection ? Elle s'offrait à nous aider de tout son pouvoir ; Dieu d'ailleurs nous soutiendrait.

VOCABULAIRE *Claustrophobe* contient l'élément d'origine grecque ***–phobe*** (« crainte » et de là, parfois, « haine ») et signifie « qui a peur des lieux clos » ; son contraire qui désigne « celui qui craint les lieux publics» est *agoraphobe*. Sur le même modèle, on a aussi *xénophobe*, «hostile aux étrangers», *zoophobe*, «qui craint certains animaux», *hydrophobe*, «qui a une peur morbide de l'eau».

731 Transformez les phrases suivantes par le passage du style indirect au style direct:

1. Pascal a dit que l'homme est un roseau, mais un roseau pensant. – 2. Si quelqu'un affirme qu'il vient de traverser l'Atlantique à la nage, le croirez-vous? – 3. Avant les élections, les médias nous répètent que le vote est secret. – 4. Dieu dit à Moïse qu'il frappât le rocher et qu'il en jaillirait de l'eau – 5. Après le repas, les convives s'exclamèrent qu'ils ne s'attendaient pas à pareil festin, que rarement ils avaient mangé plats aussi goûteux et que Danièle était un véritable cordon bleu. – 6. La caissière m'avertit que le supermarché ferme ses portes dans dix minutes et que je dois me dépêcher de terminer mes courses. – 7. Une femme m'ouvrit, à qui je racontai que je m'étais perdu, que d'être sans argent ne m'empêchait pas d'avoir faim, et que peut-être on serait assez bon pour me donner à manger et à boire; après quoi, je regagnerais mon wagon remisé. (A. Gide)

ORTHOGRAPHE *Goûteux* peut s'écrire aujourd'hui sans accent circonflexe. [PG § 499]

732 Transformez les phrases suivantes par le passage du style direct au style indirect:

1. Gilles m'a dit : «Je pars en vacances demain.» — 2. Je ne demande rien, capitaine, dit-il avec une voix aussi douce que de coutume; je serais désolé de vous faire manquer à vos devoirs. (A. de Vigny) — 3. Le proverbe l'affirme: une hirondelle ne fait pas le printemps. — 4. «En raison de l'intensité du trafic aérien, annonce le pilote, l'avion atterrira avec un peu de retard.» — 5. L'avare Harpagon, à qui on avait volé sa cassette, criait: «Je suis perdu, je suis assassiné, on m'a coupé la gorge: on m'a dérobé mon argent!»

733 Même exercice.

a) 1. Il déclara: «Je pense librement et je vous dis tout ce que je pense.» — 2. En rentrant chez les Smith, Mary leur dit : «Je suis la bonne. J'ai passé un après-midi très agréable. J'ai été au cinéma avec un homme et j'ai vu un film avec des femmes...» (E. Ionesco) — 3. «Tu as raison, écrivait Guizot à sa fille, de vouloir t'élever un peu toi-même; tu le peux, car tu as beaucoup d'intelligence et un excellent cœur; tu sais parfaitement quand tu as tort et tu ne veux jamais faire de chagrin à ceux que tu aimes.»

b) 1. «Je m'appelle Pierre, dit-il, Pierre Bonnard. Je suis peintre.» (G. Goffette) — 2. Le chêne un jour dit au roseau: «Vous avez bien sujet d'accuser la nature: Un roitelet pour vous est un pesant fardeau; Le moindre vent qui d'aventure Fait rider la face de l'eau, Vous oblige à baisser la tête.» (J. de La Fontaine) — 3. Le laboureur disait à ses enfants: «Gardez-vous de vendre l'héritage Que nous ont laissé nos parents: Un trésor est caché dedans. Je ne sais pas l'endroit; mais un peu de courage Vous le fera trouver.»

[PG § 492R] **734 Transformez ce texte par le passage du discours indirect libre au discours direct.**

Les consignes du jour

Le lendemain, Mr. Frogg le fit venir et lui recommanda en termes fort brefs, de s'occuper du déjeuner de Mrs. Aouda. Pour lui, il se contenterait d'une tasse de thé et d'une rôtie. Mrs. Aouda voudrait bien l'excuser pour le déjeuner et le dîner, car tout son temps était consacré à mettre ordre à ses affaires. Il ne descendrait pas. Le soir seulement, il demanderait à Mrs. Aouda la permission de l'entretenir pendant quelques instants.

Jules VERNE, *Le tour du monde en quatre-vingts jours.*

[PG § 499] ORTHOGRAPHE *Dîner* peut s'écrire aujourd'hui sans accent circonflexe.

735 Transformez le texte suivant par l'emploi du discours indirect:

Tout a commencé là...

« J'ai été élevé en province, dit le narrateur, mis en demeure de raconter, et dans la maison paternelle. Mon père habitait une bourgade jetée nonchalamment les pieds dans l'eau, au bas d'une montagne, dans un pays que je ne nommerai pas, et près d'une petite ville qu'on reconnaîtra quand j'aurai dit qu'elle est, ou du moins qu'elle était, dans ce temps, la plus profondément et la plus férocement aristocratique de France. Je n'ai depuis, rien vu de pareil. »

J. BARBEY D'AUREVILLY, *Les diaboliques.*

[PG § 499] ORTHOGRAPHE *Reconnaître* peut s'écrire aujourd'hui sans accent circonflexe.

736 Même exercice.

Guerre ou paix

Ceux qui voulaient la paix avec la Castille disaient : nous sommes faibles et les *Roum* sont puissants; nous sommes abandonnés par nos frères d'Égypte et du Maghreb, alors que nos ennemis ont l'appui de Rome et de tous les chrétiens; nous avons perdu Gibraltar, Alhama, Ronda, Marbella, Malaga, et bien d'autres places, et tant que la paix ne sera pas rétablie, la liste ne cessera de s'allonger; les vergers sont dévastés par les troupes et les paysans se plaignent; les routes ne sont plus sûres, les négociants ne peuvent plus s'approvisionner, (...)

Ceux qui voulaient la guerre disaient : l'ennemi a décidé une fois pour toutes de nous anéantir, et ce n'est pas en nous soumettant que nous le ferons reculer. Regardez comment les habitants de Malaga ont été réduits en esclavage après leur reddition!

Amin MAALOUF, *Léon l'Africain.* Paris, J.C. Lattès, 1989.

[PG § 499] ORTHOGRAPHE *Sûres* peut s'écrire aujourd'hui sans accent circonflexe.

La ponctuation

[PG § 80-94]

737 Mettez, à l'endroit marqué par un trait vertical, soit un point, soit un point d'interrogation, soit un point d'exclamation. [PG § 81-83]

a) 1. Depuis quelques jours, aucune lettre ne me parvenait | Un des rares après-midi où il tomba de la neige, mes frères me remirent un message du petit Grangier | C'était une lettre glaciale de Mme Grangier | Elle me priait de venir au plus vite | Que pouvait-elle me vouloir | (R. Radiguet) — 2. Est-ce que je rêve | Holà | Ouvrez | Qui viendra donc m'ouvrir | Hé | monsieur, ouvrez-moi, je vous prie | — 3. Aïe | Une guêpe m'a piqué | — 4. Le vrai bonheur qu'on a vient du bonheur qu'on donne |

b) 1. C'était quand déjà | S'en souvient-il seulement | Ah, il y a si longtemps, presque en une vie antérieure | (F. Cheng) — 2. Hélas | que de maux la guerre a répandu sur la surface de la terre | — 3. J'appelle un livre manqué celui qui laisse intact le lecteur | (A. Gide) — 4. Je me demande pourquoi nous ne sommes jamais contents de notre sort | — 5. Quand reverrai-je, hélas | de mon petit village Fumer la cheminée, et en quelle saison Reverrai-je le clos de ma pauvre maison, Qui m'est une province, et beaucoup davantage | (J. du Bellay) — 6. Oh | là là | que d'amours splendides j'ai rêvées | (A. Rimbaud)

ORTHOGRAPHE On peut désormais écrire *les après-midi* ou *les après-midis*. Selon les nouvelles normes, les noms comportant un trait d'union, composés d'une préposition et d'un nom suivent la règle des mots simples, la marque du pluriel est portée sur le second élément. [PG § 497]

[PG § 84] **738 Justifiez l'emploi de la virgule.**

a) 1. Les heures, les jours, les saisons passent inexorablement. — 2. La nuit était admirable, calme, chaude, ardemment étoilée comme une nuit de canicule. — 3. Pourquoi donc, cher ami, n'as-tu pas répondu à ma lettre ? — 4. Albert Schweitzer, ce grand philanthrope, a reçu en 1952 le prix Nobel de la paix. — 5. Dans les circonstances difficiles, le sage ne prend pas de décisions précipitées. — 6. Ni l'or, ni la grandeur, ni les plaisirs ne sauraient nous rendre pleinement heureux.

b) 1. Cueillez, cueillez votre jeunesse. (P. de Ronsard) — 2. Les lumières s'éteignent, les percussions résonnent, le spectacle commence. — 3. Pour le dessert, le menu propose ou une crêpe Suzette, ou une poire Belle-Hélène, ou une charlotte aux fraises. — 4. Rappelez-vous, mes enfants, que ni la télévision, ni la console de jeux, ni le téléphone ne sont autorisés pendant les heures d'étude. — 5. Cette personne ne conduit pas ; que lui fait, à elle, la hausse du prix de l'essence ? — 6. Le soir venu, nous avons fait halte.

c) 1. N'en dites rien surtout, car vous me feriez battre. (J. de La Fontaine) — 2. Les tentes des Indiens d'Amérique sont des tipis ; celles des Mongols, des yourtes. — 3. Miss Flora Ashburton, qui n'avait plus de famille, avait été d'abord l'institutrice de ma mère, puis sa compagne et bientôt son amie. (A. Gide) — 4. Et maintenant, dit le médecin, reposez-vous ! — 5. Le ciel s'étant couvert, la plage se dépeupla rapidement.

ORTHOGRAPHE 1. le son [œj] s'orthographie habituellement ***–euil***, comme dans *deuil, écureuil, feuille*, mais quand il est précédé des consonnes ***c-*** ou ***g-*** prononcées [k] ou [g], il s'écrit ***–ueil*** pour éviter, à la lecture, [sœj] ou [ʒœj] : *cueillir, recueil, orgueil.*

2. Ne confondez pas *r**é**sonner* (tinter, retentir) et son homonyme *r**ai**sonner* (penser, réfléchir). Notez aussi que *résonance, résonant(e), résonateur* n'ont qu'un ***–n***.

739 Mettez la virgule là où elle est demandée.

a) 1. Je déteste la violence. Elle est bruyante injuste passagère. (R. Nimier) — 2. Tu as brûlé mes lettres ma Juliette mais tu n'as pas détruit mon amour. (V. Hugo) — 3. Un rayon de joie brilla dans ses yeux mais ne tarda pas à disparaître. (B. Constant) — 4. Lorsque je reviendrai de vacances Marianne viendra juste de partir. — 5. À bord il y a Johan August Suter banqueroutier fuyard rôdeur vagabond voleur escroc. (B. Cendrars) — 6. Entrez entrez la visite va bientôt commencer.

b) 1. Les livres ont les mêmes ennemis que l'homme : le feu l'humide les bêtes le temps. Et leur propre contenu. (P. Valéry) — 2. Dans la pénombre de la pièce il me sembla voir les yeux de la jeune fille noircir. (J. Gracq) — 3. La mort mon fils est un bien pour tous les hommes ; elle est la nuit de ce jour inquiet qu'on appelle la vie. (J. Bernardin de Saint-Pierre) — 4. Freud que l'on considère comme le père de la psychanalyse était à la fois un médecin un chercheur et un théoricien. — 5. La guerre a cessé les hommes sont devenus des héros mais les femmes des veuves.

PRONONCIATION Contrairement à *héroïne, héroïsme* et *héroïque*, l'**h** de *héros* est aspiré, la liaison au pluriel porterait à ambiguïté. Par contre, *homme* et *humide* ont un **h** muet.

[PG § 499] **ORTHOGRAPHE** *Brûler* et *disparaître* peuvent s'écrire aujourd'hui sans accent circonflexe.

740 Même exercice.

a) 1. Le règlement vous le savez est le même pour tous. — 2. Dans la fraîcheur du soir des souffles tièdes des rumeurs des parfums subtils circulent doucement. — 3. Vous vos bergers vos chiens disait le loup à l'agneau vous ne m'épargnez guère. — 4. Ange plein de gaieté connaissez-vous l'angoisse? (Ch. Baudelaire) — 5. Quelque bien qu'on nous dise de nous on ne nous apprend rien de nouveau. (F. de La Rochefoucauld)

b) 1. Genève le 26 janvier 20… Monsieur Je vous ai fait savoir par ma lettre du 21 janvier qu'il me serait impossible en raison de circonstances imprévues de vous envoyer le rapport que vous m'avez demandé. — 2. Quelques martinets qui durant l'été s'enfonçaient dans les trous des murs étaient mes seuls compagnons. (R. de Chateaubriand) — 3. Pour parler de soi il faut parler de tout le reste. (S. de Beauvoir) — 4. Parmi les livres qui occupaient le loisir des deux captifs il se trouva des poésies des traductions de tragédies grecques quelques pièces du théâtre français. (Voltaire) — 5. Riez mes enfants riez! ça n'a rien de tragique! Dans cent ans aucun de nous n'y pensera plus! (B. Vian) — 6. Derrière la porte fermée de ma chambre je suis occupée à ce qu'il peut y avoir au monde de plus normal de plus légitime de plus louable je fais mes devoirs (…) (N. Sarraute)

ORTHOGRAPHE 1. *Gaieté* s'écrit aussi *gaîté*.

2. *Fraîcheur* peut s'écrire aujourd'hui sans accent circonflexe. [PG § 499]

741 Mettez, à l'endroit marqué par un trait vertical, soit un point-virgule, soit deux points, soit des points de suspension, soit des guillemets.

[PG § 85-87, 90]

a) 1. Chaque homme a trois caractères | celui qu'il a, celui qu'il montre et celui qu'il croit avoir. — 2. Soudain ma tante, pâlissant, dit d'une voix altérée | | Mon sac, Louis, n'as-tu pas vu mon sac? | — 3. Provoqué par ma chanson, un guerrier me perça le bras d'une flèche | je dis | | Frère, je te remercie. | (R. de Châteaubriand) — 4. Il allait revenir à cette tâche dure et simple de nommer le bonheur, en espérant qu'un jour | (Ph. Delerm) — 5. Si nous en croyons l'épitaphe que La Fontaine composa pour lui-même, le fabuliste faisait de son temps deux parts | l'une, il la passait à dormir | l'autre, il la passait à ne rien faire.

b) 1. Albert Camus a écrit quelque part | | Il n'y a rien de plus tragique que la vie d'un homme heureux. | (Ph. Delerm) — 2. L'accusé avoua qu'il | travaillait | dans le cambriolage et dans le vol à main armée. — 3. Bravement cet homme revint d'Amérique pour faire une révolution | dans la confiserie. — 4. La pauvre mère répétait sans cesse | | Ah! si j'avais pu prévoir | | — 5. Il faut, autant qu'on peut, obliger tout le monde | On a souvent besoin d'un plus petit que soi. (J. de La Fontaine)

742 Mettez, aux endroits marqués par des traits verticaux, les signes de ponctuation convenables.

[PG § 80-90]

a) 1. Quoi | Quand je dis | | Nicole | apportez-moi mes pantoufles | et me donnez mon bonnet de nuit | | c'est de la prose | | Molière | — 2. Trois choses sont nécessaires pour arriver au succès | le talent | la méthode | la persévérance | mais peu de gens les possèdent | — 3. Si tu veux qu'un homme ait à manger pour un jour | dit un proverbe chinois |

donne-lui un poisson | si tu veux qu'il ait à manger tous les jours | apprends-lui à pêcher | — 4. Hélas | si j'avais su | Mais que ferai-je à présent | — 5. Quand je rends un service | disait Franklin | je ne crois pas accorder une faveur | mais payer une dette | — 6. Maman m'a dit | | Christine | il fait froid | boutonne ton manteau | veux-tu | |

b) 1. Son premier soin | le matin | quand il est levé | est de savoir où il dînera | après dîner | il pense où il ira souper | — 2. Ce que nous savons | c'est une goutte d'eau | ce que nous ignorons | c'est un océan | — 3. Telle est la loi de l'univers | Si tu veux qu'on t'épargne | épargne aussi les autres | (J. de La Fontaine) — 4. Connaissez-vous le proverbe oriental | | Ne laissons pas croître l'herbe sur le chemin de l'amitié | | — 5. Ah | mon Dieu | pourquoi s'est-il enfui de la sorte | (A. de Vigny) — 6. Les carillons des cloches | au milieu de nos fêtes | semblaient augmenter l'allégresse publique | dans des calamités | au contraire | ces mêmes bruits devenaient terribles | (R. de Chateaubriand)

ORTHOGRAPHE 1. Dans la plupart des mots [-ufl] s'écrit – ***oufle*** : *pantoufle, moufle, camoufler*... excepté *souffle* et les mots de sa famille. Notons que les réformes orthographiques préconisent de reconnaître *boursouflé* et ses dérivés comme tels et de les écrire donc avec *–ff*

[PG § 499] 2. *Dîner* peut s'écrire aujourd'hui sans accent circonflexe.

LANGAGE La désignation des repas varie dans les pays de la francophonie. Beaucoup d'entre eux (Belgique, Burundi, Canada, Congo, Rwanda, Suisse) ont gardé les dénominations traditionnelles : le *déjeuner*, le matin ; le *dîner*, au milieu de la journée ; le *souper*, le soir. En France et dans d'autres pays, on parlera respectivement de *petit-déjeuner*, le matin ; de *déjeuner*, à midi et de *dîner*, le soir ; le *souper* n'étant pris que tard dans la nuit.

743 Mettez les divers signes de ponctuation.

Déjà !

Nous continuâmes donc à vivre comme auparavant moi toujours inquiet Ellénore toujours triste le comte de P taciturne et soucieux Enfin la lettre que j'attendais arriva mon père m'ordonnait de me rendre auprès de lui Je portai cette lettre à Ellénore Déjà me dit-elle après l'avoir lue je ne croyais pas que ce fût si tôt Puis fondant en larmes elle me prit la main et elle me dit Adolphe vous voyez que je ne puis vivre sans vous je ne sais ce qui arrivera de mon avenir mais je vous conjure de ne pas partir encore trouvez des prétextes pour rester Demandez à votre père de vous laisser prolonger votre séjour encore six mois Six mois est-ce donc si long

Benjamin Constant, *Adolphe*.

744 Même exercice.

Regrets sur ma vieille robe de chambre

Pourquoi ne l'avoir pas gardée Elle était faite à moi j'étais fait à elle Elle moulait tous les plis de mon corps sans le gêner j'étais pittoresque et beau L'autre raide empesée me mannequine Il n'y avait aucun besoin auquel sa complaisance ne se prêtât car l'indigence est presque toujours officieuse Un livre était-il couvert de poussière un de ses pans s'offrait à l'essuyer L'encre épaissie refusait-elle de couler de ma plume elle présentait le flanc On y voyait tracés en longues raies noires les fréquents services qu'elle m'avait rendus Ces longues raies annonçaient le littérateur l'écrivain l'homme qui travaille À présent j'ai l'air d'un riche fainéant on ne sait qui je suis

Denis DIDEROT.

Table des textes suivis

Chapitre 1

Pour un art poétique (R. Queneau) 7
Écrire : un jeu d'enfant ? (N. Sarraute) 8
Le cageot (F. Ponge) 10
Un havre (V. Hugo) 11

Chapitre 2

Baignade (H. Bosco) 13
Le chat et l'écrivain (P. Delerm) 15
L'aviateur monte vers les étoiles (A. de Saint-Exupéry) 16
Les gens du voyage (A. Ferney) 17
Calme et silence (G. Flaubert) 17
L'heureux homme ! (J.-P. Sartre) 19
Larguez les amarres ! (G. de Pourtalès) 20
La petite reine 21
Une tâche ingrate (A. Nothomb) 22
Tout m'avale (R. Ducharme) 24
Chassé-croisé amoureux (J. Harpman) 25
Une feuille tombe *27*
Feuillages d'automne *28*
Sensation chaude (H. Bauchau) 28
Les Champs Élysées (Fénelon) 29
Le grand café (Stendhal) 32
Que de politesses à un ours ! (Molière) 37
Crapaud (J. Renard) 39
Désenchantement (A. Cohen) 42

Chapitre 3

Adieu Vietnam (E. Orsenna) 45
Voyages… 46
Rénovation 60

Chapitre 4

Retour au port (G. Flaubert) 63
Étranges bûcherons (R. de Chateaubriand) 65
Confidences (Benjamin Constant) 66

Chapitre 5

Jeunes filles en fleurs (M. Proust) 72
Une jeune fille au pair 75
Le guépard (A. Demaison) 77
Florentine (G. Roy) 79
Le colonel et la tulipe (T. Owen) 82
Scènes de la vie étudiante 87
Une épitaphe (Montesquieu) 88
Un beau parti (Molière) 90
Une légende arabe 91
La princesse de Babylone (Voltaire) 92
La femme battue (Voltaire) 95
Promenade en ville (M. Duras) 97
Dans les gouffres (N. Casteret) 100
Moment de répit (J. Giono) 104

Chapitre 6

La flûte (Tahar Ben Jelloun) 108
La confession publique, tout un art (A. Camus) 112
Il naît sans père et porte chapeau (M. Rouanet) 114
Impressions nocturnes (A. de Vigny) 117

Chapitre 7

L'hôpital d'Oran (A. Camus) 121
Au fil de la conversation (K. Pancol) 124

Grimaces (M. Yourcenar) 126
Lan-ying fait revivre son jardin (F. Cheng) 127
Tout bascule (B. Vian) 129
En fuite (J.M.G. Le Clézio) 130
Instinct paternel (M. Godin) 133
Conseils (A. Dumas fils) 135
Rechercher un toit 143
Un passager aux idées larges (A. Cohen) 144
Le jardin après la pluie 153
Un sauvetage (Stendhal) 154
Vivre à la campagne (G. Perec) 156
Andouillon des îles au porto musqué (B. Vian) 157
Un avenir tout tracé (L. Hémon) 161
Préparatifs (Émile Zola) 161
La cour du vieux château (H. de Balzac) 164
L'hiver et le printemps 164
Un héros de son temps (D. Meur) 165
La première épouse (A. Maalouf) 166
La gelée (M. Gevers) 173
Au bord du bassin (V. Larbaud) 176
Notre petit (P. Claudel) 178
Piqûre d'églantier (G. Duhamel) 182
La forêt s'endort 186

Chapitre 8

À l'heure du départ (A. Kourouma) 189

Chapitre 9

Chez madame de Marelle (G. de Maupassant) 197
Les balades à pied 200

Chapitre 10

Le jeune paon (M. Aymé) 203

Chapitre 11

Auto-stop (G. Duhamel) 207

Chapitre 12

Planète en danger 209
Des écoliers distraits (H. Bosco) 211
Déclaration (P. Claudel) 214
New York, 1834 (B. Cendrars) 214
Au large ! 225
Le rêve que j'ai eu cette nuit-là (V. Hugo) 227
Le prestidigitateur (H. Troyat) 232
Les histoires de grand-mère 233
Scène de ménage chez les Blanchet (G. Sand) 235
Les consignes du jour (J. Verne) 238
Tout a commencé là... (J. B. d'Aurevilly) 238
Guerre ou paix (A. Maalouf) 238

Chapitre 13

Déjà ! (B. Constant) 242
Regrets sur ma vieille robe de chambre (D. Diderot) 243

Table des matières

Avant-propos 5

CHAPITRE 1

Les éléments de la langue

Les mots — leurs diverses espèces 7

CHAPITRE 2

La proposition

Phrase simple 13
Phrase composée 15
Le sujet 16
Compléments du verbe 19
Attribut 25
Déterminants du nom et du pronom 29
Complément de l'adjectif 34
Compléments de mots invariables 36
Mots en apostrophe — mots explétifs 37
Ellipse — pléonasme 38
Espèces de propositions 38
Coordination — juxtaposition 42

CHAPITRE 3

Le nom

Espèces de noms 45
Féminin des noms 49
Noms dont le genre est à remarquer 52
Noms à double genre 53
Pluriel des noms 54

Noms à double forme au pluriel 55
Pluriel des noms propres 56
Pluriel des noms composés 57
Pluriel des noms étrangers et des noms accidentels 59
Noms sans singulier ou sans pluriel
ou changeant de sens au pluriel 61

CHAPITRE 4

L'article

Espèces et emploi 63
Article devant «plus, moins, mieux» 65
Article partitif 66
Répétition de l'article 68
Omission de l'article 69

CHAPITRE 5

L'adjectif

Généralités 71
Féminin des adjectifs 73
Pluriel des adjectifs qualificatifs 76
Degrés des adjectifs qualificatifs 77
Accord de l'adjectif qualificatif 79
Mots désignant une couleur 82
Adjectifs composés 84
Adjectifs pris adverbialement 84
Accord de certains adjectifs 86
Place de l'adjectif épithète 88
Adjectifs numéraux 88
Adjectifs possessifs 92
Adjectifs démonstratifs 95
Adjectifs indéfinis 96
Sur le mot « quelque » 98
Sur le mot « tout » 100
Sur le mot « même » 102
Sur le mot « tel » 104

CHAPITRE 6

Le pronom

Emploi général 107
Pronoms personnels 108
Pronoms possessifs 111
Pronoms démonstratifs 112
Pronoms relatifs 114
Pronoms interrogatifs 116
Pronoms indéfinis 117

CHAPITRE 7

Le verbe

Espèces de verbes 122
Verbes pronominaux 123
Verbes impersonnels 125
Formes du verbe 126
Voix du verbe 127
Modes et temps 129
Verbes auxiliaires 130
Emploi des auxiliaires 132
La conjugaison 133
Conjugaison des verbes avoir et être 134
Les finales de chaque personne 134
Remarques sur la conjugaison de certains verbes 136
Conjugaison passive 143
Récapitulation 143
Conjugaison pronominale 144
Conjugaison impersonnelle 145
Conjugaison interrogative 145
Verbes irréguliers 146
Syntaxe des modes et des temps 154
Indicatif 154
Conditionnel 156
Impératif 157
Subjonctif 158
Infinitif 160

Participe présent 161
Participe passé 163
Construction du participe et du gérondif 176
Propositions participes 177
Accord du verbe 178

CHAPITRE 8

L'adverbe

Généralités 189
Adverbes en «-ment» 191
Degrés des adverbes 193
Emploi de certains adverbes 194
Adverbes de négation 195
«Ne» explétif 195

CHAPITRE 9

La préposition

Généralités 197
Répétition des prépositions 199
Emploi de quelques prépositions 200

CHAPITRE 10

La conjonction 203

CHAPITRE 11

L'interjection 207

CHAPITRE 12

Les propositions subordonnées

1. Subordonnées sujets 209
2. Subordonnées attributs 211

3. Subordonnées en apposition 213
4. Subordonnées compléments d'objet (directs ou indirects) 214
5. Subordonnées compléments circonstanciels 217
6. Subordonnées compléments d'agent 226
7. Subordonnées compléments de nom ou de pronom (subordonnées relatives) 227
8. Subordonnées compléments d'adjectif 229
Concordance des temps 233
Discours indirect 235

CHAPITRE 13

La ponctuation 239